22歳のとき、スノーデンは素人モデルの撮影会に参加。その写真を技術ウェブサイトの「アルス・テクニカ」に投稿した。彼はアルスの常連投稿者となり、ゲーム、女の子、日本、軍隊でのみじめな経験などについて語った。

©TheTrueHOOHA

香港のホテルの部屋でくつろいだようすのスノーデン。米国(および英国)史上最大の情報リークを実現させた彼は、それまで知られていなかった政府の大量監視プログラムの実態を暴露した。

©Ewen MacAskill/*Guardian*

ローラ・ポイトラス撮影のビデオインタビューで、スノーデンは自分の顔をさらけ出した。マスコミ慣れしていないわりには、落ち着いた見事なパフォーマンスだった。このビデオは『ガーディアン』史上最高の視聴回数を記録した。 ©*Guardian*

スノーデンはハワイでの生活を「パラダイス」と表現した。彼はつきあって長いガールフレンドのリンゼイ・ミルズと、ハワイのこの家に住んだ。ミルズは、NSAの機密情報を公表するという恋人の計画について何も知らなかったようだ。彼女のブログにスノーデンは「E」として登場する。 ©Associated Press

孤立無援の国家情報長官、ジェームズ・クラッパー。2013年3月に議会を欺いたとして彼は非難された。一般のアメリカ人に関するデータを収集しているかと問われて、「いえ、意図的な収集はありません」と答えたのだ。

©*Guardian*

NSA長官を務め、史上最大の権力を持つ諜報責任者といわれた、キース・アレグザンダー。スノーデンの暴露により、NSAの大量監視活動や、ドイツのメルケル首相など友好国の重要人物に対するスパイ行為について弁明しなければならなかった。 ©*Guardian*

スノーデンと会談した3人のジャーナリスト(香港にて)。一連の大スクープを報じ、疲労困憊しながらも気分は上々。左から、『ガーディアン』のイーウェン・マカスキル、米国人コラムニストのグレン・グリーンウォルド、ドキュメンタリー映画作家のローラ・ポイトラス。 ©David Blishen/*Guardian*

英政府の命令により破壊した『ガーディアン』のラップトップPCの破片を手にする、同紙編集長のアラン・ラスブリッジャー。スノーデンファイルを公表したことで、彼は議員たちから執拗な攻撃を受けた。ある議員はこう質問した。「あなたはこの国を愛していますか？」 ©*Guardian*

グレン・グリーンウォルドと、ブラジル人パートナーのデイビッド・ミランダ（リオデジャネイロの自宅にて）。一部で批判のある反テロ法の規定を使って、警察はミランダをヒースロー空港で拘束した。このとき彼は暗号化されたスノーデンファイルを持っていた。 ©Janine Gibson/*Guardian*

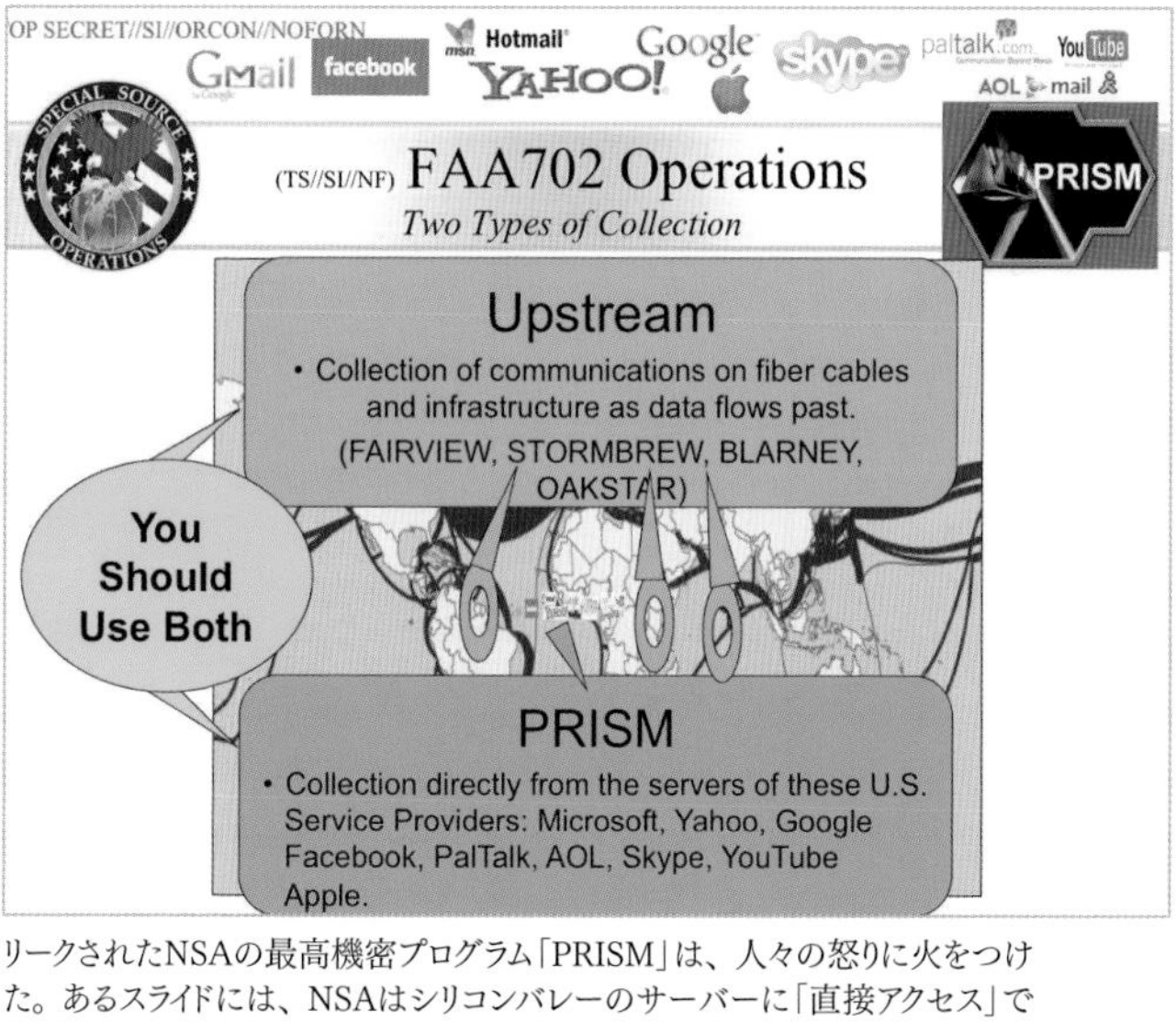

リークされたNSAの最高機密プログラム「PRISM」は、人々の怒りに火をつけた。あるスライドには、NSAはシリコンバレーのサーバーに「直接アクセス」できるとある。グーグル、ヤフー、フェイスブックはこれに猛反論。のちに、NSAがグーグルとヤフーのデータセンターをハッキングしていたことが明らかになる。

©*Guardian*

議会の情報安全保障委員会で初めて証言する、英国諜報機関の3人の責任者。左から、アンドリュー・パーカー(MI5)、ジョン・ソワーズ(MI6)、イアン・ロバン(GCHQ)。 ©EPA

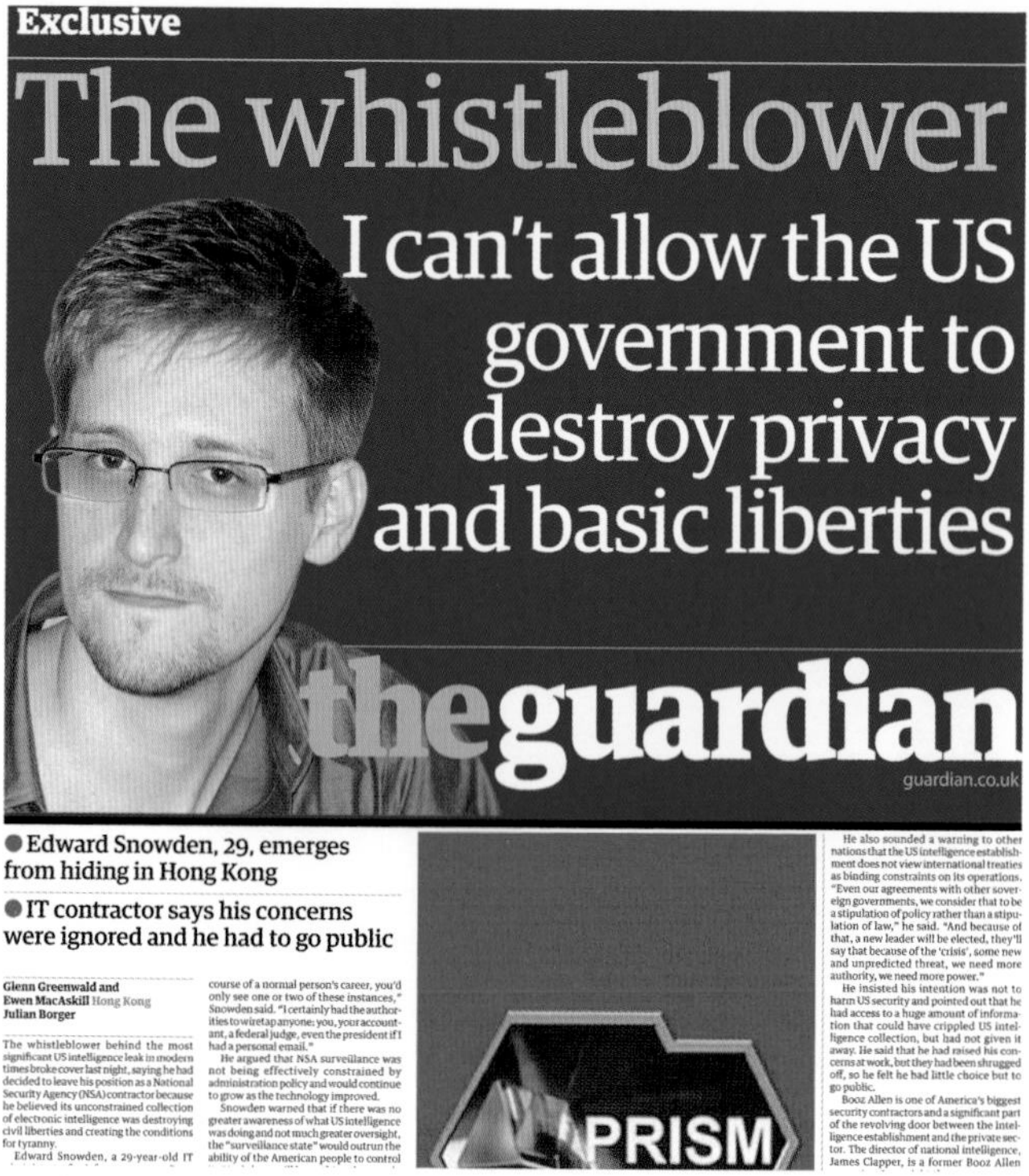

Exclusive

The whistleblower

I can't allow the US government to destroy privacy and basic liberties

theguardian

guardian.co.uk

- **Edward Snowden, 29, emerges from hiding in Hong Kong**
- **IT contractor says his concerns were ignored and he had to go public**

Glenn Greenwald and Ewen MacAskill Hong Kong
Julian Borger

The whistleblower behind the most significant US intelligence leak in modern times broke cover last night, saying he had decided to leave his position as a National Security Agency (NSA) contractor because he believed its unconstrained collection of electronic intelligence was destroying civil liberties and creating the conditions for tyranny.

Edward Snowden, a 29-year-old IT

course of a normal person's career, you'd only see one or two of these instances," Snowden said. "I certainly had the authorities to wiretap anyone: you, your accountant, a federal judge, even the president if I had a personal email."

He argued that NSA surveillance was not being effectively constrained by administration policy and would continue to grow as the technology improved.

Snowden warned that if there was no greater awareness of what US intelligence was doing and not much greater oversight, the "surveillance state" would outrun the ability of the American people to control

He also sounded a warning to other nations that the US intelligence establishment does not view international treaties as binding constraints on its operations. "Even our agreements with other sovereign governments, we consider that to be a stipulation of policy rather than a stipulation of law," he said. "And because of that, a new leader will be elected, they'll say that because of the 'crisis', some new and unpredicted threat, we need more authority, we need more power."

He insisted his intention was not to harm US security and pointed out that he had access to a huge amount of information that could have crippled US intelligence collection, but had not given it away. He said that he had raised his concerns at work, but they had been shrugged off, so he felt he had little choice but to go public.

Booz Allen is one of America's biggest security contractors and a significant part of the revolving door between the intelligence establishment and the private sector. The director of national intelligence, James Clapper, is a former Booz Allen

2013年6月5日、『ガーディアン』はスノーデンの記事を初めて発表。米国の電話会社、ベライゾンが顧客データをひそかに提供していたことを暴露した。5日後、スノーデン本人も香港で正体を明かし、第1面を華々しく飾った。

モスクワのシェレメティボ空港で1カ月以上身動きできなかったスノーデンは、ようやくロシアから1年間の亡命を認められた。写真は、モスクワ川を観光船でクルージング中のスノーデン。背景には、救世主ハリストス大聖堂の金色のドームが見える。 ©Associated Press/Rossia24

2013年10月、4人の米国人内部告発者がモスクワのスノーデンを訪問した。彼らは窓をふさいだバンで秘密の場所へ案内された。スノーデンは元気そうで、英米の機密資料を大量に暴露するという自身の決断にも満足していた。左から、コリーン・ローリー、トーマス・ドレーク、ジェスリン・ラダック、スノーデン、ウィキリークスのサラ・ハリソン、レイ・マクガバン。 ©Getty

ジャーナリズムの歴史上、最も異様な出来事の一つ。英政府は『ガーディアン』にコンピューターの破壊を強要し、GCHQの2人の技術者がこれを見届けた。

©Sarah Lee/*Guardian*

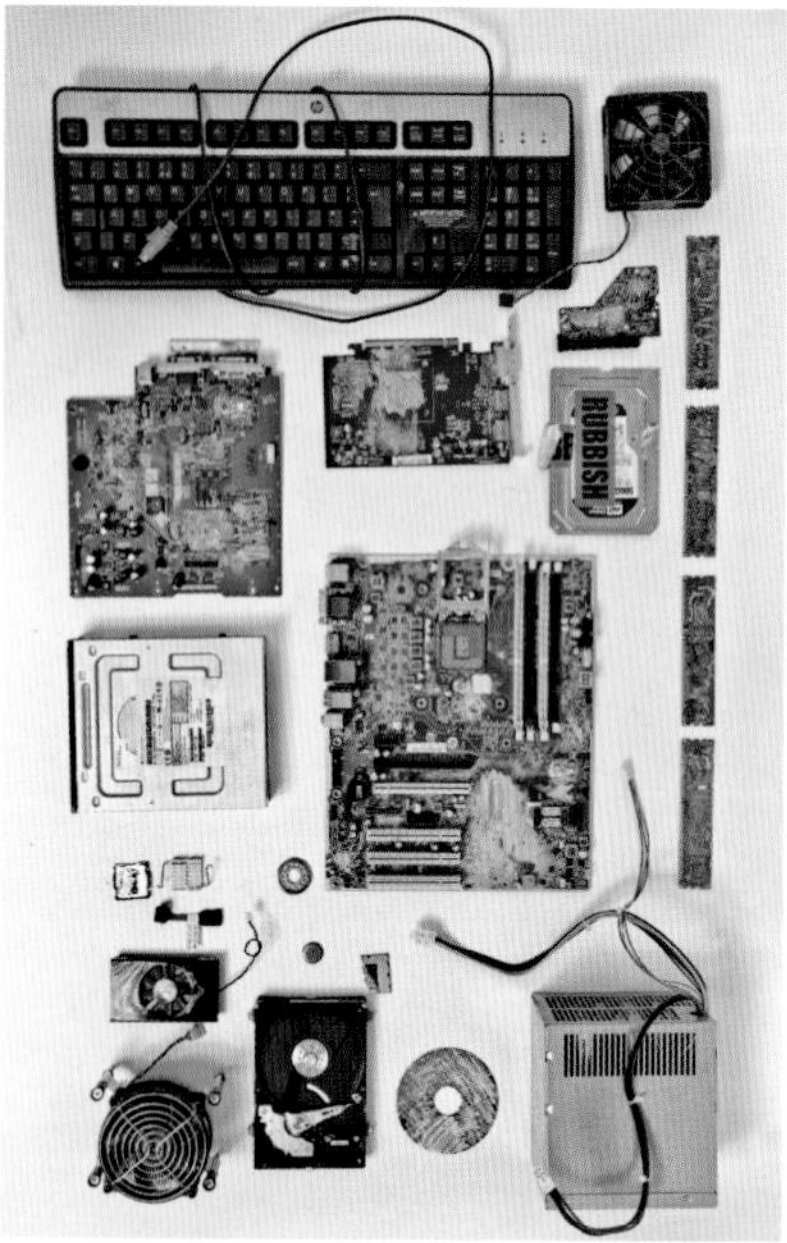

ボルチモアとワシントンDCの中間にあるNSA本部は、レーダードーム、パラボラアンテナ、電気柵をそなえた巨大なスパイ都市だ。NSAはいま、1970年以来となる危機に見舞われている。 ©EPA

英国・北コーンウォールの海辺に「威容」を誇るスパイ施設。英米の諜報機関はここで、「インターネットをマスター」するための最高機密プログラム「TEMPORA」の実験を始めた。これにより何十億というEメールやメタデータの収集・保存が可能になる。
©Getty

英国で最も権力を持つ影の男、ジェレミー・ヘイウッド。デイビッド・キャメロンはこの内閣府長官を派遣して、『ガーディアン』にスノーデンファイルを返還させようとした。首相報道官のクレイグ・オリバーは同紙に言った。「もう十分楽しまれたでしょう」
©Steve Back

ロンドン警視庁の警視監、クレシダ・ディック。2013年末、彼女は、スノーデンの資料に関連して法律を破った者がいるかどうかを捜査中であることを認めた。
©Getty

推薦のことば

佐藤 優（作家・元外務省主任分析官）

衝撃的なノンフィクション作品だ。「事実は小説より奇なり」ということわざが、そのままあてはまる。〈エドワード・スノーデンは、歴史上例を見ない内部告発者である。いまだかつて、世界最強ともいえる情報組織のトップシークレットをあれだけ大量に入手し、世間に公表した人間はいない。〉（7頁）という表現には、まったく誇張がない。同時に、人間を描いた作品としても優れている。本書の特徴は、以下の4点にある。

第一は、NSA（米国家安全保障局）が事実上、全世界のインターネットや携帯電話の利用者の情報を盗み取るシステムを持っているという衝撃的な事実を明らかにしたことだ。〈連邦機関はインターネットを乗っ取った、と彼（引用者注＊スノーデン）は言った。それは全国民の監視マシンへと変貌をとげたのだ。〉（110頁）という現実をわれわれは深刻に受け止めなくてはならない。

第二は、国家間の醜いエゴだ。NATO（北大西洋条約機構）は、価値観を共有する軍事同盟という建前になっているにもかかわらず、米国が心底信頼しているのは英国だけであるという現実だ。

ＮＳＡがドイツのメルケル首相の携帯電話を長期間にわたって盗聴していたという事実に戦慄した。

第三は、リスクを負って特ダネを伝えようとする記者魂だ。同時に、検閲やスパイ防止法で、報道の自由が露骨に規制されている英国の実態が暴かれたことも興味深い。ＧＣＨＱ（英政府通信本部）が『ガーディアン』紙に圧力をかけて、スノーデンファイルの入ったコンピューターのハードディスクを破壊する場面の描写が圧巻だ。〈破壊作業が終わると、ジャーナリストたちは破片を消磁装置にかけた。まるで積み木を箱に片づける子どものように。全員が後ろに下がってようすを見守る。イアン（引用者注＊ＧＣＨＱ職員の数学者）が身を乗り出した。……まだ何も起こらない。ようやく、ポンという大きな音が一つした。〉（１９０頁）。国家の本質が暴力の独占であるということがよくわかる。

第四は、思想の力の強さである。スノーデンは左翼やマルクス主義者ではない。〈スノーデンは合衆国憲法の信奉者であり、「ハクティビスト（政治的ハッカー）」のごたぶんにもれず、共和党のなかでも右寄りとされるリバタリアン、ロン・ポール議員の支持者である。〉（7頁）。国家は個人に対して極力干渉すべきでないという絶対的自由を主張するリバタリアンの思想は、アナーキズム（無政府主義）と親和的なところがある。スノーデンは政治犯なのである。

国家の干渉を憎むスノーデンが、国際政治の複雑なゲームに巻きこまれた結果、国家主義的なロシアの庇護を受けるようになるというのも興味深い。本書は国際政治の現実を知るための最良の教科書でもある。

目次　Contents

序文

エドワード・スノーデンは、歴史上例を見ない内部告発者である。いまだかつて、世界最強ともいえる情報組織のトップシークレットをあれだけ大量に入手し、世間に公表した人間はいない。しかし、彼はそれをやってのけた。

彼のスキルは、従来にないものだ。現代のコンピューターおたくの登場まで、三重に鍵のかかったファイリングキャビネットがずらりと並んだ図書館（すなわち何千もの文書、何百万もの言葉）を丸ごと拝借するような具合に、電子データを持ち去ることができるとは、だれも気づかなかった。

彼の動機は、注目すべきものだ。スノーデンは米国家安全保障局（ＮＳＡ）およびその協力者たちの本当の行動を暴露しようとした。お金には興味がなさそうだ。入手した文書を外国の情報機関にべらぼうな金額で売ることもできたのに。また、左翼やマルクス主義者でもない。もしそうなら反米主義者と片づけることもできるのに。それどころか、スノーデンは合衆国憲法の信奉者であり、「ハクティビスト（政治的ハッカー）」のごたぶんに漏れず、共和党のなかでも右寄りとされるリバタリアン、ロン・ポール議員の支持者である。

スノーデンが明らかにした事実は重要である。情報機関による電子通信傍受は、主に9・11テロ後の政治的パニックのおかげで、もはや手のつけられない状態になっていることがわかる。

法的な縛りを逃れ、アメリカを安全にしようと躍起になったNSAと、そのきょうだい分である英政府通信本部（GCHQ）は、（ハードウエアをコントロールする大手インターネット通信企業と秘密裏に手を結んで）「インターネットをマスター（master the internet)」すべく手を尽くしている。これはあくまで彼らの表現であって、私たちの表現ではない。民主的なコントロールはひそかに抹殺され、ただ無力だった。

その結果、世界はスパイ天国と化した。グーグル、スカイプ、携帯電話、GPS、ユーチューブ、Tor（トーア）、Eコマース、インターネットバンキングなど、個人の自由や民主主義に資すると喧伝されたテクノロジーは、『1984年』の著者、ジョージ・オーウェルも真っ青の監視マシンへと変貌している。

私たち『ガーディアン』は、自由な報道機関としてスノーデンの暴露内容をいち早く公表することができた。個人の安全と真に秘匿すべき情報の保護のため、スノーデン自身も望んだように、しかるべき配慮を払いながら、秘密主義の禁を破るのが自分たちの義務だと考えた。

それを実行したことを私は誇りに思う。激しい議論と改革への要求が、いまや世界中で巻き起こっている。米国をはじめ、ドイツ、フランス、ブラジル、インドネシア、カナダ、オーストラリア、そして「紳士の国」イギリスでも。『ガーディアン』は結局、英国のリーガルハラスメントのせいで、安全なニューヨーク支局から公表する方法をとらざるをえなかった。本書の読者は、出版・言論の自由を保障する合衆国憲法修正第1条の英国版を導入することの意味を、きっとおわかりになるだろう。私たちを守ってくれるもの、それは自由なのだから。

2014年2月　ロンドンにて
『ガーディアン』編集長
アラン・ラスブリッジャー

＊ prologue ＊

ランデブー

2013年6月3日、月曜日
香港ネイザンロード、ザ・ミラ・ホテル

「発言や行動のすべて、会って話をする人すべて、
そして愛情や友情の表現のすべてが記録される世界になど住みたくない」
エドワード・スノーデン

始まりは一通のEメールだった。

「私はインテリジェンスコミュニティーの上級スタッフです……」

名前や肩書など、詳細はいっさい不明。『ガーディアン』のコラムニストで、ブラジルを拠点にしていたグレン・グリーンウォルドが、この謎の人物とのやりとりを開始した。いったいだれなのか？　自分自身については何も語っていない。実体なき存在、まるでオンラインゴーストだ。つくり話の可能性だってある。

やはり本当とは思えない。国家安全保障局（NSA）から大きな情報漏洩があったためしはない。この、ワシントンDC近くのメリーランド州フォートミードを拠点とする、アメリカの代表的な情報収集組織が「金城湯池《きんじょうとうち》」であるのは、だれもが知っている。NSAの業務は極秘なのだ。何かが漏れるはずがない。NSAは「No Such Agency（そんな機関はない）」の略だと揶揄されるほどではないか。

だが、この謎の人物は実際、いくつかの驚くべき極秘文書にアクセスできるらしい。グリーンウォルドのところへ、NSAの機密ファイルの見本が送られていた。ほら見てごらん、とでもいうように。このゴーストはいとも簡単にそれを盗み出したように思えるが、いったいどうやって？　もし本物だったら、世界的に重要な秘密が暴かれることになる。その文書によれば、ホワイトハウスのスパイ対象は、敵（悪人、アルカイダ、テロリスト、ロシア人）だけではなく、同盟国とされる国（ドイツ、フランス）、さらには何百万という一般市民の通信内容にも及ぶというのだ。

この大がかりな諜報活動に加担したのは、英国である。英国のNSAにあたる政府通信本部（GCHQ）は、辺ぴな地方の町に拠点を構えている。英米両国は第二次世界大戦のころから、密接な情報共有関係を築いてきた。心ない言い方をするなら、英国は米国にとって信頼できるプードルだ。驚くべきことに、NSAが英国の諜報活動に何百万ドルという資金をしぶしぶ提供していることを、その文書は明らかにしていた。

そしていま、グリーンウォルドはいよいよこの密告者《ディープスロート》に会おうとしている。さらなる情報開示を約束したゴーストは、リオデジャネイロに住むグリーンウォルドに香港へ来るよう求めた。何

千マイルも離れた、共産国・中国の都市へ。なんでまた香港なのか。香港に駐在する幹部職員なのか？

ランデブーの場所は、九龍《クーロン》のザ・ミラ・ホテル。観光地の中心に建つシックでモダンなビルは、香港島行きのスターフェリー乗り場からもタクシーですぐの距離だ。グリーンウォルドに同行したのは、やはりアメリカ人のローラ・ポイトラス。ドキュメンタリー映画作家で、米軍にとって目の上のたんこぶ的な存在であることはよく知られている。彼女こそ、グリーンウォルドをゴーストに引き会わせた最初の人物、キューピッド役である。

二人のジャーナリストはとても細かい指示を受けていた。ホテルのなかの、大きなワニの模型の横――人通りが少ないものの、まったく目立たないわけではない場所で、三人は会うことになっていた。合言葉があらかじめ決めてある。謎の人物はルービックキューブを持っている。そうそう、名前はエドワード・スノーデンという。

この男は熟練のスパイだと思われた。おそらく、ものごとをドラマチックに仕立てる才能の持ち主だ。彼についてグリーンウォルドが知っている情報は、どれも一つの方向を指し示していた。そう、諜報の世界が長い白髪まじりの人物――。「高級官僚に違いないと思っていました」とグリーンウォルドは言う。金ボタンの青いブレザー、薄くなった白髪、実用的な黒い靴、眼鏡、クラブタイ……。すでにイメージはできていた。たぶんＣＩＡの香港支局長あたりだろう。ミッションはまだこれからだ。

この見解は（実は間違っていたのだが）二つのヒントをもとにしていた。この男が極秘情報にア

クセスする特権を持っているらしいこと、そして政治的な分析が鋭いこと。最初の機密情報といっしょに、男は私的なマニフェストも送ってきていた。そこには彼の動機が語られていた。「嫌疑なき監視」がいかにひどい状態にあるかを暴露したい、と。マニフェストによれば、スパイの技術はとっくに法を超越してしまったという。実効性のある監視・監督は不可能になっていた。

NSAの野望は途方もないものだ、と男は述べた。この10年で、大陸間を行き来するデジタル情報の量は爆発的に増加した。そんななか、NSAは国外情報の収集という本来のミッションから逸脱してしまった。いまや、あらゆる人のデータを米国内外から収集し、保存している。NSAがひそかに行っているのは、英国の「マスオブザベーション」という世情調査の電子版にほかならない――。

グリーンウォルドとポイトラスは予定より早くワニのところへ到着した。腰かけて待つ。ワニは中国文化で何か重要な意味を持つのだろうか、とグリーンウォルドは考えてみた。よくわからない。何ごとも起こらなかった。男は現れない。おかしい。

最初の待ち合わせがうまくいかなければ、その日の午前、同じ場所にまた戻ってくる予定になっていた。ホテル内の華やかなショッピングモールとレストランの間の通路――二人はそこをまた訪れ、再び待った。

すると彼が現れた。青白く、手足の長い、神経質そうな、やけに若い男。やっとひげをそれる年齢になったばかり、との印象さえあった。白いTシャツにジーンズというういでたちで、右手には、やりかけのルービックキューブを持っている。何か手違いでも？「23歳くらいに見えました。い

ったいどういうことなのか、まったくわけがわかりませんでした」とグリーンウォルドは言う。その若い男は（もし本当に謎の男だとすればだが）最初に会ったときの合言葉を暗号化して送ってきていた。

グリーンウォルド：レストランは何時に開きますか？

男：正午です。でも、まずいからやめたほうがいい。

いささか滑稽なやりとりだ。グリーンウォルドは緊張しながら、指示されたせりふを口にした。努めてまじめくさった顔つきで。

スノーデンは「こちらへ」と素っ気なく言った。三人は黙ったままエレベーターへ向かう。周りにはだれもいない。少なくともそう思えた。2階で降り、ルービックキューブの男のあとについて1014号室へ行く。男はカードキーでドアを開け、客人を招き入れた。「なるようになれという感じでした」とグリーンウォルドは言う。

もともと、何やら妙なミッションだった。だがいま、どうやら無駄足だった感が強まった。この細縁眼鏡の、学生のような男が、超極秘情報を入手できるというのか？　楽観的に考えるなら、彼は謎の男の息子か秘書ではないか。もしそうでなければ、会っても時間の無駄、ジュール・ベルヌばりのつくり話だ。

ポイトラスもこの男と4カ月間、ひそかに連絡をとりあっていた。彼だ、と彼女は直感した。少

なくともネット上にいたのはこの男だ。やはり頭が混乱していた。「あまりに若いのでびっくり仰天でした。脳の配線を直すのに丸一日かかりました」

だがその日、スノーデンは自身の身の上を語った。年齢は29歳。NSAの契約スタッフだという。ハワイ・クニアの作戦センターにいたが、2週間前に仕事をやめた。恋人にも事実上別れを告げ、香港行きの飛行機にこっそり乗った。ラップトップPCを4台持参していた。

PCは厳重に暗号化されていた。そこからスノーデンは、NSAやGCHQの内部サーバーから取得した文書にアクセスできた。何万という数の文書である。ほとんどが「トップシークレット(最高機密)」と記されている。「トップシークレット・ストラップ(Strap)1」とあるのは、英国の傍受情報でもトップクラスに分類されるもの。「ストラップ2」は最高レベルの機密情報を指す。ごく一部の安全保障関係者を除けば、この種の文書を見た者はいまだかつてない。これは史上最大の情報漏洩だ、とスノーデンは言った。

何日もルームサービスを利用したらしい残骸がたまっているのにグリーンウォルドは気づいた。トレー、どんぶり、汚れたナイフやフォーク……。2週間前、ザ・ミラに本名でチェックインして以来、思いきって外へ出たのは3度だけだという。

ベッドに腰かけるスノーデンに、グリーンウォルドは質問を浴びせた。どこで働いていたのか、CIAでの上司はだれか、なぜこんなことを? グリーンウォルドの記者としての信用がかかっている。『ガーディアン』の編集者たちも同様だ。だがもしスノーデンが本物なら、いまこのときにもCIAのスワットチームが部屋に乱入してラップトップを押収し、彼を連れ去る可能性もある。

スノーデンは偽物ではない、と二人は確信しはじめていた。彼の情報は本当かもしれない。それに、内部告発者になった理由にも説得力がある。システム管理者だったというから、本人が明快かつ冷静に説明したように、NSAのたぐいまれな監視能力を概観できる立場にあったのではないか。この情報機関の暗部を目撃できたのではないか。

NSAは大統領以下、どんな人でも盗聴できると彼は言った。国外のターゲットに関する信号情報(SIGINT＝シギント)だけを収集するのが建前になっているが、実情はそんなものではない、と。すでに何百万というアメリカ人から、電話の通話記録、Eメールのヘッダーやタイトルといったメタデータが、何の断りもなく捕捉されている。ここからは、その人の友人、恋人、喜び、悲しみなど、暮らしぶりの全貌が手にとるようにわかってしまう。

NSAはGCHQと協力して、海底の光ファイバーケーブルに盗聴器を仕掛けていた。おかげで英米両国は、全世界の通信内容の多くを読み取ることができた。秘密裁判所は通信事業者にデータの引き渡しを命令していた。さらに、グーグル、マイクロソフト、フェイスブック、そしてスティーブ・ジョブズのアップルまで、シリコンバレーのほぼすべての有力企業がNSAと関係していた、とスノーデンは言う。NSAは、これらテクノロジー大手のサーバーに直接アクセスできることを認めている。

未曾有の監視能力を手にしながら、米国のインテリジェンスコミュニティーは自分たちの活動について真実を隠している、とスノーデンは言った。国家情報長官のジェームズ・クラッパーが、NSAのプログラムについて議会で故意にうその証言をしていたら、それは重罪を犯したことになる。

NSAは合衆国憲法とプライバシー権を著しく蹂躙している。銀行関連の支払いを安全にするためのオンライン暗号化ソフトにバックドアを仕込み、システムを無力化させることさえいとわない――。

スノーデンの話を聞いていると、NSAの行状はまるでオルダス・ハクスリーやジョージ・オーウェルなど、20世紀のディストピア小説からの引用のようだった。だが、NSAの究極の目標はそこにとどまりそうにはなかった。あらゆる人、あらゆる場所からあらゆる情報を収集し、それを無期限に保存するのだ。

一つの転換期だった。プライバシーなどないも同然だ。さまざまなスパイ機関がインターネットを乗っ取っていた。かつては個人のため、自己表現のためのプラットフォームだったインターネットを。スノーデンは「パノプティコン（全展望監視システム）」という言葉を使った。これは18世紀の英国の哲学者・法学者、ジェレミ・ベンサムによる造語である。看守がつねに囚人をみはることができ、囚人は見られていることに気づかない、そんな円形監獄のアイデアを表している。

だから公表する決心をした、とスノーデンは主張した。人生やキャリアを投げ出してもよい、と。彼はグリーンウォルドにこう言った。「発言や行動のすべて、会って話をする人すべて、そして愛情や友情の表現のすべてが記録される世界になど住みたくありません」

その後、スノーデンの主張は前代未聞ともいうべき論議を呼ぶことになる。英米両国政府は激怒した。スノーデンが香港から脱け出し、中南米に亡命を申請し、モスクワで立ち往生すると、世界は大騒ぎになった。

欧米では（ジェームズ・ボンドの英国は最初のうち含まれていなかったが）、安全保障と市民の自由、言論の自由とプライバシーのバランスについて活発な議論がなされた。政治の両極化が著しい米国でも、右派と左派の双方がスノーデン支援に立ち上がった。オバマ大統領でさえ、もっと早く議論すべきだったこと、改革が必要であることを認めた。とはいえ、米当局はスノーデンのパスポートを無効にし、彼をスパイ罪に問い、ロシアからの帰国を求めたのだが——。

スノーデンの記事を発表するための戦いは、ジャーナリスト自身に問題を提起することにほかならなかった。それは法律、物資、編集にかかわるドラマチックな問題である。一有名新聞とそのグローバルウェブサイト、提携紙などが、地球上で最も力を持つ人たちを敵に回すことになった。そしてあげく、地下室にあった『ガーディアン』のコンピューターのハードディスクドライブが破壊された（GCHQの二人の技術者がそれを見届けた）。自由主義社会のジャーナリズムとその国家との戦いの歴史上、これほど現実離れしたエピソードはないだろう。

香港のホテルの部屋で、すべての始まりを告げるスイッチを入れながら、スノーデンは寡黙だった。グリーンウォルドによれば、彼は自分の行動の正しさを確信していた——知的にも、感情的にも、心理的にも。情報をリークしたあと、スノーデンは投獄されるのは間違いないと考えた。だが、その極めて重大な夏の間、彼は静かで落ち着いているように感じられた。岩のように固い、内なる確信の境地に達していたのだ。そうなればもう恐れるものはない。

＊第1章＊

TheTrueHOOHA（ザ・トゥルー・フーハ）

2001年12月
ボルチモア近くのエリコットシティー

「結局のところ、自身の高潔な精神以外に神聖なるものはない」
ラルフ・ワルド・エマーソン「自己信頼」

2001年も押しせまったころ、「TheTrueHOOHA」と名乗る何者かが、ある問いかけをした。TheTrueHOOHAは18歳のアメリカ人男性で、熱心なゲーマー。すぐれたITスキルと鋭い知性をそなえていた。本当の正体は不明である。だが当時、人気の技術ウェブサイト「アルス・テクニカ」への投稿者はだれもが匿名だった。ほとんどが若い男性で、みんなインターネットに夢中だった。

TheTrueHOOHAは、ウェブサーバーの設定方法について助言を求めていた。土曜の午前、現地時間で11時ちょっと過ぎ。投稿内容は、「初めてなので、どうかお手柔らかに。自分でサーバーをホストしたいのですが、どうすれば?」

まもなく常連たちが、ありがたいアドバイスを送ってくれた。自分でサーバーをホストするのはそれほど難しくないけれど、少なくともペンティアム200のマシン、たくさんのメモリにそこそこの処理能力が必要――。TheTrueHOOHAはこうした回答が気に入って、次のように返信した。「さすがアルス。おたく知識の宝庫」。午前2時にも彼はまだネット上にいた（もっとも疲れ気味ではあったが。「おねむです。あすも早起きして、おたく情報をチェックしなきゃ、でしょ」と彼は書いている）。

TheTrueHOOHAはアルスでは新参者だったはずだが、その応答は饒舌で落ち着き払っていた。「18歳の新人のくせに尊大でけんか腰で、年長者を敬う気持ちがないとお感じなら、なかなかいいセンいってます」。彼は教師を快く思っていなかったようで、次のように書いている。「コミュニティーカレッジには頭の切れる教授がいないね」

TheTrueHOOHAはアルス・テクニカの常連になり、その後8年間で800近いコメントをアップしている。そのほか、#arsificialなどのフォーラムでも頻繁にチャットしている。いったい何者なのか？　いろいろな仕事をしているようだ。「失業中」「なりそこないの兵士」「システムエディター」……あるいは、米国務省の機密情報へのアクセス権限を持つ者を名乗ることもあった。ウォルター・ミティ（ジェームズ・サーバーの小説の主人公）のような空想家だろうか？　自宅はアメリカ東海岸のメリーランド州、ワシントンDCの近く。だが、20代半ばには、彼はもう謎めいた国際的人物になっていた。ジュネーブ、ロンドン、アイルランド、イタリア、ボスニアなど、ヨーロッパ各地に出没。インドにも渡っている。

TheTrueHOOHAは自分が何をしているかについて、くわしい情報は明かさなかった。ただ、手がかりはあった。学位は持っていないのに、コンピューターについて驚くほど知識があり、大部分の時間をネット上で過ごしているようだ。独学の徒といったところか。政治的には筋金入りの共和党支持者と思われた。個人の自由を強く信奉し、たとえば大麻を栽培するオーストラリア人を擁護した。

不愉快なふるまいをすることもあった。たとえば、アルスのある仲間を「くそ野郎」呼ばわりしたかと思えば、社会保障に関する思いきった意見に反対した相手を「うすらばか」とののしった。バーと同じで参加自由のチャットルームとはいえ、TheTrueHOOHAは少々意固地で独断的な男だった。

本名はわからないものの、その姿が垣間見られる機会はあった。2006年4月、23歳の誕生日の2カ月ほど前、TheTrueHOOHAは素人モデルとしてだれかに撮ってもらった自分の写真を投稿した。写っているのはハンサムな若い男。青白い肌、かすかにあざのある目、何やら吸血鬼を思わせる風貌。不機嫌そうにカメラを見つめている。奇妙な革製のブレスレットをしているショットもある。

「かっこいい」と、あるユーザーが投稿した。ゲイみたいだと言われると、自分は同性愛者ではないとTheTrueHOOHAは主張。「ガールフレンドは写真家なんだ」と何気なく付け加えている。

彼のチャットログは、実にさまざまなテーマに及んでいる。ゲーム、女の子、セックス、日本、株式市場、軍隊でのみじめな経験、多民族国家イギリスに対する印象、銃所持の喜び……（「ワル

サーP22を持ってる。持ってるのはこれだけだけど、もうぞっこん」と２００６年に書いている)。これらのログは、インターネットとともに育った最初の世代の一人が書いた、いわゆる「教養小説」(若者の成長過程を描いた小説)をかたちづくっている感がある。

ところが２００９年になると、投稿が尻すぼみになる。何が起こったのか、当初の活力が消え失せてしまう。最後のほうの投稿は暗く陰気である。身を切るような痛みが感じられる。２０１０年2月、彼はほぼ最後の投稿で、みずからを悩ますトラブルについて触れている。政府による監視の広がりである。

スパイどもへの絶対服従が当たり前の社会になってしまった。

連邦政府の魔法のろうそくのせいで何もかもお見通しになった透明な封筒は、１７５０年ならどれくらい売れていただろう?　１８００年なら?　１８５０年、１９００年、１９５０年なら?　われわれは、みずからを制御してストップできるにもかかわらず、坂道を転がってここまで来てしまったのか?　それとも、政府の秘密主義の拡大のせいで、知らぬ間に大転換が起きたのか?

TheTrueHOOHAの最後の投稿は、２０１２年5月21日。その後、彼は姿を消した。広大なサイバースペースのなかに、このハンドルネームは消え失せてしまった。だがそれから1年後、もうご存じのように、TheTrueHOOHA、別名エドワード・スノーデンは香港へ渡ることになる。

エドワード・ジョセフ・スノーデンは1983年6月21日生まれ。友人たちは「エド」と呼ぶ。父親のロニー・スノーデンと母親のエリザベス（通称ウェンディ）はハイスクール時代の恋人どうしで、18歳のときに結婚した。ロニーは沿岸警備隊の職員だった。沿岸警備隊最大の航空基地がある、ノースカロライナ州沿岸のエリザベスシティーで若いころを過ごした。ロニーにはジェシカという姉がいる。軍関係者ならみんなそうだが、ロニー・スノーデンも愛国心が強い、保守派のリバタリアンである。

思慮深い一面もある。スノーデンの父親は博識で、ラルフ・ワルド・エマーソンの詩を引用したりもする。エマーソンは、腐敗した国家の命令にさからってでも、みずからの信念に従う人間を擁護した詩人・思想家である。沿岸警備隊に入ったロニーは、合衆国憲法と権利章典を守ることを誓った。表面的な誓いではなく、本気だった。その誓いこそ、市民と国家との厳粛なる契約を支える根拠なのだから。

スノーデンがまだ笑顔のかわいい、ふさふさのブロンドの少年だったとき、一家はメリーランド州の、ワシントンDCの通勤圏にある町に引っ越した。スノーデンは、ワシントンDCとボルチモアの間の閑静な住宅街、アナランデル郡クロフトンの小中学校に通った。どちらも見た目はぱっとしない。窓のないレンガ造りの倉庫といった風情だ（少なくとも小学校のほうは、駐車場の横に低木の庭があって、蝶々が飛んだり、プラタナスが一本そびえたりしていた）。10代の半ばごろ、スノーデンは近くのアランデル・ハイスクールに移り、1年半そこに通った。

父親によれば、スノーデンの教育は病気がもとで歯車が狂った。たぶん腺熱の一種だという。授業に「4〜5カ月」は出られなかった。もう一つ学業の妨げになったのは、両親の不仲である。二人の結婚生活は崩壊寸前で、スノーデンは結局ハイスクールを卒業できなかった。1999年、16歳のとき、彼はアナランデル・コミュニティーカレッジに入学した。広大なキャンパスには野球場とフットボール競技場があり、スポーツのモットーは「われらのプライドは隠せない」。

スノーデンはコンピューターのコースをとり、ハイスクールの卒業資格に相当するGEDを取得した。とはいえ、ハイスクールを卒業できなかったせいで、いつまでも自信が持てず、自己防衛的にならざるをえなかった。2001年2月、スノーデンの母親が離婚を申し立て、3カ月後に離婚が成立する。

このごたごたのあと、スノーデンはボルチモアの西のエリコットシティーで、ルームメートと、それから母親といっしょに暮らした。母親の家はウッドランド・ビレッジという名の住宅地にあり、プールとテニスコートがついていた。2階建てのグレーのタウンハウスは、草むすスロープに隣接している。子どもの遊び場があり、庭にはゼラニウムとギボウシ。中年の婦人たちが毛艶のいい犬を散歩させている。住人はみんな気さくな人たちだ。カーテンが開いているとスノーデンの姿が見えたのを覚えている。たいていはコンピューターに向かって仕事をしているようだった。

エリコットシティーの名は、1730年にイングランドから移り住んだクエーカー教徒、アンドリュー・エリコットにちなんでいる。18世紀後半、エリコットシティーは大きく繁栄した。川の東岸には製粉所、街には地元産の花崗岩でできた頑丈な家々が建てられた。英国製の大砲もあった。

港町のボルチモアが近い。21世紀には、製粉所はとっくになくなっていた。遺跡になっていたり、洪水などで文字どおり洗い流されたところもある。現在、メリーランド州の人々の主な雇用主は連邦政府である。ワシントンDCまで短時間で通勤できるからだ。

スノーデンは連邦政府のなかでもとくに、ある政府機関の巨大な傘の下で成長した。母親の家からそこまでは車で15分。ワシントンDCとボルチモアの中間にあるその機関は、立ち入りが厳重に制限されている。秘密の任務を帯びているのは間違いない。木々で半分隠れているのは、緑色の巨大な立方体のビル。アンテナらしきものが屋根に点在している。だだっ広い駐車場、巨大な発電施設、ゴルフボールのような白いレーダードーム。なかにはパラボラアンテナが収められている。電気柵が、ものものしい雰囲気を醸し出す。ボルチモア・ワシントン・パークウェイの出口の看板にはこうある。「NSAは次を右。職員に限る」

この用心深い要塞都市こそ、1952年から海外の通信を傍受している国家安全保障局（NSA）の本部である。10代のころからスノーデンは、NSAのことなら何でも知っていた。通っていたカレッジがほとんどお隣さんだったからだ。母親の家の近所ではNSAに勤める人が多かった。毎朝車で、メリーランドの起伏のある田園地帯を通り抜けて出勤し、夜には、フォートミードの1000エーカーもの広大な施設から帰還する。この別名「パズル・パレス」（「シギント・シティー」としても知られる）では約4万人が働く。米国最大の数学者の雇用主だ。

しかしスノーデンにとって、この得体の知れぬ政府領地に出入りする可能性はないに等しかった。20代前半のころ、彼の関心はもっと一般的なコンピューターの世界に向いていた。彼にとってイン

ターネットは「人類の歴史上最も重要な発明」だった。「自力では決して出会えなかったいろいろな意見の持ち主」と、ネット上でおしゃべりした。何日もネットサーフィンしては、日本の対戦型格闘ゲーム「鉄拳」で遊んだ。彼はただのおたくではなかった。健康維持に努め、カンフーをたしなみ、「アルス・テクニカ」上のある投稿によれば、「アジアの女の子たちとデートをした」

だが、こんなことをしてもキャリアの足しにならないのはわかっていた。2003年の投稿にはこうある。「僕は学位もなければ、メリーランドに住む権限もないMCSE（マイクロソフト認定ソリューションエキスパート）。要は失業者というわけ」

一方、スノーデンの父親はペンシルバニア州に移っていた。再婚間近だった。

2003年の米国主導のイラク侵攻をきっかけに、スノーデンは軍で働くことを真剣に考えはじめた。沿岸警備隊に30年勤めた父親と同様、国に奉仕したいという思いが強かったという。「イラク戦争で戦いたいと思いました。一人の人間として、人々を抑圧から解放する義務があると思ったから」。その動機は理想主義的で、サダム・フセイン政権の転覆というジョージ・W・ブッシュ大統領の当時の目標とも符合するように思える。

スノーデンは米特殊部隊への入隊を考えた。経験のない新兵でもエリート兵になれる道が開かれており、なかなか魅力的な制度に見えたのだ。2004年5月、彼は思いきって門戸をたたいた。とりあえずの配属先は、ジョージア州フォートベニング基地。8～10週間の基礎訓練のあと、上級歩兵コースというだんどりで、最後に特殊部隊への適性が評価される。

米軍暮らしは最悪だった。スノーデンは健康ではあったが、兵士としてはものになりそうになか

った。近視（「4インチくらい離れると見えなくなるので、検眼の人には笑われどおし」と投稿している）のうえに、足の幅が異常に狭い。「フォートベニングの民間人は僕に合う戦闘靴を探すのに45分かかった」とアルスで書いている。結果的に、訓練担当の軍曹を待たせて叱責を受けたらしい。

スノーデンに言わせれば、軍人たちのなかには、彼のように崇高な目的意識を持つ者や、抑圧された市民の解放を望む者はほとんどいなかった。上官たちはだれかを撃ち殺したいだけだ。できればイスラム教徒を。「訓練係のほとんどは、人助けではなく、アラブ人を殺したくてうずうずしているようすでした」と彼は言う。

そして歩兵訓練の最中、彼は両脚を骨折する。1カ月以上決めかねたあげく、軍はついに彼を解雇した。

メリーランドに戻ったスノーデンは、メリーランド大学先端言語研究所の「セキュリティースペシャリスト」として職を得る。2005年のことだ（最初は警備員だったようだが、のちにIT分野に復帰）。同大学のキャンパスにあるNSAの機密施設で働いた。短期間の軍務経験があるおかげで、平の職員とはいえ、諜報の世界の仕事にありつけたのだろう。この研究所は米国のインテリジェンスコミュニティー（自称「IC」）と密接な関係にあり、高度な言語訓練を提供していた。

学位のなかったスノーデンだが、2006年半ばにはCIAで情報技術関連の職を得た。卓越したITスキルのおかげで、政府でのいろいろな仕事の可能性が開けることを彼は知った。「そもそも学位なんて、少なくとも国内的にはゴミ同然だ。10年以上のIT経験をちゃんと証明できれば、

給料のいいITの仕事を見つけられる」と、2006年7月に彼は書いている。「僕は学位もなければハイスクールも出てないけど、きみらより稼ぎはいい。経験6年としか言ってないのに。入り込むのはラクじゃないけど、いったん本物の職にありつけたら、しめたもの」

米政府機関にいると、海外出張に行けたり、けっこうな特典が与えられたりと、うれしい待遇を受けられた。ジェームズ・ボンドである必要はない。「ふつうのIT専門家のポジション」に応募すればよいだけだ。彼は国務省を「いま行くならここ」と評している。

特典の一つは、機密情報へのアクセスだった。「そう、国務省のIT部門で働くには、極秘情報の取扱許可を必ず得なきゃならない」。彼は就職戦略についてもアドバイスしている。同省は「いま人手不足」だとしたうえで、こう続ける。「ヨーロッパのポストは競争が激しいけど、あの物騒な近東に行きたいと表明すれば、きっかけをつかみやすい。いったん入ったら、あとはつまらない任務にひたすら耐えること。そうすればきっと希望のポストを選べるようになる」。その後、こんなふうにコメントする。「戦争に感謝」

スノーデンの場合は転職が功を奏した。2007年、CIAは彼をスイスのジュネーブに派遣する。初めての海外赴任。24歳のときだ。新しい仕事は、CIAのコンピューターネットワークのセキュリティー維持と、政府代表部外交官のコンピューターセキュリティーのサポート(地位が高い外交官でも、その多くはインターネットに対する初歩的な理解しかなかった)。彼は通信情報システムの担当官だったが、空調設備の保守もやらなければならなかった。

スイスは新鮮で刺激的だった。海外で暮らすのは初めてである。ジュネーブには米国、ロシアな

どから、ありとあらゆるスパイが集まっている。外交・商業機密の宝庫であるこの都市には、銀行家の一大コミュニティーのほか、国連事務局、多国籍企業の本社などがある。居住者の約3分の1は外国人だ。上品で物静かな整った街である。住人の大部分は裕福だが、最下層の移民も住んでいる（貧しいナイジェリア人たちがスイスの数多くの言語をすばやくマスターすることに、スノーデンは驚いている）。

スノーデンが表向き勤務している米政府代表部は、街の中心部にあった。ガラスとコンクリートでできた70年代の建物で、錬鉄製の門があり、生垣の壁で守られている。ロシアの政府代表部も近かった。スノーデンは、ローヌ川を見渡す4ベッドルームの快適な公舎に住んだ。生活面に関しては申し分なかった。数ブロック東には、米大使邸があるレマン湖。アルプスも遠くないので、登山、スキー、ハイキングが楽しめる。

アルス・テクニカのログから浮かび上がるのは、偏狭な米国の視点でいまなお（少なくとも最初のうちは）世界を見ている若い男の姿だ。まず、スノーデンはスイスについて複雑な感情を持っていた。あるチャットでは、物価の高さ（「ここでは、くだらないものが信じられないほど高い」）のほか、レストランに水道水がないこと、ハンバーガーが15ドルもすることを嘆いている。

ほかにもカルチャーショックがあった。メートル制について、それからスイス人の豊かさについて（「スイス人はリッチでいらっしゃる。あのマクドナルドの店員が僕よりたくさんもらってるくらいだ」）。だが全般として、彼は絵のように美しい周囲の環境を気に入っていた。たとえば、次のようなチャット。

TheTrueHOOHA：道路は幅35インチ、9000台の車がそこを走る
路面電車の軌道が二つに、バスレーン、自転車レーン
ミラーが削られてばっかりじゃないかと
だれかにぶつかったら賠償問題

ユーザー3：低所得の移民が多い？

TheTrueHOOHA：そう、正体不明の東南アジア人や東ヨーロッパ人がいっぱい
フランス語も英語もしゃべれない
でも誤解しないでね、スバラシイ街だから
絵葉書のなかに住んでいるみたいな
悪夢のように物価が高くて、階級差別がひどい

ユーザー4：どこにいるわけ？　スイス？

TheTrueHOOHA：そう、スイスのジュネーブ

ユーザー4：すごい！

TheTrueHOOHA：まあね……いまのところ最高にクール

スノーデンはジュネーブで、さまざまな意見を持つ人たちに出会った。なかには急進的な人間もいた。武術クラブの面々と旧正月の祝賀会にも参加した。やはりジュネーブでの友人であるマバニー・アンダーソンは、テネシー州の『チャタヌーガ・タイムズ・フリー・プレス』紙に次のように書いている。「彼は一度、一対一で武術を教えてくれたことがある。その力量には驚かされた。愉快だったのは、初心者にやさしくできないようすだったことだ」

スノーデンは米東海岸で比較的視野の狭い教育を受けた。だがいま、彼は米政府のおかげでヨーロッパに住んでいる。CIAでの仕事はほかにも特権をもたらした。たとえば駐車違反の切符を切られても、外交特権をたてに罰金を払わなかった。ヨーロッパをもっと広く知る機会にも恵まれた。アルス・テクニカによれば、スノーデンはサラエボを訪れ、ホテルの部屋からイスラムの礼拝の呼びかけを聞いた。ボスニア、ルーマニア、スペインにも行き、当地の食べ物や女性について意見を述べている。

スイスには人種差別的なところがあるのではないか、とスノーデンは思うことがあった。同時に、個人の自由に対するスイス人の考え方、売春が合法的だという事実に感銘を受けた。彼はスピードマニアでもあった。愛車はダークブルーのBMWの新車。時速180キロはラクに出る。彼はスピードリミッターを外してしまったことを認め、本格的なレース場を走りたいと語っている。イタリアではバイクのレースにも参加した。

型にはまらない自由人たちと親交のあったスノーデンだが、資本主義や自由市場の熱烈な信奉者でもあった。教条的な意味だけでなく、実用的な意味でも。スイスにいる間はずいぶん株取引に手

を出した。悪びれることなく空売りをし、2008年のグローバル金融危機が欧米を揺るがすと、かたずを飲んでなりゆきを見守った。もうけることもあったが、たいていは損を出した。

オンラインチャットでは、自分の武勇伝についてあれこれ語っている。彼は金本位制の支持者である。失業率の高さにはいたって冷淡だ。アルスでの書き込みによれば、それは「資本主義の補正」として「必要」なのだという。「12％もの失業率をどうするのか」と、あるユーザーに問われると、「1900年以前はほぼ全員が自営業者だった。なぜ12％くらいでがたがた言うのか」と返している。

スノーデン独自の右翼思想を最も厳密に体現した人物は、著名なリバタリアン、ロン・ポールである。彼は特に若者の間で熱烈な支持を受けた。ポールは30年間、断続的に議員を務め、共和党執行部にも政治的コンセンサスにもたてついた。社会主義、ケインズ派経済学、連邦準備制度の難敵である。米国の外国介入に反対し、政府による監視を嫌った。

スノーデンは2008年大統領選へのポールの立候補を支持した。また、共和党の大統領候補になったジョン・マケインのことも、「すぐれたリーダー」「本物の価値観を持った男」と評価している。オバマの支持者ではなかったが、彼を嫌うわけでもなかった。スノーデンは選挙戦中、マケインと組めるのならオバマを支持するかもしれないと言っている（ありそうにない話だが）。アルスにはこんな投稿が見られる。「何よりもまず必要なのは理想主義者だ。ヒラリー・クリントンはたぶんこの国をダメにするだろう」

オバマが勝って大統領になると、スノーデンは彼を毛嫌いするようになった。ホワイトハウスが

銃を規制しようとするのを批判した。当時、そしてそれ以降、スノーデンの思考の道しるべとなったのは合衆国憲法である。この場合は修正第2条にいう武器携帯の権利だ。彼は差別是正措置《アファーマティブアクション》によい印象を持たなかった。社会保障制度《ソーシャルセキュリティー》にも反対だった。人は困ったときでも国に助けを求めるべきではない、と考えていたからだ。

そんな彼にかみつくユーザーもいた。「くたばれ、古くさい連中め!」

TheTrueHOOHAは怒りをこめて反撃した。「くたばるのはそっちだ。……祖母は今年83歳だけど、美容師としてまだ自活してるぞ。……大人になって税金を払うようになれば、あんたにもわかるさ」

もう一つ、彼をもっと怒らせる話題があった。2009年のスノーデンは、機密情報を新聞にリークした政府関係者を痛烈に批判している。これほどひどい犯罪はない、と彼は憤慨する。その年の1月、『ニューヨーク・タイムズ』紙は、イスラエルが秘密裏にイラン攻撃を企てているという記事を発表した。いわく、ブッシュ大統領は、地中貫通爆弾《バンカーバスター》の供与を求めるイスラエルの要請を「かわした」。代わりにブッシュは、イランの核開発を妨害する「新たな秘密工作」を承認したことをイスラエルに伝えた――。

同紙によると、この記事は、現在および過去の米政府関係者、ヨーロッパとイスラエルの政府関係者、その他の専門家や国際核査察官への15カ月にわたるインタビューをもとにしている。

アルス・テクニカが発表したTheTrueHOOHAの反応は、全文引用するに値する。

TheTrueHOOHA：なんてこった！
http://www.nytimes.com/2009/01/11/washington/11iran.html?_r=1&hp
いったい何なんだ、ニューヨーク・タイムズ
戦争をおっぱじめる気か？　頼むぜ。まるでウィキリークスだ
ユーザー19：単なる報道だよ、あんた
TheTrueHOOHA：機密情報を報道ってか
ユーザー19：知らねえよ
TheTrueHOOHA：敵に囲まれ、すでに戦争をしている評判の悪い国
その国とわが国の間の、他国の主権侵害計画に関するやりとり
そんなの新聞に載せるか？
ユーザー19：さあね
TheTrueHOOHA：それに、これを漏らした匿名の情報源って？
そんなやつらキンタマ撃ち抜いてやれ
「だが、この緊迫したやりとりがきっかけで、ホワイトハウスはイスラエルとの情報共有を強化し、イランの核施設に対する新たな妨害工作についてイスラエル当局に説明した。これはブッシュが次期大統領のバラク・オバマに引き継ごうとしている、重要な機密プログラムである」だと
もしもし？　機密ですって？　そりゃどうも

ユーザー19：知るか
TheTrueHOOHA：いったい何億ドルが無駄に消えたか
ユーザー19：大げさな。問題ないさ
TheTrueHOOHA：大げさじゃないね。やつらには「前科」がある
ユーザー19：おめでとさん
TheTrueHOOHA：「オサマ（ビン・ラディン）の携帯電話が聞ける」みたいな話をばらしたのも同じやつらだ。盗聴とかなんとか、何度も何度も書きたてやがって。でも、やつら倒産するぜ
ユーザー19：ニューヨーク・タイムズが？
TheTrueHOOHA：願わくば今年中には

数分後、チャットはまた続く。

ユーザー19：報道して何が悪い？
TheTrueHOOHA：倫理的な報道ならいいさ
政治家の汚職とか、スキャンダルとか

ユーザー19：政府の陰謀について報じるのは倫理に反するってか？

TheTrueHOOHA：「国家の安全」をないがしろにしていいわけない

ユーザー19：さあね

国家の安全？

TheTrueHOOHA：そのとーーーーーり

機密扱いには理由がある

「国民に知られたくない」じゃなくて、

「イランに知られたらどうにもならん」からだ

ユーザー19：さいですか

TheTrueHOOHA：「イランをめぐる情報は機密性が高いため、オフレコでなければだれも口を開かない」だってさ

じゃあなぜ記者に話してんの？

「この秘密工作は、イランへの通常攻撃未満の対応でイスラエルが納得するかどうかとあわせて、オバマに苦渋の決断を直ちに迫るものだ」

だからもう秘密じゃないって

ねえ冗談でしょ。ニューヨーク・タイムズが外交政策決めるの？

それとオバマ？

オバマはとんでもない政治家をＣＩＡ長官にした！

ユーザー11：そう、いままでのCIA長官とは違って待ってくれよってな話

TheTrueHOOHA：もう頭にきた。とても信じられん

「とんでもない政治家」とはレオン・パネッタのことだ。情報畑の経験がないにもかかわらず、2009年にオバマから指名を受けた。テロ容疑者の秘密移送、CIAの秘密監獄、違法な盗聴など、ブッシュ時代の情報組織のスキャンダルを清算するのがそのねらいだった。

スノーデンはどうやら、のちに自分と接点を持つようになる内部告発サイト、ウィキリークスを知っていたらしい。だが彼はウィキリークスが気に食わなかった。この当時、『ニューヨーク・タイムズ』に対する彼の反感は、「やつらはウィキリークス以下だ」という考えに基づいていた。ところがその後、情報の公表が遅い、ホワイトハウスの明らかな違法行為を黙っているとして、彼は同紙を非難することになる。何やら矛盾した言い分だ。

たしかに、情報リークを口汚くののしるさまは、同じ彼の後年のふるまいとは驚くほど食い違って見える。だが、『ニューヨーク・タイムズ』がしたこと、つまり秘密工作の詳細の暴露と、スノーデンが2013年にしたことの間には違いがある。スノーデンはいま、こう説明している。「CIAが手にしている機密情報のほとんどは、コンピューターやシステムではなく、人に関するものです。だから、だれかを危険にさらしかねない情報開示には賛成できませんでした」

実は、政府のスパイ行為に対する幻滅が始まるのは、このスイス赴任時であり、CIAなどで過ごした3年近くの期間である。当時、ジュネーブの米国連代表部でリーガルインターンをしていた友人のマバニー・アンダーソンによれば、スノーデンは物静かで思慮深い内省的な人物で、自分の行為が及ぼす影響を慎重に見きわめるタイプだった。ジュネーブでの任務が終わるころには、彼は「良心の呵責」にさいなまれていたという。

スノーデンはのちに、あるショッキングな出来事についてグリーンウォルドに語っている。極秘の金融情報を手に入れるため、CIAはあるスイスの銀行員をリクルートしようとした。やり方はこうだ。その銀行員を酒に酔わせ、車で帰宅させる。彼が警察につかまったところで援助を申し出て、それをきっかけに仲よくなり、まんまと組織に引き入れる——。

「ジュネーブで見たことは私を幻滅させるのに十分でした。わが国の政府がどのように機能し、どんな影響を世界で与えているのかを思い知りました。善よりもはるかに多くの悪を行う組織の、私も一員だったのです」と彼は言う。

結果的に彼は米政府の機密情報を漏らそうと決意するが、最初はまだぼんやりとした思いにすぎなかった。その思いは少しずつかたちを明らかにしていくのである。また、のちにリークして大きな議論を巻き起こすたぐいの文書は、まだ目にしていなかったのではないか。

オバマ大統領のことはまあ大目に見てもよいと思っていた、とスノーデンは言う。ブッシュ時代の目に余る自由侵害をオバマが一掃してくれるのを心待ちにしていた、と。グアンタナモ収容所もその一つである。そこには、過激主義やアルカイダとは何の関係もないのに、裁判も受けられない

まま何年も収容されている人々もいる。

ブッシュ政権で責任ある立場だった人たちは指弾されるべきだとスノーデンは考えた。「オバマの選挙公約を聞いて、彼ならわれわれを問題解決へ導いてくれるだろうと私は信じました。多くのアメリカ人がそうでした。ところが残念ながら、大統領に就任するとまもなく、彼は組織的な法律違反に目をつぶったばかりか、不正なプログラムの拡大・深化を図り、罪状もないまま人々を拘束しているグアンタナモのような人権侵害をなくすために、政治資金を使うこともしませんでした」

スノーデンの上司たちは、彼の穏やかでない心中を知っていたのだろうか？　２００９年、スノーデンはジュネーブの職場の一人とけんかをした。そのときのことを『ニューヨーク・タイムズ』のジェームズ・ライゼンに説明している。ライゼンによれば、スノーデンは昇進を切望していたのだが、ある上役との「Ｅメール上のちょっとした言い争い」に巻き込まれていた。要はその上役の判断にたてついたのだ。

数カ月後、年に一度の自己評価シートへの入力中、人事アプリケーションの欠陥を見つけたので、直属の上司にそれを指摘した。上司は気にするなと言ったが、結局、ハッキングに対するシステムの脆弱性をテストする許可を出した。

スノーデンは「悪意のない方法で」コードやテキストを追加し、自分の正しさを証明した。直属の上司はこれを承認したが、その上の段級の以前ぶつかった上役はスノーデンがしたことに激怒。彼の人事ファイルに「要注意人物」のむねを記載した。

ささいといえばささいなエピソードだが、これはある面で重要である。つまり、内部チャネルを

通じて不満を訴えても無駄だと、スノーデンが身をもって感じたかもしれないからだ。上に文句を言っても罰を受けるだけだ——そう結論づけることもできたのだが、いまやもっと別の展望が彼には待ち受けていた。

２００９年2月、スノーデンはＣＩＡを辞職する。彼の人事ファイルは次の雇用主に回されることはなかった。次の雇用主とは、そう、ＮＳＡである。彼は在日米軍基地にあるＮＳＡ施設で、契約スタッフとして働くことになった。

同時多発テロ以降、情報関連業務の民間企業へのアウトソーシングが拡大し、契約スタッフの需要は増す一方だった。元ＮＳＡ長官のマイケル・ヘイデンをはじめとする幹部たちは、政府と企業の間をらくらくと渡り歩いた。いわば回転ドアだ。しかもお金を生む——。スノーデンの直接の雇用主は、コンピューター会社のデル。このころには履歴書にもハクがつき、極秘情報の取扱許可を得るまでになっていたし、ずば抜けたコンピュータスキルを身につけていた。かつてのＣＩＡの同僚たちの疑念など、だれも知るよしはなかった。

スノーデンは10代になったばかりのころから日本に熱をあげていた。日本語も1年半ばかり勉強した。アルスでの最初のチャットで、「アリガトウゴザイマス」などのフレーズを何気なく使っている。自分の名前を日本的に「エドワアド」と発音することもあった。２００1年にはこう書いている。「ずっと日本での成功を夢見てきた。政府系のラクな仕事でもあればなぁ」。対戦型格闘ゲーム「鉄拳」に夢中で、のちに、困難をものともせず悪と戦うこのゲームが自分の道徳観を形成したと述べている。２００２～２００4年には、日本のアニメサイト「リュウハナ・プレス」のウェブ

マスターを務めた。

語学力と技術力に磨きをかけたいと願ったスノーデンは、2009年に、首都圏の基地内にあるメリーランド大学ユニバーシティーカレッジのサマースクールに学生登録している。

しかし日本にいる間、スノーデンのオンライン活動は低調になる。アルス・テクニカへの投稿もほとんどなくなった。日本滞在は一つの転期だった。その間、スノーデンは「幻滅した技術者」から「内部告発者予備軍」への転換をとげる。目にする極秘情報が増えるにつれ（それはNSAのデータマイニングがいかに大規模かの証でもあった）、彼はオバマ政権に対する反感を強めた。「抑制されるだろうと思った政策を、オバマはむしろ推進したのです」とスノーデンは言う。そして日本滞在中は「鍛えられた」と付け加える。

2009年から2012年にかけて、スノーデンはNSAの監視活動がいかにすさまじいかを知ったという。「彼らは世界中のあらゆる会話、あらゆる行動を知ろうと必死です」。ほかにも嫌な真実に彼は気づいた。NSAを牽制するためのシステム、すなわち議会による監視が機能しなくなっていたのである。「ほかのだれかが行動するのを漫然と待ってはいられません。私はリーダーを探し求めていました。でも、リーダーシップとは最初に行動を起こすことにほかならないと気づいたのです」

2012年に日本を離れるころには、スノーデンは「内部告発者寸前」の状態にあった。

＊第2章＊

市民的不服従

ハワイ・クニア
NSAの暗号解読センター

「政府の権限は、たとえ私が喜んで従おうとするような権限であっても……やはり純然たるものではない。完全に公正であるためには、統治される側の承認・同意を得なければならない」

ヘンリー・デイビッド・ソロー「市民としての反抗」

2012年3月、スノーデンは日本を去り、ハワイへ移った。同じころ、英雄とあおぐリバタリアン政治家のロン・ポールに献金していたふしがある。「エドワード・スノーデン」なる人物が、メリーランド州コロンビアの住所から、大統領選に出馬したポールに250ドルを贈っている。記録によれば、献金者はデル従業員とある。5月にもスノーデンは250ドルを献金している。今度は、ハワイ・ワイパフの新居から。肩書は「シニアアドバイザー」、組織名はない。

スノーデンの新しい勤務地は、オアフ島にあるNSAの暗号解読センター（「中央保安部＝CSS」）。ホノルルからも遠くない。彼はまだデルの契約社員だった。このセンターはフォートミード

以外に13あるNSA拠点の一つで、シギント、特に中国の情報収集を専門にしていた。「NSA／CSSハワイ」のロゴは、中央にハワイ諸島が描かれ、その左右に2本のヤシの木があしらわれている。基調となる色は、濃いオーシャンブルー。上に「NSA／CSSハワイ」、下に「クニア」の文字。魅力的な職場に映る。

太平洋の真ん中のこの火山島にきたとき、彼はある計画を胸に秘めていた。いまとなっては正気と思えない計画――大胆不敵ではあったが、冷静に考えれば、長い投獄を余儀なくされるのはほぼ間違いない。いや、一生監獄暮らしになるかもしれない。

その計画とは、市民の自由に関心を持つジャーナリストに匿名で接触することだ。疑いようのない資質と誠実さをそなえた、実績あるジャーナリスト。そして――いったいどうやるのかは、まだはっきりしていなかったが――盗み出した極秘文書を彼らにリークすることだ。その文書は、NSAの違法行為の証拠となり、NSAが合衆国憲法に反するプログラムを運営していることの証明にもなる。のちの発言から察するに、スノーデンのねらいは国家機密を大量に漏らすことではなかった。彼は一定の情報を選んで記者に渡し、あとは彼らの判断に委ねようと考えていた。

ジャーナリズムの世界に住む疑い深い人々に、NSAに関する自分の主張を信じさせるには、たくさんの文書だけではダメだ。相当な抜け目のなさが必要だ。冷静さも。そして、たぐいまれな幸運も。

スノーデンの新しいポストは、NSAのシステム管理者だった。おかげで機密資料にたっぷりアクセスできた。分析官でもここまで見ることはほとんどできない。だが、記者にはどうやって連絡

する？　ふつうにEメールを送るなんて考えられない。直接会うのも難しい。旅行するときは30日前に上司の許可を得なければならない。それに、スノーデンはそもそも記者を知らなかった。少なくとも「知り合い」の記者はいなかった。

つきあって8年になる恋人のリンゼイ・ミルズも6月にオアフ島にきた。さすが「ギャザリング・プレイス（人が集まる場所）」ともいわれる島だけのことはある。ミルズはボルチモアで育ち、メリーランド・インスティテュート・カレッジ・オブ・アートを卒業した。日本でもスノーデンと暮らしていた。年齢は28歳。バレエダンサー、ダンス教師、フィットネスインストラクター、ポールダンサーなど、さまざまな仕事を経験。一番熱中していたのは写真である。よく自分の写真（あまり服を着ていないことが多い）を撮ってはブログにアップした。ブログのタイトルは「Lの旅――世界を旅するポールダンスのスーパーヒーローの冒険」。

スノーデンとミルズは、ワイパフの静かな場所に3ベッドルーム、2バスルームの平屋建ての家を借りた。ホノルルの西15マイル、かつてはサトウキビ畑だったところで、通りには並木が植えられている。青い木造家屋で、住み心地はよいが、ぜいたくというほどではない。海も見えない。前庭には、小さな芝生スペース、背の低いボトルブラシの灌木、数本のヤシの木、そしてお隣のアボカドの木がこちらに傾いている。裏庭にはもっとヤシの木が植わっていて、通りや、10代の若者がこっそり煙草を吸う小さな丘から、こちらが見えないようになっている。

玄関のドアには、「自由は無償ではない」のステッカーと小さな星条旗。スノーデンの信念が見てとれる。近所の人が彼に話しかけることはほとんどなかった。「2〜3度、通りの向こうにあの

人を見かけたことがあります。会釈してくれましたけど、まあそれだけです。おとなしい人という印象でした。独りでいるのが好きというか」。そう話すのは、真向かいに住んでいたロッド・ウエハラ。退役軍人の彼は、髪の短いお向かいの若者も、近所の多くの人たちと同じく軍勤務だと思っていた。

島を取り巻く環境は、クニア・ロードを通って毎日通勤するスノーデンをつい不安にさせた。家からは、昔火山だったワイアナエ山脈が西方に見える。頂上付近には青黒い不穏な雲。この雲はいきなり分厚くなって空を暗くし、しばしば激しい雨を降らせる。

南方には真珠湾があった。1941年12月7日に日本軍が奇襲した場所だ。フランクリン・ルーズベルト大統領が「屈辱の日」と呼んだこの日、アメリカのスパイの親玉たちは不意打ちを食らい、ここから米国は第二次世界大戦に突入していく。

これに懲りたスパイ組織は、オアフ島の真ん中に広大なトンネル施設をつくり、「穴倉」と呼んだ。もともとは飛行機の組み立てと保管用の地下工場の予定だったが、米軍のために日本列島の地図や模型をつくる場所へと転用された。戦後は海軍司令部となり、化学兵器や生物兵器、放射能兵器にも耐えるよう改修・補強されている。

現在はクニア地域セキュリティー・オペレーション・センター（KRSOC）として知られ、各軍の専門家や民間の契約スタッフを擁する政府機関、米暗号システムグループもここに所在する。同センターのニックネームは、いまは「トンネル」に変わっている。

スノーデンの家はそこから一番近い住宅地にあった。距離にして7マイル、車ならわずか13分だ。

間には、ほとんど人けのないさびれた地域が広がっている。楽しいドライブではない。片道2車線のハイウェイは起伏が激しく、両側は小高い丘や雑草ばかりのぱっとしない景色である。すぐに息苦しくなってしまう。時折トウモロコシ農園や黄色くなった畑がちらっと見える。

「トンネル」のスパイターゲットは主に二つ。中国と、その衛星国——何をしでかすか予測できないトラブルメーカーの北朝鮮である。NSAの分析官にかぎらずだれの目にも、中国が軍事的・経済的に台頭しているのは明らかだった。太平洋におけるNSAのミッションは、中国海軍のフリゲート艦や護衛艦、駆逐艦、さらには人民解放軍の兵力・戦力に目を光らせることである。人民解放軍のコンピューターネットワークも監視の対象だ。もしそこに侵入できれば、大量のデータが手に入る。

このころ、スノーデンは中国の専門家になっていた。ターゲットは中国のネットワークである。また国防総省の幹部を相手に、サイバー防諜に関する講義も開いていた。中国政府やそのハッカーから、いかに大切なデータを守るかを教えるのである。彼はNSAの精力的な対中オペレーションを熟知していた。「あらゆるターゲットにアクセス」できたと、のちに語っている。

日本はもう敵ではない。東アジア有数の豊かな国、米国にとって大切なインテリジェンスパートナーの一つだった。NSAはこの地域の同盟国と連携して情報収集を行った。韓国公安当局の新責任者、タイの次期公安トップ、日本の代表団なども、クニアの地下施設を訪れている。NSAはほかにもタイやフィリピン、あるいはパキスタンでの対テロ作戦をサポートした。

NSAのある職員が『フォーブス』誌に語ったところによると、スノーデンは少し変わり者だっ

たとはいえ、強い信念を持った、極めて有能なスタッフだったという。「トンネル」のなかで彼は、NSAのパロディロゴ入りのパーカーを着ていた。ワシが足の爪で鍵をつかむ代わりに、盗聴用ヘッドフォンを耳にあてているという図柄である。電子フロンティア財団が販売していたものだが、同僚たちは軽いジョークだろうと思っていた。

反逆児的な一面はこれだけではない。スノーデンは憲法のコピーをデスクに置き、憲法違反と思われるNSAの活動に反対するときはこのコピーをふりかざしてみせた。ルービックキューブを手に構内をよくうろついた。同僚思いで、ちょっとしたギフトを彼らのデスクに置いたりもした。懲戒処分を受けようとしていた同僚をかばって、職を失いかけたこともある。

スノーデンが勤務したKRSOCは、この地域にいくつかある軍事施設の一つにすぎない。アメリカの国力を見せつける光景には事欠かなかった。巨大なパラボラアンテナが山腹から顔をのぞかせている。CH－47チヌークヘリコプターが頭上で大音量を発する。迷彩模様のトラックが何台も行き来する。制服姿の若い男女がSUVやスポーツカーやバイクに乗ってスピードを出す。あるダッジ・コンバーティブルのバンパーステッカーにはこうあった。「とっとと座れ。黙って待ってろ」

KRSOCは道路からはほとんど見えない。ハナミズキの木々、上部に有刺鉄線を張りめぐらせた高さ3メートルの金属フェンスが目隠しになっている。「国有地。進入禁止」という小さな標識だけが、ここが当局の施設であることを示している。ハイウェイの出口を出て丘を下ると警備詰所があり、青い迷彩服を着て太腿に拳銃を装備した警備兵が二人。その向こうは駐車場で、車が100台以上とまっている。飲酒運転を戒める看板もいくつか見える。そのうちの一つにはこうあっ

た。「前回の事故から6日」。

車の数のわりには人の姿が見えないし、建物も小屋風のものが2〜3あるだけ——そう、ここは地下施設なのだ。入り口は奇妙な長方形の構造になっており、オレンジ色の屋根が丘の中腹にめりこんでいる。傾斜が急なので、滑落しないのが不思議なくらいだ。暗い開口部からは階段を進む。「内部の扉は巨大です。キング・コングの映画か何かを思わせるくらい。なかに入るだけでもずいぶん時間がかかります」と、かつてここで働いた元空軍将校は言う。

ここから機密資料を持ち出すのは、かなりリスクが高い。よほど肝がすわっていないとできない所業だろう。


パートナーであるリンゼイ・ミルズのブログに、スノーデンは間接的に登場している。彼女は彼をEと呼ぶ。彼はいってみれば舞台裏の存在だ。もちろん誠実なボーイフレンドではあるが、すぐにどこかへ姿をくらませてしまう。スイス時代と同様、ハワイのスノーデンも仮面をかぶった男である。

ほんの何回か、Eはミルズが毎週のようにインスタグラム（写真共有サービス）に投稿していた人物写真のなかでポーズをとっている。顔は見えない。あるショットでは、スノーデンはビーチにいる。前かがみになり、ズボンを膝のあたりまでめくり上げている。黒のウィンターコートが風になびいて顔を隠す。たぶん笑っているのだろうが、よくわからない。リチャード3世のものまねを思わせる。「人々がカラスのような動きをする世界」とミルズはブログに書き、こう付け加える。

「Eのめずらしい写真」。ノートルダムのせむし男みたいだとだれかに指摘されると、「Eのことはほっといて！」と言い返している。

ミルズはブログを書く動機を次のように述べている。「日々のセルフポートレートを撮って数年。べつに母親のためというわけじゃない。そうすることで自分の気持ちが理解できるし、生活を記録できる。だれも関心を持たないだろうけど、撮っていてよかったといつか自分自身に感謝するかもしれない。それとも自己嫌悪？ どちらにせよ何かを感じられる」

写真は明るい色合いで、芸術家の日記ふうだ。一枚一枚おめかしして、気持ちや感情を記録する。コケティッシュな写真が多い。瞑想し、木からぶら下がり、ハワイの夕日を見つめる……。

ハワイで過ごした13カ月間、スノーデンはほかのスタッフから距離を置いていた。もともと無口なほうだったが、慎重になる特別の理由があった。もしこのリークが成功すれば、ペンタゴン・ペーパーズ（訳注＊1971年に『ニューヨーク・タイムズ』がベトナム戦争に関する極秘報告書をスクープした）以来の大事件になる。2010年にチェルシー（元ブラッドリー）・マニング上等兵が米国の外交公電などを公表した事件の比ではない。何百万というアメリカ人だけでなく、全世界に対する大量監視の事実が暴露されるのだ。

だが、これは大きな賭けである。ちょっとしたミス、不用意な発言、不自然な作業要求、記憶媒体の不正使用などから問題が発覚しかねない。そうなれば悲劇的な結末が待っている。

スノーデンはスパイに囲まれていた。隠された暗号やパターンを読み解くこと、秘密を暴くことを専門とするスパイたちだ。その彼らがもしスノーデンの秘密を暴いたら？ たぶん彼は人知れず裁判にかけられ、有罪判決を受け、何十年も投獄されるだろう。雇い主からデータを盗もうとして

しくじった無名のおたくとして……。無口だったのも道理である。

友人たちは彼をひやかし半分にエドワード・カレンになぞらえた。映画の「トワイトライト」シリーズでロバート・パティンソンが演じた吸血鬼である。スノーデンは青白く、謎めいた、物静かな男で、昼間に姿を見ることもほとんどなかった。パーティーなどにもまず顔を出さない。「口もきかずに隅のほうでぐずぐずしてました。ひまを持て余すというか。だから彼を巻き込むのが一種のゲームみたいになりました。『チーム・エドワード!』とか言ってね」と、ある友人は回想する。「ある夜、だれかの誕生パーティーのとき、みんなで説得して彼にスピーチさせたんです。そしたら単語五つくらいでした」

スノーデン自身はハワイでの生活を「パラダイス」だったと言う。たしかに、『ホノルル・スター・アドバータイザー』紙も題字の下で「The pulse of paradise（楽園のいま）」とうたっているではないか。「州政府、週末の港湾営業を検討」「太平洋航空博物館、命知らずのパイロットを称える」「マウイの山火事、鎮火」などの見出しを見ていると、熱帯の楽園ののどかなイメージが思い起こされる。

だが、スノーデンは楽しそうなそぶりをほとんど見せなかった。サーフィンもしなければゴルフもしない。ビーチでくつろぐこともない。「まるで太陽にあたったことがないみたいに、とにかく青白い、とても青白い男でした」と、さきの友人は言う（対照的に、オアフ島に妹がいるバラク・オバマは、ビーチもサーフィンもかき氷も堪能する「陽」のイメージだ）。

PCにかじりついているスノーデンに比べて、パートナーのリンゼイ・ミルズは社交家だった。

ハワイにくると、ポールダンスのグループ「パメラ&ザ・ポール・キャッツ」に加わった。ポールダンスといってもストリップではない。月に一度、ホノルルの繁華街にある「マーキュリー」というバーで彼らは演じていた。ミルズは毎月第一金曜日のストリートパフォーマンスにも参加した。

一見社交的なミルズだったが、ハワイの知り合いたちにとってはまだ謎の人物だった。大きなサングラスで顔を半分隠し、自分のことはあまりしゃべらない。ボーイフレンドがいることさえ知らない者が多かった。仕事は特にしていないようだ（写真とダンス以外には、ということだが）。なのに、ぴかぴかのSUVを乗り回している。お金の出所も謎だった。

パメラ&ザ・ポール・キャッツの創設者パム・パーキンソンは、ミルズを「ワイキキ・アクロバティック・トゥループ」という曲芸団に紹介した。ダンスやジャグリング、綱渡り、火吹き、フラフープなどのパフォーマーが週に数回集まっていた。

彼らは日曜日に、ワイキキのビーチを見下ろす公園で夕暮れまで練習した。この自由奔放な集団のなかでミルズは頭角を現したが、まわりの新しい友人たちに言わせると、彼女はちょっと堅苦しかった。「下ネタには笑わなかったね」と、ある仲間は言う。このグループのコーディネーター、テリル・レオンによれば、ミルズはアクロバットは初めてだったけれど上達しようという意欲が感じられた。「短めのアクロバットをやってもらっていました。フォームやテクニックのヒントを出してあげて。わりと無口でしたね。とてもかわいくて、人の話をよく聞く、慎重な、集中力のある、協力的な娘でした」

スノーデンはときどき練習が終わったミルズを迎えにきたが、車から降りて彼女の友人たちと話

をすることはめったになかった。「あの娘、彼のことはしゃべらなかったな」と、ある仲間は言う。一つ例外は、スノーデンが長い間留守だったとき、長距離恋愛の難しさを嘆いていた点だ。曲芸団のなかでは、アクロバットのパートナーだったボウという筋肉マンとの関係がうわさされた。でもミルズ本人はブログで、Eをやはり愛していると明言していた。

一方、E自身はなおNSAでチャンスをうかがっていた。静かで控えめな外見の向こうで、雇用主に対する幻滅と怒りが大きくなっていた。

同時多発テロ後の安全保障政策の後ろ暗さなど、NSA内部で見聞きしたことに嫌気がさした人間は、エドワード・スノーデンが初めてではない。彼はトーマス・ドレークの事件をくわしく調べていた。空軍・海軍の退役軍人ドレークは、NSAの幹部だった。9・11後、彼はNSAの対テロ機密プログラム、特に「トレイルブレイザー」と呼ばれる情報収集ツールに不満を持つようになった。不合理な捜索・押収を禁じる憲法修正第4条に違反すると考えたからだ。

あらゆるチャネルを通じて懸念を表明しようとドレークは決心する。NSAの上司に訴え、内部告発のしくみを使ってNSAの監察官、国防総省に証言。上院・下院の監視委員会でも証言した。ついには業を煮やして『ボルチモア・サン』紙に駆け込んだ。だが、このストレートなやり方は功を奏さなかった。2007年、FBIは彼の自宅を家宅捜索。ドレークは35年の刑を言い渡された。ようやく2011年に、政府はいくつかの大きな嫌疑を取り消した。ドレークは微罪についてのみ罪状を認め、保護観察処分となった。

ドレークの行動はスノーデンにとって大きな刺激になった（二人はのちに会うことになる）。さらに、当局が執拗にドレークを追い回すようすを知って、同じ轍は踏むまいと考えた。ほかにも同様の状況に置かれて苦しんでいる人間を彼は知っていた。たとえば、Eメールで冗談半分に「PLA（中国人民解放軍）それともNSA？」と書いたNSAスタッフもそうだ。

スノーデンはジェームズ・ライゼンにこう語っている。NSA内部でも「意見の相違があります。明らかな対立もなくはない」。だが、たいていは「恐怖心と、はき違えた愛国心」のせいで言いなりになる。これは「権限への服従」だと彼は言う。

デルから派遣された契約スタッフのスノーデンは、ドレークのような内部告発者保護制度は利用できなかった。仮にNSAの監視活動について懸念を表明していても何も起こらなかっただろう、と彼はのちにライゼンに語っている。そんな行動は永遠になかったことにされていただろう、そして自分は忠誠を疑われ、つぶされていただろう。「システムは機能していません。不正はその最大の責任者に報告しなければなりません」

インテリジェンスコミュニティーに対する議会の監視も信用できなくなっていた。むしろ議会は問題の一部だ、と彼は感じていた。なかでも、機密性の高い米国の情報活動について知らされる「ギャング・オブ・エイト」と呼ばれる議員たちには批判的だった。

２０１２年12月には、彼はジャーナリストへの接触を決心していた。内部告発を決めたのはいつかと問われて、スノーデンはこう答えている。「人によっていろいろだと思いますが、私の場合、これはという瞬間があったわけではありません。幹部連中から議会、つまりはアメリカ国民に対す

るうそが嫌になるほどくり返されていました。そしてその議会、とりわけギャング・オブ・エイトがうその片棒をかついでいると気づいて、行動を起こさざるをえませんでした。国家情報長官という立場にあるジェームズ・クラッパーのような人が国民にひどいうそをついて、何の報いも受けない。これは民主主義の堕落の表れです。統治される側の同意といっても、何も知らされなければ同意ではありません」

2013年3月、クラッパーは上院情報委員会で、米政府は何百万というアメリカ人のデータを「意図的に」収集してはいないと証言した。スノーデンが言うように、これは真実ではなかった。そしてクラッパー自身、のちにそのことを認めている。重罪に値するといってもよいだろう。

スノーデンの説明では、特にある文書を読んだことが一線を越える後押しとなったのだという。彼は偶然、NSAの監察官――ドレークが抗議したのと同じ人物――が2009年に書いたレポートを目にした。「ダーティ・ワード・サーチ」の最中だった。つまりシステムの大掃除をして、そこにあるべきではないものを除去していたのである。文書を開くと読むのをやめられなくなった。

9・11以後、ブッシュ政権がいかに違法な盗聴を行っていたかをくわしく示す51ページのレポートだった。コードネーム「ステラウィンド」というこの盗聴プログラムでは、何百万ものアメリカ人の交信内容やメタデータを許可なく集めていた。すでに何年か前、こうした盗聴の事実は部分的に明らかになっていたが、それは全貌の公表とはほど遠かった。

スノーデンにとって、このレポートは米高官が法を犯している動かぬ証拠だった。それも、何の報いを受けることもなく。「そんなものを読んだら、それがこの国のあらゆるシステムにとってど

んな意味を持つか、気づかないわけにはいきません」と、彼は『ニューヨーク・タイムズ』に語っている。

2013年の初めごろ、スノーデンの憤りはなお激しくなっていたが、リーク計画は行き詰まっているようにも見えた。なにしろ障害が多すぎた。決定的な情報にたどり着くには、デルのいまのポジションで認められている以上のセキュリティー特権が必要である。

クラッパーが不運にも上院委員会に出席することになった同じ3月、スノーデンはNSAの民間委託先、ブーズ・アレン・ハミルトンに職を得た。おかげで、また新たな情報の山にアクセスすることができた。『フォーブス』の取材に応じた前出のNSA職員によると、スノーデンはNSAのエリートハッカー部隊「テイラード・アクセス・オペレーションズ」への参加依頼を断ったという。いよいよ彼は、二重生活最後の緊迫した日々に突入したのである。

最後の職場はホノルルの中心部にあった。金融街のなか、ビショップストリートに面して建つマカイタワーの30階。クニアの塹壕とはうって変わって、日の光がたっぷり入る場所だった。受付にはベージュの調度、額入りの古地図、テレビ——ボリュームは低めで、チャンネルはフォックスニュースに合わされている。

スポーツ刈りの兵士だらけの窓のない食堂の代わりに、スーツやアロハシャツを着たブーズ・アレン・ハミルトンのスタッフは、太陽がまぶしい、噴水のある中庭をそぞろ歩き、いくつもあるレストランの好きなところで食事をとる。最寄りのパブ「ファーガソンズ」は必ずしも騒々しい店ではない。デーツのベーコン巻き、焼きブリーチーズ、レッドペッパー入りザジキを出す。

ブーズ・アレン・ハミルトン会長兼CEOのラルフ・シュレーダーは、同社のセキュリティーについてブログで次のように請け合っている。「当社の信頼すべき仲間たち全員に当てはまること、それは安心できるスタッフだということです。どんな状況になろうとも、どんな課題があろうとも、彼らは役割を果たしてくれます。ブーズ・アレン・ハミルトンはそのように信頼されています。どうかご安心ください」

スノーデンは思わず苦笑いしたかもしれない。新しい雇い主は何一つ疑わない、と彼は安心していた。もう後戻りできないところまできていた。米政府の面々は、彼の行為を真珠湾のサイバー版と考えるだろう。そう、奇襲攻撃だ。内部の「裏切り者」が震源となると、怒りはなおのことだろう。スノーデンがそれを愛国的行為、アメリカの価値観を守る行いだと考えたところで、ワシントンの報復に手心が加わるはずもない。

このような危ない橋を渡るのに「スノーデン」というのはうってつけの名前だった。1590年代のイギリス。ジョン・スノーデンというカトリック司祭が、エリザベス女王の大蔵卿だったバーリー卿の二重スパイになった。歴史家のスティーブン・アルフォードはこのスノーデンを「頭の切れる自信家」と評している。仕事は、スペイン人とつるんでエリザベスに対する陰謀を画策するカトリック移民の動向を探ること。スノーデンは暗号、密書などの手段を使いこなした。

当時の人々はこうした人種を「スパイ(intelligencer)」や「内偵者(espial)」と呼んだ。彼らがしていたのは内偵活動(espiery)である(同じ意味を持つフランス語のespionageは18世紀以降に使われるようになった)。

だが、現代のespialであるエドワード・スノーデンは、安全保障問題について取材する米国の記者、スノーデンがいまの世にも存在することをまだ知らない記者に接触しようとすれば、本名を名乗るわけにはいかなかった。彼らと連絡をとるにはコードネームが必要だ。これからやろうとしていることの重みを考えると、TheTrueHOOHAでは子どもじみている。そこで「Ｖｅｒａｘ」というハンドルネームを新しく考えた。ラテン語で「真実を述べる」という意味の形容詞である。プラウトゥス、キケロ、ホラティウスなどの著述に出てくるめずらしい単語で、特に神託や超自然現象について用いられる。

スノーデンはそうした、インテリジェンスコミュニティーの内奥から発される予言の声になるつもりだった。本名のスノーデンもそうだが、彼のコードネームにも歴史があった。イギリスの二人の無名プロテスタントが「Ｖｅｒａｘ」を名乗っていたのである。一人はヘンリー・ダンクリー。『マンチェスター・イグザミナー』紙でそのペンネームを使った、19世紀のバプテスト派の社会批評家である。もう一人はクレメント・ウォーカー。17世紀のイングランド内戦時代の長期議会議員で、最終的にはロンドン塔に幽閉され、そこで生涯を閉じた。

実はveraxはmendaxの反意語でもある。「あざむく」を意味するmendaxは、ウィキリークスのジュリアン・アサンジが若いころ、オーストラリアでハッカーとして使っていたハンドルネームだ。ウィキリークスはすでに当時、アフガニスタンに関する米軍情報や国務省の外交公電を大量に暴露して、米政府を大混乱に陥れていた。スノーデンもたぶんそのへんを意識していたのだろう。

表向きは、彼の生活は前と変わらなかった。ガールフレンドのブログをいまあらためて読むと、

胸が痛む。3月1日金曜日、ミルズは「世界をまたにかける謎の女」になると書く。その夜のショーのテーマが「007」だったのだ。

ショーは成功する。3日後、彼女は次のように書いている。「子どものころはたいていみんなと着せ替えごっこをして、お姫様やスーパーマンなんかになりきっていた（変な友だちが多いの）。スパイにもあこがれた。裏切り者の敵から逃れて下水道のトンネルを走り、大人の重要な会話を盗み聞きして、『ニャー将軍』に漏れなく報告する。だから、金曜日にほんの少しだったけど、ボンドやボンドガールをやる機会があったのは、とてもうれしかった。このときの興奮が無意識のうちにまだ残ってたのか、翌日の夜、Eと私は気がつけばデートで『007スカイフォール』を見ていた」

11日後の3月15日には、こんなニュースがある。「5月1日までに家を出なければならないらしい。Eはよく仕事を変えるから。東海岸にちょっと戻ってくるつもり。Eといっしょに、私一人で、南極に引っ越し?……とりあえず水晶玉にでも尋ねてみよう、私の落ち着き先を」

3月30日の夜、スノーデンは米本土へ旅立つ。2週間ほど、フォートミードに近いブーズ・アレン・ハミルトンのオフィスで研修に出席するためだ。シギント・シティーのお隣には、情報機関と契約しているさまざまな会社がオフィスを構えている。スノーデンの今度のサラリーは、年12万2000ドル。住宅手当もつく。

4月4日、彼は父親と夕食をともにしている。ロニー・スノーデンが言うには、息子は心ここにあらずで、何か重荷をかかえているようだった。「いつものようにハグして、息子は『愛してるよ、

父さん』と言い、私も『愛してるよ、エド』と言いました」

4月半ば、ミルズとスノーデンはハワイでの新しい家に移る。前の家からは通り二つ離れている。ミルズは書く。「引っ越しで楽しいのは、荷ほどきする前のひととき。窓から射し込む柔らかい光を浴びながら、何もない部屋のなかを転がり回る（私、前世はネコだったのかも）。それぞれの部屋に家具やら何やらを詰め込んだらどうなるだろうって、二人でしばらく想像した。吹き抜けのリビングにはシルクをたらそうかとも話し合った」

スノーデンは彼女のフォトブログに「最後の出演」を飾っている。自宅の何もない床の上に寝そべる二人。ミルズは真っ青なドレスを着て仰向けに横たわり、彼に微笑みかける。いつものように、スノーデンは何を考えているのかわからない。写っているのは後頭部だけで、表情はわからないからだ。少し離れたところに彼の眼鏡が置き去りになっている。何が心をよぎるのだろう？

4月の後半、ミルズは米東海岸に一人で里帰りする。母親とアンティークショップをめぐり、実家の模様替えを手伝い、旧友に会う。5月初めにまたホノルルへ。二つの違う世界の間で身が引き裂かれる思いだ、とブログに綴っている。スノーデンのほうは、ブーズ・アレンでの新しい仕事に慣れつつあった。

あるいは、そのように見えた。実際には、NSAのサーバーからせっせとデータを集めていたのではないか。「ブーズ・アレン・ハミルトンでのポジションは、NSAがハッキングしているコンピューターのリストにアクセスできるものでした」と、彼は『ワシントン・ポスト』紙に語っている。だからこの仕事に就いたのだ、とも。

数カ月後、NSAはいまだに何が起こったのかを正確につかめないでいた。スノーデン本人は、どうやってリーク情報を入手したのかを完全には説明していない。だが、システム管理者だった彼は、NSAのイントラネットシステム、NSAnetにアクセスすることができた。これは同時多発テロ後、米国内のさまざまな情報組織どうしの連絡体制を強化するためにつくられた。

スノーデンは、このシステムのかなりの部分を見ることが許された1000人前後のNSA「シスアド」の一人だった（極秘情報の取扱許可を得た他のユーザーは、機密ファイルをすべて見ることは許されていなかった）。彼はコンピューター上に何の痕跡も残さずにファイルを開くことができた。ある情報筋の表現によれば、彼はNSAの神聖なる場所に出没可能な「ゴーストユーザー」だった。また、システム管理者の立場を利用して、ほかの人たちからログインの詳細を提供してもらった可能性もある。

GCHQは英国の極秘資料をNSAと仲よく共有しているため、それは外部の大勢の契約スタッフにも筒抜けである。つまりスノーデンは、GCHQの同様のイントラネットであるGCWikiを通じて、英国の機密情報にもアクセスできたわけだ。

スノーデンがどのように情報を収集したのかはつぶさにはわからないが、どうもUSBメモリーに文書をダウンロードしたようだ。これはブラッドリー・マニングが用いたのと似た手口である。マニングはバグダッド近郊の蒸し暑い基地にいたころ、米外交公電25万本を「レディー・ガガ」と書いたCDにダウンロードし、ウィキリークスに流した。

USBメモリーの使用はほとんどのスタッフに禁止されている。だが「シスアド」は、破損した

ユーザープロファイルを修復しているのでバックアップが必要だと主張できた。そしてこのUSBメモリーを持ち出せば、NSAシステムと通常のインターネット間の「エアギャップ」も乗り越えられる。

なぜだれも警報を発さなかったのか？　NSAは眠っていたのか？　スノーデンは「シン・クライアント」として知られるシステム経由で、ハワイにいながらにして、約5000マイル離れたフォートミードのNSAのサーバーに手を伸ばすことができた。時間帯《タイムゾーン》六つ分の差があるため、スノーデンがログオンするころには、ほとんどの職員が帰宅している。まさしくNSAがまどろんでいる間の行動だった。

しかも、スノーデンはこの手の仕事にかけては凄腕の持ち主だった。ジュネーブ時代の友人、アンダーソンの言葉を借りれば、「ITの天才」である。だから、だれにも気づかれずに巨大なシステムに入り込むことができた。

新しい仕事に就いて4週間過ぎたころ、スノーデンはブーズ・アレンの上司に体調が悪いので休みがほしいと述べ、無給休暇を申請する。大丈夫かと聞かれて、てんかんだと答えている。母親のウェンディも同じ症状があり、補助犬を利用していた。

そして5月20日、彼は姿を消す。

ミルズのブログには、Eが去ったことを知った苦悩が感じ取れる。6月2日には、取り返しのつかない状況になったことがはっきりする。

彼女は書く。「もっと楽しい時間をと辛抱強く祈ってきたけれど、私はこの2週間の間、半年間

の経験を自分自身の責任として背負おうとしていたのだろうか？　まるで聖書に出てくる話――洪水、偽り、喪失。……私は独りぼっち。途方に暮れて、打ちのめされて。この躁鬱的な現状から少しの間でも解放されたい」

5日後、ミルズはブログを削除する。ツイッターのアカウントも削除するかどうか思案する。この数年間の集大成――そこには自分自身を撮った写真がたくさんしまわれている。大切なEの写真も少しだけ。

「削除すべきか、すべきでないか」と彼女はツイートする。

削除はされなかった。

＊第3章＊

情報提供者

2012年12月
ブラジル・リオデジャネイロ、ガベア地区

「ひとかどの人間になりたければ、世間に迎合してはならない」

ラルフ・ワルド・エマーソン

ポン・ヂ・アスーカルの頂上から眺めると、リオデジャネイロの町は緑と茶が激しく渦を巻いているように見える。空ではクロコンドルがゆっくりと旋回する。はるか眼下には、ダウンタウンと光り輝く高層ビル群。これを縁どるようなビーチと、ターコイズブルーの海で終わりなく生じる白い波。両腕を広げて立つのは、アールデコ調のキリスト像だ。

リオの有名なビーチ、コパカバーナとイパネマは、鉤爪のかたちに広がる海岸の両側にある。コパカバーナは長らく評判が悪い。肌も露わでお尻の大きな女性をかたどった砂の彫刻が並び、その横にブラジル国旗が立っていたりもする。だが最近、コパカバーナには金持ちの老人たちが集まるようになってきた。この夢のような海岸を見下ろす高級マンションに住める人種は、ほかにはそういない。

平日の朝、住人たちが姿を見せ、伸びをし、愛犬を散歩させる。スケートボーダーが自転車レーンを滑走する。ジュースバー、レストラン、オープンカフェ。ビーチでは日焼けした地元の人たちがサッカーやバレーボールを楽しむ（サッカーはブラジルの国民的スポーツだ）。ゴムノキの下で冬のうららかな日をのんびり過ごす――人間らしい暮らしとはこういうものかもしれない。ただし、イパネマの娘にはめったにお目にかからない。出くわすのは、そのおばあさんあたりが多い。

リオの南西のガベア地区から曲がりくねった道を進むと、チジュカの森がある。世界最大の都市林で、オマキザルやオオハシも住む。たいていは海辺より少し涼しい。さらに行くと、人里離れた山中の一軒家に着く。

このあたりは犬の保護区か何かだろうか？　金属製の門に掲げられた看板に「犬に注意（Cuidado Com O Cão）」の文字。でも、こんな警告は必要ない。家のほうから興奮した鳴き声が聞こえてくる。犬たち――大きいのやら小さいのやら、黒いのやら褐色のやら――は訪問者の脚にまとわりついて歓迎の意を表する。せっかくの庭も犬のふんだらけだ。そばを渓流が低い音を立てて流れている。犬の天国というのがあるとすれば、ここがまさにそうだろう。

この家の住人は、グレン・グリーンウォルド、46歳。米国で活動する同世代の政治評論家のなかでも実力派である。スノーデンの記事で一躍脚光を浴びる前から、一定の支持を得ていた。弁護士として、連邦や州の法廷制度のなかで10年間働いた。ユダヤ人の両親のもとに生まれ、好戦的・急進的なタイプ、ゲイ、市民の自由に情熱を燃やす――そんな彼は、ブッシュ政権時代に自分のやるべきことを見つけ出した。2005年に弁護士の仕事をやめ、執筆業に専念。彼のオンラインブ

ログは幅広い読者を獲得している。2007年からはコラムニストとしてサロン・ドットコム（Salon.com）に寄稿した。

グリーンウォルドはよくリオの自宅から、米国のテレビネットワークに評論家として出演するために出かけてゆく。つまり、赤いキア（犬のにおいがする）を運転して山を下り、ガベア競馬場のなかにあるスタジオに行く。警備員がポルトガル語で彼を温かく迎える（グリーンウォルドはポルトガル語が流暢だ）。スタジオにはカメラ、いす、デスクがある。いかにもやり手弁護士といういでたちで席についた彼をカメラが映し出す。おろしたてのシャツ、しゃれたジャケット、ネクタイ。だが、ニューヨークやシアトルの視聴者には見えないけれど、テーブルの下はビーチサンダルに短パンだったりする。

このハイブリッドな服装は、プライベートと仕事で異なる顔を持つ二面性の表れかもしれない。私生活のグリーンウォルドは、とても思いやりがある。恵まれない動物を見ると黙っていられず、すでにパートナーのデイビッド・ミランダとともに10匹の迷い犬を救出した。ほかの人の犬を預かることもあるし、ネコも1匹飼っている。

2005年に2カ月の休暇でリオにきたとき、グリーンウォルドはミランダと知り合った。到着して2日目、ビーチで横になっていたときだ。二人はすぐに恋に落ちた。グリーンウォルドによると、彼がミランダの故郷であるブラジルの沿岸都市に住んでいるのは、米連邦法が同性婚を認めていなかったからだ（いまは認めている）。ミランダはグリーンウォルドのアシスタントをしている。実際に会うと、グリーンウォルドは温和で気さくで心やさしい、話し好きの人物である。

だが仕事となると、彼は違った生き物になる。敵対的、冷笑的、無慈悲、それに弁が立つ。米政府に偽善行為があると見るや、容赦なく攻撃する。ジョージ・W・ブッシュ政権、そしてオバマ政権を厳しく批判してきた。政府がやってきたことを彼は酷評している。市民の権利の侵害、無人機による攻撃、対外戦争、イスラム世界への不幸な関与、グアンタナモ収容所、アメリカの「拷問政治」……。いずれもグリーンウォルドがふるう風刺のペンのターゲットである。

長い、ときに激情的な投稿のなかで、彼は世界中に広がる米政府の犯罪疑惑を記録にとどめてきた。市民のプライバシーをめぐる歯に衣着せぬ物言いのせいで、いまや政府の監視活動を批判する最も有名なアメリカ人といってもよい存在だ。

支持者たちはグリーンウォルドを、勇敢なるジャーナリストにして啓蒙家のトマス・ペインの流れをくむ先鋭的・革命的ヒーローだと考える。敵たちは彼を、目障りな活動家、さらには国賊とさえ見なす。彼には、ブッシュ時代の外交政策や権力の乱用に関する著書が2冊ある。

3冊目となる*With Liberty and Justice for Some* (2011) では、アメリカの刑事司法制度のダブルスタンダードについて分析している。権力を持たない者と、法を犯してもつねにおとがめなしの権力者とでは、適用されるルールが異なる、という主張には説得力がある。この本は、グリーンウォルドにとってもスノーデンにとっても重要なテーマを深く掘り下げている。そのテーマとはすなわち、ブッシュ政権時の違法盗聴スキャンダルと、それで罰された者が一人もいないという事実である。

2012年8月、グリーンウォルドはサロン・ドットコムを去り、『ガーディアン』紙にフリー

ランスのコラムニストとして加わった。相性はぴったりだった。編集長のアラン・ラスブリッジャーに言わせれば、同紙はアメリカの大部分の新聞とは異なるポジションにある。アメリカのジャーナリズムはよかれあしかれ「プロフェッショナルディタッチメント」を大切にする。つまり対象と一定の距離を保った慎重な取材を心がけるが、『ガーディアン』はそれがあまりない。「旧体制」を大混乱に陥れたデジタルテクノロジーの受け入れにもかなり積極的だった。

ラスブリッジャーは言う。「さまざまなプラットフォームで、いろいろなスタイルで発表されている数多くの声を集めることで――すべてが伝統的なジャーナリズムというわけではもちろんありません――新聞は世界をもっとよく説明できるという主張がありますが、思うに、私たちはそれをだれよりも受け入れてきました。グリーンウォルドが『ガーディアン』に落ち着いたのも、だからなのです」

グリーンウォルドはこのように、21世紀のジャーナリストはどうあるべきかという議論をみずから体現しているところがある。21世紀、それはブロガーや市民記者やツイッターがあふれ、だれもがデジタルメディアで発信できる、新しくも騒がしい世界である。こうした本流以外のデジタルエコシステムを、既存メディアを指す「フォース・エステート（fourth estate）」との対比で「フィフス・エステート（fifth estate）」と呼ぶ向きもある。ウィキリークスをテーマにしたハリウッド映画にもこの名前が使われている。

ただし、ラスブリッジャーはこう付け加える。「グリーンウォルドはフィフス・エステートの一員だと言われるのをあまり好みません。というのも、政治や法曹やジャーナリズムの人々は、自分

たちが真正なジャーナリストだと見なす人間（でもその定義は難しい）だけを保護しようとしてきました（たとえば情報源の秘匿に関して）。そのことが大きな理由でしょう。でも彼は間違いなく、新旧両サイドに属しています」

たしかにグリーンウォルドはゲリラ的なやり方をむねとしているが、本人いわく、それはあくまでも事実や証拠、実証データに基づくアプローチである。基本的には詳細な事実を突きつけて敵を打ちのめす。ファクトチェックの殿堂ともいうべき『ワシントン・ポスト』や『ニューヨーク・タイムズ』に訂正を認めさせるのだ。

『ニューヨーク・タイムズ』の編集主幹を務めたビル・ケラーとの会話で、グリーンウォルドは「体制側メディア」にもこの何十年か「すばらしい報道」があったと認めている。だが彼は、主観的な意見を棚上げしてもっと高いレベルの真実を大切にするという米ジャーナリズムのデフォルトモデルが、「残虐なジャーナリズム」、有害な習慣をもたらしたと主張する。たとえば、政府への過度な追従や、「バランス」をとるために正しい見解とそうでない見解を同等に扱うふりをすること……。

ジャーナリストは意見を持ってはならないという考えは「神話」だ、とグリーンウォルドは言う。彼が特に軽蔑するのは、ホワイトハウスの手下のようにしか見えないジャーナリストである。これは「最低の連中」だ。ワシントンのメディアは権力者をたたく代わりに、しょっちゅうおべっかを使っていると彼は断言する。

ケラーはケラーで、他の思慮深い編集者と同様、「アドボカシージャーナリズム」、すなわちある

特定の主義主張を支援するジャーナリズムを批判する。「いったん自分の『主観的な仮説や政治的価値観』を公にしたら、それを擁護したくなるのが人情というものです。すると、その公にした見解を裏づけるようなかたちで、事実を矮小化したくなる。話をでっちあげたくなります」

その後、グリーンウォルド独自のアドボカシージャーナリズムは、本人も想像できなかったほど、世間の厳しい目にさらされることになる。

2012年12月、ある読者からグリーンウォルドにEメールが送られてきた。同じようなメールを毎日何通も受け取るので、このEメールが格別目立っていたわけではない。送信者は自分の正体を明かしていなかった。いわく、「ご興味をそそりそうなものがあります」

「とてもあいまいでした」とグリーンウォルドは回想する。

この謎の人物はおかしなことをリクエストした。グリーンウォルドのラップトップにPGP暗号化ソフトをインストールしてほしいというのだ。そうすれば気がねなくチャットできる。PGPは正しく使えばプライバシーを保証する（PGPとはPretty Good Privacyの略）。第三者による中間者攻撃を防止する。メールの主は、なぜこういう方策が必要なのかを説明しなかった。

グリーンウォルドに異存はなかった。もともと最近、調査ジャーナリストやウィキリークスなど、政府による通信傍受を疑う人たちが採用しているツールを設置するつもりになっていたからだ。だが、問題が二つあった。「私は基本的に技術オンチなんです」。それから、暗号化を要求するような輩はちょっとイカれているのではないかと、どうしても思ってしまう。

数日後、またメールがきた。

「準備できましたか？」

まだだ、とグリーンウォルドは返信した。もう少し時間がほしい、と。さらに何日かが過ぎた。再びメール。「準備できましたか？」としつこく尋ねる。

この見知らぬ送信者は業を煮やし、今度は別の方法を試す。正しい暗号化ソフトのダウンロードのしかたを、ユーチューブで順を追って指導したのである。サルでもわかる、というやつだ。とはいえ教育ウェブサイトのカーンアカデミーとはあまり共通点がない。あくまで匿名の見知らぬ投稿者が、どうやればいいかを淡々と説明するだけ。「コンピュータースクリーンやグラフィックスは見えましたが、手はいっさい見えませんでした。とても用心深かった」とグリーンウォルドは言う。

このフリージャーナリストはビデオを見るには見たけれども、ほかにもやることがあり、時間がなかなか割けなかった。そうこうするうちに、この件をすっかり忘れてしまう。「本当はダウンロードしたかったんです。ハッカーなんかと仕事になることも多いので」とグリーンウォルドは言う。だが結局、「彼が私の優先順位の上のほうにくることはありませんでした」

5カ月後に香港で会ったとき、グリーンウォルドは、2012年末のあの情報提供希望者がほかならぬエドワード・スノーデンだったことに気づいた。スノーデンはグリーンウォルドの読者の一人だった。彼の世界観、活力、政府に妥協しない姿勢に共感して接触を図ったが、不成功に終わっていた。「スノーデンは私に言いましたよ。『あんなことができないなんて信じられません。このバカってな感じで』」

ハワイにいたスノーデンは、ブラジルからは何千マイルも離れていた。実際に会うのはまず無理だ。オンラインでのコンタクトが必須だった。だがグリーンウォルドはあれこれ忙しすぎて、スノーデンの簡単な指示にも従っている余裕がなかった。内部告発者がどれほどやきもきしていたかは、想像に余りある。グリーンウォルドは言う。「彼はきっとこう考えていたに違いありません。『こっちがどれだけ大きなリスクを冒そうとしているか。人生を投げ出し、殺されるのを覚悟で、最大規模のリークを計画しているのに、やつときたら暗号化さえ面倒だなんて！』」

このPGPトラブルの結果、数週間が無駄に過ぎた。スノーデンとしては、グリーンウォルドに連絡するにも安全なルートがない。グリーンウォルドのほうは何も知らずに、人里離れた家のなかでペンによる論争を続けていた。チジュカの森のサルがよく構内に侵入し、木の枝を投げて犬にけんかをふっかけたり、深い竹やぶへ逃げ帰ったりした。グリーンウォルドは犬たちと散歩することもあった。彼が言うには、これは政治の世界やツイッターでの疲れを忘れさせてくれる、よい気晴らしになる。

２０１３年1月末、スノーデンは違う方法で彼に連絡をとろうと決心。ローラ・ポイトラスにEメールを送る。このドキュメンタリー映画作家はグリーンウォルドの友人で、協力者でもある。ポイトラスもまた監視国家アメリカを先頭に立って批判しており、その被害者としてもよく知られていた。

ポイトラスは10年近くにわたって、9・11後のアメリカに関する長編映画三部作を制作していた。第一作の *My Country, My Country* (2006) は、米国侵攻後のイラクの姿を描いて高い評価を受けた。

サダム・フセイン政権崩壊後の2005年の議会選挙に立候補したスンニ派医師の物語が中心にすえられている。2007年のアカデミー賞にノミネートされた、親しみの持てる、感動的で、勇敢な作品である。

第二作の *The Oath* (2010) は、イエメンとグアンタナモ湾で撮影された。主な登場人物は、ブッシュ大統領の対テロ戦争に飲み込まれた二人のイエメン人である。一人はサリム・ハムダン。オサマ・ビン・ラディンの運転手だったかどで告発され、グアンタナモに収容された。もう一人はハムダンの義弟で、ビン・ラディンのボディガードをしていた。彼ら二人を通じて、ポイトラスは、ブッシュとチェイニーの暗黒時代を糾弾する力強い等身大の作品をつくりあげた。

米当局者の反応は驚くべきものだった。2006〜2012年の6年間、ポイトラスは米国入国のたびに国土安全保障省の職員に拘束された。これはおよそ40回に及んだという。そのたびに職員は彼女を尋問し、ラップトップと携帯を押収し、だれと会っていたのかを知ろうとした。カメラとノートも押収された。3〜4時間足止めを食うこともあったようだ。だが罪になるようなものは何も見つからなかった。

2011年にニューヨークのジョン・F・ケネディ国際空港（JFK）で引き止められたとき、憲法修正第1条をたてに、仕事について聞かれても答えなかったことがある。すると当局職員は彼女にこう言った。「お答えいただけないのなら、お持ちのデバイス上で見つけるまでです」

こうした嫌がらせを受けて、ポイトラスは新たな戦略を導入した。暗号のプロになったのである。情報源や機密情報を守るにはどうすればよいかを彼女は学んだ。NSAの広範な諜報能力を考えれ

ば、これがときに極めて重要であることを理解した。もうデバイスを持ち歩くのはやめた。次作はアメリカ国外から編集することにしている。一時的にドイツの首都、ベルリンに引っ越した。

2012年、ポイトラスは三部作の最後の作品にとりかかっていた。今度のテーマはアメリカ、そして国内監視活動の拡大である。NSAの内部告発者、ウィリアム・ビニーにもインタビューしている。ビニーはNSAに40年近く勤めた数学者で、国外での盗聴を自動化するのに貢献。2001年に退職し、国内のスパイ活動について告発した。

その年の夏、ポイトラスは制作中の第三作の一部を使って、『ニューヨーク・タイムズ』のウェブサイトに掲載する「op-doc」と呼ばれる短いドキュメンタリーをつくった。これにともなう記事では、NSAの「ターゲット」になるのがどういうことかを語っている。

スノーデンは遠くから、ポイトラスが受ける厳しい仕打ちを観察した。彼女がどういう人間で、どんな修羅場をくぐり抜けてきたかがわかった。のちに『ニューヨーク・タイムズ』のピーター・マースに、なぜアメリカの主要新聞ではなく、グリーンウォルドとポイトラスに接触したのかと問われて、スノーデンはこう答えている。

「9・11後、アメリカを代表する報道機関の多くは、権力のチェック者としての役割、つまり政府の行きすぎに異を唱える責任を放棄してしまいました。愛国的ではないと見なされ、ナショナリズムの高まりのなか、市場でそっぽを向かれることを恐れたからです。ビジネスの観点からすれば、これは当然の戦略でしたが、企業がうるおった結果、市民はその代償を負わされました。主要メディアはまだこの寒々しい時期から回復しはじめたばかりです」

彼は続ける。「ローラとグレンはそんな時期にあっても、バッシングをものともせず、物議をかもすテーマについて恐れることなく報じつづけた数少ないジャーナリストです。結果、ローラが特に標的にされてしまいました。……彼女は、ジャーナリストとして考えられる最も危険な任務、世界で最も強力な政府の悪事を暴くという仕事を遂行するのに必要な勇気、経験、技能をそなえていました。間違いなく適任者だったのです」

ベルリンで、ポイトラスはスノーデンから受け取ったばかりのEメールについて考えていた。「私はインテリジェンスコミュニティーの上級スタッフです。時間を無駄にはさせません……」（彼の言い分にはやや誇張があった。機密資料にアクセスできるという点ではなく、肩書についてである。実際には、彼はもう少し低い階層の分析担当スタッフだった）

スノーデンは彼女の暗号化キーを尋ね、彼女はそれを教えた。ほかにも彼女は、通信の安全性は問題ないということをスノーデン（当時はまだ匿名の情報提供者だったが）に納得させた。「すぐにとても興味をそそられました」と彼女は言う。「その時点では、本物かわなか迷っていました。脳の片方では、これは本物だと感じたのですが」

ポイトラスは次のようにメールした。

「本物なのか、頭がおかしいのか、それとも私をはめようとしているのかがわからない」

スノーデンが返信する。

「あなたには何を尋ねるつもりもない。こちらから話をするだけです」

ポイトラスは、私のファイルを見たのかと質問した。米国入国のさいに何度も拘束された経緯が

そこにはくわしく書かれているはずだ。彼は見ていないと言った。だが、こうも説明した。政府から嫌がらせを受けたあなただからこそ「選んだ」のだ、と。どんな国、どんな町にいようが、ポイトラスにかぎらず「すべての人」を情報機関は追跡・監視できる、と彼は言った。「あなたはこのシステムを嫌うはずだ。これについて語れるのはあなたしかいません」

どちらかといえば、このころはまだポイトラスのほうがスノーデンよりも被害妄想に陥っていた。自分に対する政府の謀略をまだ疑っていた。一方、ハワイのスノーデンは用心に用心を重ねた。自宅やオフィスからは絶対にコンタクトをとらなかった。「通信は容易じゃないということでした。場所を変えてやってましたね。いつも使っているネットワークは使わずに。一種の隠れみのをつくって」とポイトラスは言う。

Eメールはその後も続いた。週に一度のペース。たいていはスノーデンが身をくらましやすい週末に届いた。文面はまじめだが、ときにユーモアも発揮された。携帯電話は冷凍庫に入れておけ、というポイトラスへの助言とか……。「驚くほど文才があります。どれも見事なメールで、わくわくしながら読んでました」と彼女はふり返る。スノーデンは交信を日常的に続けることを望んだが、メールを打つ安全な場所を探すのに苦労しているようだった。情報をほとんど明かさないので、素性ははっきりわからない。

するとスノーデンから爆弾発言があった。2012年10月発行の18ページの最高機密文書「大統領政策令20」を手に入れたというのだ。内容は、オバマ大統領が米国のサイバー攻撃のターゲット候補をリストアップするよう、安全保障および情報関連の高官にひそかに命じたというものだ。防

衛ではなく、攻撃である。ＮＳＡは光ファイバーケーブルに盗聴器を仕掛け、全世界規模で通信を傍受している、とスノーデンは言った。そのすべてを証明できる、とも。「気絶しそうでした」とポイトラスは言う。

そこで彼女は、この情報が本物だと太鼓判を押してくれそうな信頼できる人物を探した。ニューヨークでアメリカ自由人権協会（ＡＣＬＵ）に相談したところ、『ワシントン・ポスト』のバートン・ゲルマンと話をすることになった。安全保障の専門家であるゲルマンは、ウエストビレッジでポイトラスと夕食をともにしながら、この情報源は本物ではないかと考えた。だが、明言は避けた。そうこうするうち、情報源のほうからグリーンウォルドを名指ししてきた。彼も一枚かませたいという。

ドイツに戻ったポイトラスは、極めて慎重に行動した。ベルリンの米大使館が彼女をなんらかのかたちで監視している可能性は大いにある。最新のドキュメンタリー映画に関連して、ポイトラスはジュリアン・アサンジと連絡をとっていた。このワシントンが毛嫌いする男は、２０１２年の夏以来、ロンドンのエクアドル大使館に身をひそめていた。

つきあっている仲間をはじめ、彼女には米治安当局から目をつけられる理由がたくさんあったが、そうすると、従来の通信手段はモニターされていると考えて間違いない。電話はダメ、Ｅメールも安全ではない。謎の情報提供者について、友人のグリーンウォルドにどうやって知らせればよいのか？

直接会うしか方法はなさそうだ。３月後半、彼女は米国へ帰国。そこからグリーンウォルドに、

一度会いたいとにおわせるメッセージを、デジタルメディアを使わずに送った。グリーンウォルドはかねてからニューヨークへ飛び、米イスラム関係評議会（CAIR）で講演する予定だった。二人はグリーンウォルドが泊まるヨンカーズのマリオット、そのロビーで落ち合った。米国史上最大の情報漏洩の幕開けとしては考えられないような場所である。

ポイトラスはグリーンウォルドに2通のEメールを見せた。情報提供者が過去にグリーンウォルドに連絡をとろうとしていたことを、彼女は知らなかった。本物だろうか？　それとも彼女をわなにはめようとする偽物だろうか？　ポイトラスは興奮し、緊張し、真偽を知りたがった。「メールにくわしい情報は書かれていませんでした。情報提供者は正体を明かしていなかった。勤務先もわかりません」とグリーンウォルドは言う。

Eメールでは事実の代わりに、過激な私的マニフェストが表明されていた。なぜ機密資料をリークしようとするのか、それが必然的にどれほど重大な影響を及ぼすかを示す、いわば知的な青写真である。「何を達成したいのか、なぜそれほどのリスクを冒すのかという理念の表明でした」とグリーンウォルドは言う。この人物は信用できそうだった。「ローラと私はそこに偽らざる熱意を本能的に感じ取りました。二人ともメールは本物だと思いました。文面はスマートで洗練されていて、散漫でもなければイカれてる感じもしなかった」

イメージはできあがりつつあった。聡明で政治にくわしい、合理的な人間。なんらかの計画にかかわってきた人間――。情報提供者はみずからの人物像を小出しにしていた。二人のジャーナリストは、新しいエピソードが語られるのを一つひとつ待たなければならなかった。「とてつもない

リスクを冒すのだ、深刻きわまりない情報開示をするのだという口ぶりでした」とグリーンウォルド。「不まじめには見えなかったし、妄想にとりつかれているふうでもなかった」

グリーンウォルドは今後について、自分なりの考え方をポイトラスにざっと説明した。記事がインパクトを持つには、読者に関心を持ってもらう必要がある。それには違法行為の有力な証拠を示さなければならない。NSAが国民から負託された一線を越えて悪事を働いたという証拠を、スノーデンに提示してもらわなければならない。そのための最善策は、国の機密文書を手に入れることだろう。それがなければ何も始まらない——。

情報提供者は思わぬ行動をとった。彼は引き続き名を伏せようとするだろう、とポイトラスは考えていた。つまるところ、もし名乗り出れば法律違反に問われてしまう。だが、スノーデンは彼女にこう言った。「メタデータを削除するつもりはありません。私の背中に的でも描いて、『こいつがやりました』と世間に言ってやってください」

別のEメールで、スノーデンは、今回の仕事の「難しいパート」は終わったけれども、別のまた危険な段階が始まろうとしていると述べた。「私もその危険は感じることができました」とポイトラスは言う。「彼は友人や家族が巻き込まれるのを心配していました。匿名のままではいたくなかった。ほかの人たちがつかまるのが嫌だったのです」

スノーデンはいずれ投獄される可能性があることを覚悟していたようで、次のように警告している。

「あまり期待しすぎないように。あるときから連絡がとれなくなるかもしれないので」

いったん信頼関係ができると、ポイトラスは彼にインタビューを申し込んだ。なぜこれだけのリスクを冒すのか、はっきり説明しなければならない。これは大切なことだ、と。

インタビューを受けるというのは、スノーデンも考えたことがなかった。でも悪いアイデアではない。彼の目標は機密文書を世の中に知らせることだ。4年間そのことを考えていた、と彼は言った。アサンジに渡すことも一度は考えたが、結局は見送った。ウィキリークスの投稿サイトは閉鎖されていたし、アサンジも監視下に置かれ、外国の大使館に身を寄せていたからだ。アサンジのセキュリティースキルをもってしても、二人が接触するのは難しいだろう。

2013年晩春の段階で、直接会談の件はまだ結論が出ていなかった。

「準備に6~8週間ほしい」とスノーデンは書いた。

何の準備かは、じれったいけれども、まだはっきりしなかった。ポイトラスはベルリンへ戻った。グリーンウォルドもリオへ帰り、いつもの暮らしを取り戻した。謎の情報提供者はたしかに興味深い。だが、ニュースの見出しと同じで、「準備」といっても本当は大したことないのかもしれない。要はジャーナリズムによくあるフライングというやつだ。

「この件についてぼんやり考えることはありませんでした。いかさまかもしれませんでしたし」とグリーンウォルドは言う。何週間か過ぎるうちに、何かが起きるとはますます思えなくなった。

「もうほとんど考えませんでした。その件にはまったく重きを置いていませんでした」

4月半ば、グリーンウォルドはポイトラスからEメールを受け取る。もうすぐフェデックスの宅

配便が届くとのこと。二人はこのところ、あまり連絡をとりあっていなかった。グリーンウォルドはまだ暗号化ソフトを入手していなかった。ところが、ものごとは動きつつあったのだ。グリーンウォルドが言うように、「ワシは舞い降りた」のだ。

宅配便が届いた。中身はUSBメモリーが二つ。グリーンウォルドは最初、そこには「何重もの暗号とLinuxプログラムに守られた」極秘文書が収められているのだと思った。ところが実際に収納されていたのは、初歩的な暗号化チャットソフトをインストールするためのセキュリティーキットだった。

スノーデンはポイトラスに再び連絡した。

「来てください。お目にかかりましょう。ただし危険がともないます」

計画は次のステージにきていた。スノーデンはある文書をリークするつもりだった。それが公になれば、NSAと大手インターネット企業がPRISM（プリズム）と呼ばれる機密プログラムに関して手を組んでいることが白日のもとにさらされる。「心臓発作を起こす人が大勢出るでしょう」とスノーデンは言った。

スノーデンはポイトラスを直接かかわらせたくなかった。その代わり、この文書を彼の名前を出さずに公表してくれそうなジャーナリストをほかにも推薦してほしいと頼んだ。網は広く張りたかったのだ。

ポイトラスは再度ニューヨークへ飛んだ。ある諜報機関の上級官僚といよいよ会えることを期待して。会談は当然、東海岸のどこかだろうと考えた。ボルチモアか、それともメリーランド州の田

舎にある彼の別荘あたりか？　撮影には最低でも半日、できれば丸一日ほしいと頼んだ。すると情報提供者は暗号化されたファイルを送ってきた。ＰＲＩＳＭのパワーポイント資料だった。それから文書がもう一つ。開けてびっくり、そこには「目的地は香港」と記されていた。

翌日、ポイトラスのもとへさらにメッセージが届いた。そこには情報提供者の名前が初めて明かされていた。「エドワード・スノーデン」――。

名前には何の意味もなかった。スノーデンの名前をグーグルで検索しようものなら、直ちにＮＳＡの知るところとなるのはわかっている。添付されていたのは、地図、どうやって会うかの手順、そしてもう一つメッセージ。「私はこういう者です。こういう情報を持つ者です」

スノーデンは新しい暗号化チャネルを使って、グリーンウォルド本人にも連絡した。「ご友人と連絡をとりあってきました。……至急お話ししたい」

この内部告発者はついに、半年近く求めてきたものを手に入れた。なかなかつかまえられなかったジャーナリストと、直接、安全に話をするルートを確保したのだ。情報提供者はグリーンウォルドの仕事についてくわしかった。二人はメッセージを交換した。スノーデンはこう書いた。

「香港へ来られますか？」

この要求がグリーンウォルドにはよくわからなかった。「ずいぶん混乱しました」。米国の情報組織で働く者が、フォートミードから遠く離れた、英国のかつての植民地、共産国・中国の都市で何をしているというのか？　「香港がどう関係するのか、さっぱりわかりませんでした」とグリーンウォルド。無視しようと直感的に思った。重要な仕事がいろいろあった。著書の締め切りも迫って

いる。「のらりくらりと時間を稼ぐようなあんばいでした」と彼は言う。

スノーデンはポイトラス経由で再トライした。グリーンウォルドを「いますぐ」香港まで来させてほしい、と彼女をせっついた。

香港のホテルの部屋で一人待つスノーデンは、焦りが増すばかりだった。いつなんどき露呈するともかぎらない。NSAとGCHQの極秘資料を持って脱出するという計画は、ここまでは実に順調に進んだ。難しいと覚悟していたのにあっけないくらいだ。しかし、賛同してくれるジャーナリストに資料を渡すという、簡単なはずだった仕事がここへきて難航している。

グリーンウォルドはチャット経由でスノーデンにコンタクトした。

「なぜ行かなくちゃならないのか、なぜそれだけの価値があるのかをもっと知りたい」

それから2時間かけて、スノーデンはTailsというシステムの起動方法をグリーンウォルドに説明した。これはTor匿名化ネットワークを使った、最も安全な通信方式の一つである。ようやくこのタスクは完了した。

そこでスノーデンは、実に平凡としか言いようのないやり方で、次のように書いた。「文書をいくつか送ります」

スノーデンのウエルカムパッケージの中身は、20前後のNSA内部文書だった。大半が「トップシークレット（最高機密）」と記されている。そのなかにはPRISMのスライドもあった。「ステラウィンド」プログラム（グリーンウォルドの最新刊では、幹部陣の責任逃れの主な事例として取り上げられている）について補完するファイルもあった。

ただもう驚くべきデータのオンパレードだった。ひと目見ただけで、NSAが米国内での諜報活動に関して議会をあざむいていたことがわかる。グリーンウォルドは言う。「私はどんなものごとも犬がやることと変わらないと考えています。スノーデンは私をまさに犬のように扱っていました。鼻先にビスケットをちらつかせて。彼はNSAの極秘プログラムを見せてくれました。信じられなかった。NSAから情報が漏れたためしはありません。それだけでもう興奮を抑えられませんでした」

スノーデンは頭がよかったから、これはまだ始まりにすぎないことをほのめかした。膨大な数の機密資料を私は保有している、と。グリーンウォルドもついに理解した。彼は電話をつかむと、ニューヨークにいる『ガーディアン』米国編集長のジャナイン・ギブソンを呼び出し、緊急を要すると告げた。NSA文書について説明を始めると、ギブソンが彼の話をさえぎって言った。「電話はまずいわ」。ニューヨークへ来いということだ。

2日後の5月31日金曜日、グリーンウォルドはリオデジャネイロのガレオン国際空港からJFKへ飛び、そのまま『ガーディアン』米国のソーホーオフィスへ向かった。ギブソンの部屋に落ち着く。香港へ行けば、例の人物に関する謎が解けると彼は言った。

リークされた文書を解読するうえでも助けになるはずだった。その多くは専門的な内容で、NSA以外の人間はほとんど存在さえ知らないプログラムや盗聴技術などについて述べている。人間の言語ではなく、その道の者にしかわからない妙な用語で書かれているものがほとんどだった。古代アッシリアの粘土板のように、まったく理解不能な文書もいくつかある。

「ただごとではありませんでした。このうえなくエキサイティングで」とグリーンウォルドは言う。「スノーデンは私をすっかり興奮させる文書を選んでいました。『ガーディアン』の全員がそうでした。なかには度胆を抜くようなものもありました。それが氷山のほんの一角だったのです」

『ガーディアン』米国の副編集長、スチュアート・ミラーも話し合いに加わった。ギブソンもミラーも、スノーデンのマニフェストはものものしすぎるという印象を受けた。もったいぶった表現で、己の哲学や、もう後戻りできないという悲壮感を語っている。いまになって思えば、スノーデンのそんな語調も理解できる。なにしろ世界一のお尋ね者になろうとしていたのだから。

とはいえ、『ガーディアン』の編集スタッフにしてみれば、面倒な状況になるのは目に見えていた。NSA、FBI、CIA、ホワイトハウス、国務省、そして公式には存在しないことになっているその他多くの政府機関の逆鱗に触れるのは間違いない。

ギブソンとミラーは、情報提供者の真偽を確かめるには直接会うしかないことに賛同した。グリーンウォルドは翌日、16時間のフライトで香港へ向かうことになった。ポイトラスも単独で合流する。だがギブソンは、三人目のメンバーを加えるよう指示する。『ガーディアン』のワシントン特派員、イーウェン・マカスキルである。マカスキルはスコットランド出身の61歳。経験豊かな実力派政治記者だった。物静かで謙虚。みんなに好かれていた。

ただしポイトラスは別である。彼女は気が気でならなかった。余分な人間が増えれば、ただでさえぴりぴりしている情報提供者がおじけづいてしまうのではないか。マカスキルの存在によって彼が心を閉ざし、へたをすれば計画全体がおじゃんになるかもしれない。

「連れて行くわけにはいかない、と言ってききませんでした。頭に血がのぼっていました」とグリーンウォルドは言う。とりなしてみたが、ダメだった。出発前夜、二人は初めて口論した。お互い譲らない。グリーンウォルドはこのとき、マカスキルを『ガーディアン』という会社の代表者としてとらえていた。用心深い、退屈な男という具合に。ところがあとになってわかったのだが、このスコットランド人こそ三人のなかで一番過激だった。公益に資するならどんどん発表しようと言ってはばからなかったのだ。

このぎくしゃくした三人組はJFKでキャセイパシフィック航空CX831便に乗り込んだ。ポイトラスは後部の席。旅費は自腹である。グリーンウォルドとマカスキルは『ガーディアン』の負担でプレミアムエコノミーに陣取った。「エコノミーは耐えられません!」とグリーンウォルドは言う。48時間前にブラジルから到着して以来、ほとんど眠っていなかったらしい。

飛行機が離陸すると解放感が広がった。上空にインターネットはない。少なくとも2013年6月の時点では、なかった。全知全能のNSAといえども追ってこられない場所だ。

シートベルトサインが消えると、ポイトラスはプレミアムエコノミーのグリーンウォルドのところへ移動した。ちょうど前の席が空いている。手にはプレゼントを持参していた。そう、USBメモリースティック――早くなかを見たい。スノーデンはNSA機密文書の第2弾をポイトラスに届けていたのだ。この最新データは第1弾の「ウエルカムパック」よりはるかに規模が大きく、文書の数は3000~4000に及んだ。

その後、グリーンウォルドはこの最新の資料を読みつづけた。睡眠は不可能だった。眠ろうにも

眠れない。「スクリーンから一秒たりとも目が離せませんでした。アドレナリンが出っぱなしです」。ときどき、ほかの旅客が寝ている間、ポイトラスが後部の席から遠征してきてグリーンウォルドに笑いかける。「まるで小学生みたいにきゃっきゃ言ったり、くすくす笑ったりしていました。叫んだり、抱き合ったり、小躍りしたり」とグリーンウォルド。「もっと騒げと彼女にけしかけてましたよ」。おかげで近くの何人かが目を覚ましたが、二人は気にしなかった。

最初は一つの賭けだった。だがいま、この資料はとんでもないスクープになろうとしている。真実を覆い隠していたカーテンが、スノーデンの手でいよいよこじ開けられる——その思いが強まる一方だった。飛行機が着陸態勢に入り、香港の夜景が眼下に広がると、初めて確信が生まれた。グリーンウォルドはもう疑っていなかった。スノーデンは本物だ。彼の情報も本物だ。何もかも本物なのだ。

＊第4章＊

パズル・パレス

2001〜2010年

メリーランド州フォートミード、国家安全保障局

「その能力は、いつなんどきアメリカ国民に牙をむくともかぎらない。そうなればアメリカ人にプライバシーはない。そのようにすべてが監視されるのだ。電話、電報、何でもござれ。隠れる場所はどこにもない」

フランク・チャーチ上院議員

全世界のインターネットユーザーに対する無差別監視――その起源は正確に特定することができる。2001年9月11日、全米を震撼させ激高させた、あの残虐なテロの日である。その後の10年間で、個人のプライバシーを侵すのもやむなしという政治的な合意が英米両国で新しく築かれた。同時に、テクノロジーの急速な発展により、大規模な盗聴がますます容易になりはじめた。

クモの巣のように複雑にからみあったインターネットは、いつの間にか、ウィキリークスのジュリアン・アサンジの言葉を借りれば「世界史上最大のスパイマシン」になった。だが、エドワード・スノーデンの登場前は、その真実はほとんど明るみになっていなかった。

ＮＳＡ――米国の情報機関のなかで最も大きく、最も秘密のベールに覆われているこの組織は、2001年9月11日、アルカイダの奇襲攻撃についてニューヨークのツインタワーに事前警告することができなかった。当時のＮＳＡ長官は無名の空軍将校、マイケル・ヘイデンである。

ＣＩＡ長官で、名目上は16の情報機関すべてを統括する立場でもあったジョージ・テネットは、だからヘイデンに尋ねたいことがあった。実際にはディック・チェイニー副大統領の疑問であり、テネットはメッセンジャーにすぎなかったのだが。質問はシンプルである。「もっと何かできないのか？」。大量の電子通信や通話情報を収集し、対テロ活動に利用する絶大な権限を持つＮＳＡだが、テネットとチェイニーは、ヘイデンがこの権限を使ってもっと攻めの姿勢を打ち出せないのかと思ったのだ。

１９５２年の設立以来半世紀、ＮＳＡはおよそ神話的といってもよい技術的・数学的専門性を積み上げてきた。１９７０年代には改革派上院議員のフランク・チャーチが、「アメリカ全土を独裁支配する」権力を持っていると警告したほどである。

メリーランド州の本部周辺には、生物兵器プログラムの本拠であるフォート・デトリック、化学兵器を開発したとされるエッジウッド・アーセナルなど、機密性の高い軍事施設が多い。だが、ＮＳＡの秘密主義はそのなかでも群を抜く。予算や人員も国家機密である。

ＮＳＡのミッションは、全世界からの信号情報の収集。つまり、無線、マイクロ波、衛星など、あらゆる通信情報を傍受する。もちろん、インターネット通信も。この秘密裏の監視は、ターゲットが知らないうちに行われる。全世界の米軍基地、大使館など、あらゆるところに傍受施設がある。

その傍受能力をさらに高めているのは、第二次大戦直後に端を発する独自の情報共有のしくみである。「ファイブ・アイズ」として知られるこの枠組みに基づき、NSAは英国、カナダ、オーストラリア、ニュージーランドという四つの英語国家と情報活動の成果を共有している。これらの同盟国は互いにスパイ行為をしないのが建前だが、実際にはそうなっていない。

法的には、NSAは好き放題には活動できない。合衆国憲法修正第4条により、国民に対する不当な捜索・押収が禁じられている。捜索（通信傍受を含む）は、「相当な理由」があり、裁判所が令状を発行した場合にのみ、特定の容疑者に対して合法的に実施できる。

こうした予防措置は、現在では的外れの古い制約というわけでもない。1970年代に、当時のニクソン大統領は捜索の権限がいかに乱用されやすいかをみずから実証した。悪名高い「ミナレット」プログラムのもと、気に入らないアメリカ人の電話の盗聴をNSAに命じたのである。同胞に対するこの違法行為の標的にされたのは、何人かの米上院議員のほか、ボクサーのモハメド・アリ、医師・作家のベンジャミン・スポック、女優のジェーン・フォンダ、黒人活動家のホイットニー・ヤング、マーティン・ルーサー・キングなど、ベトナム戦争の反対者たちである。

ミナレット・スキャンダルの結果、1978年に外国情報監視法（FISA）という影響力の強い法律が成立した。この法律により、NSAは令状がないかぎり、米国内の通信、米国人がかかわる通信を傍受できないことになった。

英国のやはり情報機関で、NSAより規模の小さなGCHQは、もっと自由な活動を謳歌していた。成文憲法の縛りがないうえ、秘密主義に守られながら、政府閣僚にいろいろな圧力をかけられ

た。2000年成立の捜査権限規制法（RIPA）も、GCHQには英国で大規模な監視を行い、結果をNSAに伝える（ただし通信相手先が外国だった場合にかぎる）法的裁量権がある、と「解釈」されるまでに時間はかからなかった。

のちに明らかになった内部文書で、「われわれは米国に比べて管理監督体制がゆるい」とGCHQは得意になっている。

2001年には間違いなくそうだった。あの衝撃的な同時多発テロから72時間とたたずに、ヘイデンは早くも既存の法的権限ぎりぎりのところまで、NSAの活動を強化していた。

緊急事態のなか、ヘイデンはひそかに、米国の国際通話のなかから、すでにわかっているテロリストの電話番号を特定することをNSAに認可した。「ミッションクリープ（不用意なオペレーション拡大）」はなお続いた。2週間もしないうちに、NSAは、米国からアフガニスタンに電話をかけたすべての人の電話番号をFBIに伝えることもできるようになった。NSAの内部資料では、のちにこれを、ヘイデンの権限を前任者のとき以上に「攻撃的に行使」した例だとしている。

そんなわけだから、2001年当時、チェイニーとテネットから疑問を投げかけられても、ヘイデンは彼らが喜ぶような答えを返せなかった。もっと何かできないのか？　できません。現在の権限の枠内では、NSAにこれ以上できることは何もなかった。

後日、テネットはヘイデンに電話でさらに尋ねている。もっと権限があったとしたら何ができるか、と。

その場合はNSAができることは山のようにある。そして実際、そうなった――。

9・11の前、NSAはすでに一つの実験にとりかかっていた。FISAが課す法的制約のせいで、一度はあきらめざるをえなかった試み——つまり、収集した通信記録（メタデータ）について「コンタクト・チェイニング」を実行するのである。コンタクト・チェイニングとは、送信者と受信者のつながりや接触を明らかにするプロセスをいう。厳密に行えば、電話やEメールの中身を知らなくても、人々のつながりをマップ化できる。フェイスブックが出現するずいぶん前から、NSAはいわゆる「ソーシャルグラフ」を自由に扱っていたことになる。

だが、一つ問題があった。司法省の情報政策部門が1999年、メタデータはFISAにいうエレクトロニック・サーベイランス（電子監視）の定義の範囲に入ると判断したのである。つまり、米国外の通信に対するコンタクト・チェイニングは合法だが、もしアメリカ人を巻き込めば、NSAの行為は違法になる。

話はさらに込み入るのだが、米国外の外国人どうしの電子通信でも米国を経由する可能性がある。なぜならデータは電話線を通って二地点間を移動するのではなく、デジタル「パケット」に分割されるからだ。FISAが保護するのは米国内の通信トラフィックである。だが実は、全世界の通信トラフィックがそのように米国を経由するようになっていた。

しかし、9・11後のヘイデン、テネット、チェイニー、ブッシュには、一つの方法が残されていた。議会である。戦争モードまっしぐらの議会にFISAを改正してもらい、もっと権力を手に入れるのだ。ツインタワーとペンタゴンが襲撃されてまもないそのころ、議会は行政に対して寛容だった。10月には圧倒的多数で「愛国者法」が可決され、連邦捜査当局はテロ事件における捜査権限

を拡大させた。当然、ＦＩＳＡの改正も承認されたのだろうか？

そう思いきや、ブッシュ政権は権限拡大を大っぴらに要求しないことを決定。ホワイトハウスの独断で、監視の強化をヘイデンにひそかに指示したのである。ＮＳＡは公式文書のなかでその理由を推測している。「ＦＩＳＡの変更が国民的に議論され、その結果、情報源や情報収集の方法が危険にさらされることを政府関係者は恐れたのではないか」

そこでヘイデンのＮＳＡは新しいプログラムの準備を開始した。従来の活動範囲から逸脱するのに、厳重に秘匿されていたプログラムである。これには四つの側面があった——電話通信、電話メタデータ、インターネット通信（Ｅメールやウェブ検索）、インターネットメタデータ。ＮＳＡはこのデータをできるだけたくさん収集する。外国人からアメリカ人へのコンタクト・チェイニングが再開され、ＮＳＡは外国の通信であれば、たとえ米国を通過するものでもチェックすることができた。

このプログラムには「ステラウィンド」というエレガントなコードネームが与えられた。もっとも、一部のＮＳＡ技術者はそれを「ビッグ・アス・グラフ（どでかいグラフ）」と呼んだのだが。ブッシュ大統領の承認を得て、２００1年10月4日にステラウィンドはスタートする（この正式なコードネームの確定は10月31日のハロウィーン）。当初予算は２５００万ドルである。

ステラウィンドについて知る者は少なかった。ヘイデンはブッシュの指示を決して口外しなかった。ＮＳＡの法律顧問は（同プログラムの実行にかかわる約90人のＮＳＡ職員とともに）その存在を知っていたが、これは合法だと太鼓判を押した。

だが、裁判所の承認はないままだった。FISA秘密裁判所のトップでさえ、2002年1月に初めてこの件について耳にしたほどだ。彼の同僚にいたっては、一人を除いて、そこからさらに4年間も知らされることがなかった。NSA内部のお目付け役である監察官も、プログラムがスタートして1年近くたった2002年8月まで、ステラウィンドのスの字も知らなかった。

これは議会もほぼ同じである。最初に知っていたのは、上下院情報委員会の民主党・共和党のトップだけだった。1月には、上院の財布を握る上院歳出委員会の重鎮、ケン・イノウエ（民主党）とテッド・スティーブンス（共和党）にもNSAから情報が伝わっていた。2007年1月にようやく、535人いる議員のうち60人がステラウィンドの詳細を知ることが許された。

ところが、主要な電話会社やインターネット・サービス・プロバイダーは、最初からステラウィンドを熱狂的に支持していたふしがある。これは結果的に非常に重要な事実だった。旧ソ連や中国と違って、米政府はインターネットの光ファイバーケーブルやスイッチを所有していない。米国を通る部分であっても政府の所有ではない。NSAが通話やEメールの記録を手に入れるには、そうした会社の協力が不可欠だった。

NSAの内部資料によれば、「いくつかの民間パートナー」が、プログラムの始まった2001年10月に、国外からの通話とインターネットの内容を、翌月には、米国内からの通話とインターネットのメタデータをNSAに提供しはじめたという。

こうした企業がNSAに開示した通信トラフィックは膨大な量にのぼった。NSAのいう「企業パートナー」3社が管理運営するインフラは、米国を経由する国際通話の81%をカバーするといわ

れる。通信会社との水面下での密接なつながりは、なにもいまに始まったことではない。NSAは創設当初から、彼らとそのような関係を築いてきた。それが9・11後の愛国心の高まりと相まって、通信会社のものわかりをいっそうよくしたわけだ。たとえば、「企業パートナー」3社のうち2社は、ステラウィンドの正式なスタート前からNSAにコンタクトし、「何かお手伝いできることは?」と尋ねている。

以後2年間で、少なくともさらに三つの通信会社が、ステラウィンドへの協力にからんでNSAから接触を受けた。ただし、そう簡単に事は運ばなくなりはじめていた。この追加協力の要求は、裁判官命令のおかげで実現しなかった。それはNSAからの一方的な要請であり、公式にはジョン・アシュクロフト司法長官(同プログラムを定期的に更新していた)からの通達があったにすぎない。そしてアシュクロフトは裁判官ではない。

3社のうち1社はNSAに「最小限」の支援を提供した。他の2社はもっと及び腰だった。Eメールコンテンツの提供を打診された会社は「企業責任上の懸念」を理由に抵抗を見せた、とNSAの内部資料にはある。もう1社は、要請に応じることの合法性について外部の弁護士に相談しようとした。この件が公になるリスクが大きいと考えたNSAは、要請を撤回した。

司法省内部にも、ステラウィンド・プログラムの合法性を不安視する声があった。副長官のジェームズ・コミーは、アシュクロフト長官が病気で不在のさい、プログラム更新の承認を拒否したといわれる。

2004年には『ニューヨーク・タイムズ』がステラウィンドに関するリーク記事を載せないよ

う圧力をかけられているが、これにはNSA長官のヘイデンだけでなく、ブッシュ大統領みずからも関与した。「ブッシュ政権は、盗聴工作が合法的なのは疑う余地がないと主張し、われわれを積極的にミスリードしようとしました」と、同紙でその後、ライゼンとともに本件の暴露記事を書いたエリック・リヒトブラウは言う。

2005年12月、NSAが最も恐れていたことが現実になる。「ブッシュ政権、裁判所の許可なく電話を盗聴」の見出しが『ニューヨーク・タイムズ』の一面に踊ったのだ。ただ、記事に書かれているのは全体像のごく一部にすぎなかった。アメリカ人の国際通話やEメールトラフィックが令状なしに傍受されていた点が中心で、米国内のすべての人のあらゆる交友関係をつまびらかにするメタデータの大量収集については、触れられていなかった。

ブッシュは『ニューヨーク・タイムズ』を非難する一方、ステラウィンドは9・11後の情報活動の大きな成果の一つであると公言し、このプログラムを精力的に擁護しはじめた。また、さらに抜け目なく、プログラムのなかで同紙が報じた部分だけを認めるとともに、批判者たちを守勢に立たせる絶妙なネーミングを新たに考え出した。その名は「テロリスト監視プログラム」である。

ブッシュの安全保障政策に関してはだいたいそうだが、その後の騒動は大部分が党派的で予測どおりの展開となった。共和党は、テロリストを阻むには令状なき監視も必要だと懸命に援護射撃。負けじと民主党も、これを憲法違反だとして糾弾した。

カリフォルニア州選出の民主党議員で下院少数党院内総務を務めたナンシー・ペロシは、2001年10月、下院情報委員会の長老メンバーとしてヘイデンのブリーフィングに立ち会っていた。ブ

ッシュ政権の関係者・協力者たちは、偽善とご都合主義のにおいをぷんぷんさせながら、かつてこっそり擁護していたプログラムを見捨てたとペロシを非難した。

ペロシもこれに応戦。ステラウィンドの運用開始後にヘイデンに書いた手紙を公開した。懸念を表明する内容だった。「本件を適切なかたちで継続するという貴兄の決定の根拠が十分なものかどうか、その法的な分析がもっとはっきりするまで、私は引き続き心配です」

暴露記事の影響を受けたのはペロシだけではない。『ニューヨーク・タイムズ』の記事が出たとき、ヴィト・ポテンザも問題を一つかかえ込んだ。ＮＳＡの法律顧問であるポテンザの一つの役割は、通信会社やインターネットプロバイダーとやりとりし、協力は合法的だと彼らを安心させることだった。こっそりやるぶんには難しくない仕事である。だが、記事が出たいま、通信会社は利益と訴訟リスクの両方を心配するようになった。とはいえ、ＮＳＡとの取り決めを終わらせる考えもなかった。

あるプロバイダーがポテンザに提案した。電話メタデータの提供を頼まないでほしい。提供させるようにしてほしい——。「このプロバイダーは裁判所命令によって強制されることを望んだ」と、ＮＳＡの内部資料はふり返る。

そこで２００６年最初の何カ月かをかけて、司法省とＮＳＡの法律家たちは、国内での電話メタデータ収集の法的根拠をひそかにつくり出した。これなら（現在はステラウィンドの概要を知っている）ＦＩＳＡ秘密裁判所のチェックにも耐えられるだろう。それは愛国者法の悪名高き第２１５条、いわゆる「ビジネス記録条項」である。

9・11後に可決され、市民活動家らに早くから忌み嫌われている第215条によれば、政府は「進行中」のテロ捜査に「関連する」データ類を引き渡すよう企業に強制する権限を持つ。メタデータの大量収集をこの法律要件一つで押しきろうというのは、虫がよすぎる話だ。アメリカ人のすべての通話記録が、実際に進行中のなんらかの捜査に関連するとはどうしても思えない。メタデータはむしろ捜査の前に生じた多くの情報であり、今後の捜査状況を占う条件となるものだ。

だが、ステラウィンドについて知ったばかりのFISA裁判所は非常にものわかりがよかった。「提出が求められている『有形物』が、FBIの行う正式なテロ捜査と関連していると考えるに足る合理的根拠がある」と、2006年5月24日、FISA裁判所のマイケル・ハワード裁判官は内々に決定をくだし、通信会社がほしがっていた裁判所命令を出したのである。

ヘイデンの後任のNSA長官、キース・アレグザンダーは、2013年10月29日の下院情報委員会の公聴会で、通信会社やインターネットプロバイダーとのこうした関係について次のように述べている。「われわれは業界に協力をお願いしました。お願い……いえ、もっと正確には、裁判所命令によって協力を強制しました」

より正確には、裁判所命令によって強制するよう、業界がアレグザンダーに強要したのだろう。

政府は次に、激しい議論を巻き起こしたFISA改正法（FAA）のなかに、さらなる法的口実を用意した。FAAはアメリカ人と外国人との通信の傍受をすべて合法化したのである。外国人といってもテロ容疑者である必要はない。情報収集の価値があると「合理的に」疑われるだけでよい。また、実際に外国にいる必要もない。傍受のさいに外国にいると「合理的に」疑われるだけでよい。

ＦＩＳＡ裁判所は1年単位でまとめて承認を出した。

ＦＡＡのなかで最も重要な条項の一つは、大量監視に参加した通信会社を法的に免責する条項である。免責は過去にさかのぼることもできるし、将来を見越して適用することもできる。要は、ＮＳＡの民間パートナーは決して刑事責任を問われず、金銭的損失もこうむらないということだ。

大統領選真っただ中の２００８年半ばに、ＦＡＡは可決された。ＮＳＡにとっては大成功である。もっぱら行政のコントロール下にあった水面下の非合法活動が、いまや議会のお墨付きを得るかっこうとなったのだ。議員の多くはその重要性をほとんど理解していなかった。ＮＳＡの辞書には「７０２」という新しい言葉が加わった。ＦＡＡで修正されたＦＩＳＡの条文を指している。これこそがいま、表向きはテロに関連したＮＳＡの国外情報収集活動の「供給源」なのである。

市民活動家たちは、激烈な闘争のあげく敗れたことを悔やんだ。通信情報の大規模な収集が始まるだろう、とＡＣＬＵは警告した。そして、そこには必然的にアメリカ人も含まれる。個々の人間に嫌疑がなくてもかまわないし、その実行に十分に歯止めをかける手段もない。まるで昔、英植民地政府が発行した「一般令状」を思わせる。まさにアメリカ革命と憲法成立そのもののきっかけとなった、あの不当な捜索と押収を——。

２９３対１２９でＦＡＡが可決された下院では、反対票の圧倒的多数が民主党議員だった。だが、情報委員会の民主党議員は賛成票を投じる傾向があった。そのなかには委員会の古参議員ジェーン・ハーマンと、その前任者で現在は下院議長のナンシー・ペロシもいた。ペロシはかつての遠慮がちな立場をついに克服したようだった。

上院では、69対28の大差で法案は可決された。反対票はすべて民主党議員である。だが注目すべきは、NSAにすり寄った民主党議員のほうだ。一人はダイアン・ファインスタイン。翌年、情報委員会委員長になっている。もう一人はジェイ・ロックフェラー。当時の同委員会委員長で、『ニューヨーク・タイムズ』の暴露記事が出たときは、NSAの諜報活動を非難していた。

三人目は、21世紀初頭のリベラルのホープ、イリノイ州選出の1期目の上院議員にして憲法学者——そう、バラク・オバマである。オバマは大統領選初期の2007年の街頭演説で次のように誓った。「アメリカ国民に対する違法な盗聴は、もうしません。犯罪の嫌疑がないアメリカ人をスパイするために国家安全保障書簡を送りつけることは、もうしません。誤った戦争に抗議するだけの市民をつけまわすことは、もうしません。不都合なときでも法律を無視することは、もうしません」

民主党の指名を間近に控え、その後大統領になったオバマは、2008年7月9日、FAAに賛成票を投じたのである。

FAAの可決にともない、令状なしの監視をめぐる政治的議論は下火になった。多くの関心はすでに、それがもたらす結果のほうに向けられていた。オバマ政権では、愛国者法やFAA自体の更新と同様、監視活動に関する表決が定期的に実施されたが、あまり関心を集めなかった。オバマはみずからが中心的役割を果たした大量監視活動について、政治的な代償を払うことがなかった。

その一つの理由は、FAAをめぐる採決にあたって、NSAの大量収集活動そのものがやはり秘密のベールに覆われていたことだ。よほどこだわりの強い人ならステラウィンドの名前を知ってい

るかもしれないが、公には、ＮＳＡがすべてのアメリカ人の電話メタデータをひそかにため込んでいる証拠はない。ＮＳＡがＰＲＩＳＭという新しいプログラムのもと、主なインターネットプロバイダーと包括的な取り決めを結んでいる証拠もない。

ただし、徴候のようなものはあった。２０１１年、『ＷＩＲＥＤ』のスペンサー・アッカーマン記者（彼はこのあとすぐ『ガーディアン』に移籍して安全保障問題を担当）とのインタビューや、愛国者法の採決直前の議会で、オレゴン州選出の民主党上院議員ロン・ワイデン（当時、情報委員会に在籍）は、次のような趣旨のことを遠回しに述べている。政府は愛国者法を秘密裏に解釈している。それは条文の内容とあまりにもかけ離れているため、議会が承認していないまったく別の法律を指しているかのようだ――。

「国民が考える法律の中身と、アメリカ政府がひそかに考える法律の中身が乖離しつつあります。そのような乖離があると問題が生じます」とワイデンは言う。また、そのギャップを知ったら国民はびっくりし、ぞっとするだろうと付け加える。だが、機密情報の保護を宣誓しているワイデンは、それが正確に何を意味するのかは語らなかった。

これだけ「容疑」が濃厚であるにもかかわらず、政府によるプライバシー侵害ともいえる、国内外での大規模な監視プログラムをめぐる事実は、アメリカ国民に伏せられたままだった。そのプログラムは本来、国民の名のもとに実行されているはずなのに……。エドワード・スノーデンが２０１３年に香港行きの飛行機に乗ったとき、彼のラップトップＰＣに収納されている情報は一触即発の危うさをはらんでいた。

＊第5章＊

男との対面

2013年6月4日、火曜日
香港ネイザンロード、ザ・ミラ・ホテル

マカスキル「ご自分がどうなると思いますか？」
スノーデン「ろくでもないことに」

イーウェン・マカスキルは香港が初めてではなかった。だが、1980年代前半に当時は英植民地だったこの地を訪れたとき、彼の名前は「袁買（Yuan Mai）」といった。これは『チャイナ・デイリー』紙に署名記事を書くときに使った名前である。当時、若きマカスキルは北京に住んでいた。少なくとも理屈のうえでは、彼は中国共産党のプロパガンダ部隊の一員だった。実は、英語を話すジャーナリストの募集広告を見つけて、エジンバラの一流紙『スコッツマン』から出向していたのだ。

『チャイナ・デイリー』での仕事は見かけほどストレスが多くなかった。政治への言及はことごとくご法度だったからだ。マカスキルの役どころは、中国人記者の指導・相談係。現代風の英字新聞を彼らにつくらせるのが目標である。

同紙ではいろいろ得がたい経験をした。チベットでの穀物生産に関するお決まりの記事も書かなくてはならなかったが、「ラストエンペラー」愛新覚羅溥儀の弟や、中国側からエベレストに初登頂した登山家にもインタビューした。晩年に（おそらく良心の呵責から）子ども向けの遊具を設計した中国人核物理学者について書いたこともある。

「人々はまだ人民服を着て自転車に乗っていました」とマカスキルは回想する。肌寒いグラスゴーの安アパートで育った若いスコットランド人にとって、そこはまさしく異国だった。

マカスキルは『ガーディアン』で最も尊敬されるジャーナリストの一人になっていた。英国の新聞界は電話の盗聴、詐術、言い逃れといった不誠実なふるまいで悪名高かったかもしれないが、マカスキルは実にまっすぐな男だった。これまでのキャリアで、人の道を踏みはずすような行為はいっさいしていない。ハンバート・ウルフの次のようなエピグラム（警句）が当てはまらない数少ない人間の一人だった。

英国人ジャーナリストを買収するのも
だますのも　無理な話（すばらしい！）
でも　買収されずにする彼らの仕事を見たら
買収したくなる理由がそもそもない

マカスキルの高潔さはたぶん、スコットランド自由長老教会に属していた両親の影響を受けてい

る。この宗派は「罪」に対して妥協なき考え方をした。夏になると家族でヘブリディーズ諸島のハリス島（カルビン主義者が身を隠したといわれる）を訪れたが、それも宗教的信条を強める効果があった。1950年代後半に労働者階級の家庭で育ったマカスキルは、日曜は教会のためにあるのだと学んだ。ダンスや音楽、姦淫は禁止。うそはもちろん許されなかった。

15歳のとき、マカスキルは本というものを知った。彼は無神論者になった。教会へも行かなくなった（ある日曜日、牧師が説教で、長髪がいかによくないかという話に終始したのがきっかけである。マカスキルは信者たちのなかで唯一毛深いティーンエージャーだったし、ビートルズも髪を伸ばしていた。あごひげだってはやっていた）。

彼は名門のグラスゴー大学に合格し、歴史を学んだ。「それが人生を変えました」と彼は言う。私学で教育を受けた学生たちが自分に比べてさして頭がよくないことを知ったのである。戦後英国の社会階級区分は、思っていたほど壁が厚いわけでもなさそうだった。

大学を出たマカスキルは『グラスゴー・ヘラルド』紙の見習い記者となる。時は1970年代。まだ古いジャーナリズムの時代で、『グラスゴー・ヘラルド』ではコラムニスト（現代メディアの花形）よりも記者のほうが大きな顔をしていたし、「大酒飲み」の文化も残っていた。記事を書いていない記者は、暗い石畳の道の先にある「ロスィズ」というバーへ出かける。事件が持ち上がって記者が必要になると、このバーへ呼びに行く。

マカスキルは『グラスゴー・ヘラルド』で成功を収めたが、一方で「旅心」というのか、どこか遠くの土地にあこがれる気持ちがあった。1978～1979年の2年間、彼は南太平洋のパプア

ニューギニアでジャーナリストの養成にあたっている。中国勤務後は『スコッツマン』へ移り、その後、同紙の政治記者としてロンドンへ赴任。1996年に『ガーディアン』のやはり政治記者に応募する。ラスブリッジャーとの面接前には緊張した。のちにこの編集長から「人生で最悪の面接だったよ」と言われたらしい。

とはいえ彼は合格した。1997年の英総選挙におけるトニー・ブレアの地滑り的勝利を報道し、2000年に外交担当となってイラクやインティファーダ（パレスチナ人の対イスラエル抵抗運動）を取材した。2007年、彼はワシントンに異動する。最初のころ、オバマには「なかなかよい大統領だ」と好印象を持っていた。だがその後、ジャーナリストやそのニュースソースを執拗に追及する政権のやり口に嫌気がさした。行政とマスコミの関係は悪化しつつあり、いまやデジタル情報のコントロールが戦いの場と化していた。

『ガーディアン』米国編集長のジャナイン・ギブソンにとって、マカスキルは冷静かつ率直な助言を求めることができる頼れる存在だった。マカスキルはいま、グリーンウォルドの謎の「NSA内部告発者」が本物かどうかを見きわめるという、難しい仕事を任されていた。6月3日月曜日、彼は九龍のダブリュー・ホテルにいた。同行の二人のフリージャーナリストは、例の情報提供者を名乗る人物と初対面を果たすために出かけている。

マカスキルは昼間、地下鉄で香港島へ行き、昔よく行った場所を再訪したりして時間をつぶした。蒸し暑い。夜になってグリーンウォルドが報告に戻った。スノーデンは本物かもしれない、おそろしく若いとしても――。マカスキルと会うことに同意したという。翌朝、二人はタクシーでミ

ラ・ホテルへ再度向かった。大理石の玄関を入ると、ロビーにポイトラスがいた。彼女の先導で1014号室へ向かう。

部屋に入ると、ベッドに腰かけている若者がいた。白のTシャツにジーンズ、トレーナーというラフな服装だ。マカスキルは握手をしながら、『ガーディアン』のイーウェン・マカスキルです。お会いできて光栄です」と言った。これがスノーデンか。窮屈そうな部屋だった。ベッドに浴室、床には小さな黒のスーツケース。大型テレビが音量を落としてつけてある。窓からは九龍公園が見えた。散策する家族連れの姿がある。霧雨が降り、空は雲に覆われている。

テーブルの上にはランチの食べ残しがあった。スノーデンはあまり荷物を持たずにハワイを出たらしい。ラップトップPCが4台。一番大きいものはハードケース付きだ。本は1冊だけ、『ワシントン・ポスト』のバートン・ゲルマンが書いた*Angler: The Shadow Presidency of Dick Cheney*(邦訳『策謀家チェイニー』)を持参していた。チェイニー副大統領が9・11後に「特別プログラム」をひそかに導入したようすを描いた本だ。『ニューヨーク・タイムズ』も一部すっぱ抜いた、ステラウィンド・プログラムである。

スノーデンが手垢のつくほど読んだ第6章にはこうある。「政府は、米国民が米国内でやりとりするEメール、ファクス、電話をかたっぱしから傍受していた。……通話記録やメールヘッダーなどのトランザクションデータが何十億単位で収集されていた。……テロの脅威とわずかでも関係している情報など、ないに等しかった」

スノーデンとの対面はスムーズに運んだ。だが、マカスキルがiPhoneを取り出し、インタ

ビューの録音および写真撮影の許可を求めると、スノーデンは電気ショックでも受けたかのように、あわてて両腕を振り上げた。「いっそＮＳＡをお招きしたほうがよかったかもしれません」とマカスキルは言う。若き技術者は、諜報機関は携帯電話をマイクや追跡装置に変えられるのだと説明した。それを部屋に持ち込むのは、オペレーションセキュリティー上の初歩的ミスである。マカスキルは外へ出て電話を投げ捨てた。

スノーデン自身の予防策も入念だった。彼はドアの両サイドと下の隙間をまくらを並べて埋め、廊下から盗聴できないようにした。コンピューターにパスワードを入力するときは、大きな赤いフードで頭上を覆い、隠しカメラでパスワードを盗まれないようにした。ラップトップから離れるのを極度に嫌がった。

それまでスノーデンは部屋を出たことが3回あったが、そのさいは古典的なスパイのテクニックをアジア的にアレンジして用いた。ドアの後ろに水の入ったグラス、その隣にティッシュペーパーを1枚置いておく。ティッシュペーパーには、あるかたちで醤油のしみがつけてあり、水がかかれば模様が変わるという寸法だ。

スノーデンは被害妄想には陥っていなかった。自分の置かれた状況を理解していた。九龍に滞在中は、いつなんどきドアがノックされるかもしれないと半ば覚悟していた。捜査当局の手で強引に連れ去られるのだ。彼はこう説明した。

「ＣＩＡにやられるかもしれません。尾行も考えられます。いろいろな国と密に協力していますから、そちらの線も含めて。あるいは中国マフィアとか、その関係筋を雇うかもしれない。すぐ近く

の米領事館にはＣＩＡの支局があります。これから1週間、連中は忙しくなるでしょう。この先ずっと、私はおびえて暮らさなければなりません。どれくらいの長さかはわかりませんが」

彼がマカスキルに打ち明けたところによれば、ある友人がイタリアでＣＩＡの容疑者移送にかかわったことがあるらしい。これはまず間違いなく、２００3年にイスラム聖職者のアブ・オマールが拉致された件だろう。彼は白昼堂々とミラノで捕らえられ、最寄りの空軍基地から他国へ移送されたあと、拷問を受けた。２００9年にイタリアの裁判所は、ＣＩＡミラノ支局長のロバート・セルドン・レディと22名のアメリカ人（そのほとんどはＣＩＡ工作員）に誘拐罪の有罪判決をくだした。レディはのちにこう述べている。「もちろん違法な行為でした。でも、それがわれわれの仕事です。これは対テロ戦争なのです」

大手電話会社のベライゾンから米国のメタデータが大量に収集されていたという暴露記事が最初に発表されるまで、スノーデンはわが身を強く案じていた（記事が発表されるとスノーデンの居場所探しが熱を帯びたが、同時に彼は、公表したことで身の安全が保たれるとも考えた）。公表前、ジャーナリストにも明らかにリスクがあった。機密資料を所持しているのを見つかったら、どうなるのか？

ポイトラスがカメラを回すなか、マカスキルは正式なインタビューを始めた。スノーデンはベッドに腰かけている。すでに1時間半から2時間は質問していた。前日のグリーンウォルドの質問は、まるで疑わしい証人を厳しく問い詰めるベテラン弁護士のようだった。スノーデンがマンガやゲームについて話しはじめて、ようやく展望が開かれた。

これに対し、マカスキルはいかにも記者らしく順序だてて問いかけた。グリーンウォルドのやり方を補って完全にしたスタイルともいえる。彼はごく基本的なことを尋ねた。パスポートや社会保障番号、運転免許証があるか？　直近の住所は？　給料はいくらだったか？

ブーズ・アレン・ハミルトンにインフラアナリストとして入る前のハワイでの給料は、住宅手当を加えると20万ドルに上った、とスノーデンは言った（ブーズ・アレンでは減給されたという。マカスキルは前の給料と新しい給料を足してしまったので、スノーデンは収入を誇張していると誤って非難する向きも現れた）。

自分はきっと疑われるだろうと予測していたスノーデンは、クニアから実にたくさんの文書を持参していた。「身元証明には十分すぎるほどでした」とグリーンウォルドは言う。

マカスキルは質問を続けた。どんな経緯で情報の仕事に就いたのか？　CIAに入ったのは何年か？　スノーデンはスイスや日本など海外での仕事や、ハワイでの直近の任務について話した。CIAでのID番号は？　これも隠し立てしなかった。そして何よりも不可解だったのだが、なぜ香港にいるのか？「ここは中国のわりに自由だと聞いていた」し、言論の自由の伝統があるからだと彼は答えた。アメリカ人である自分がここに来ざるをえなくなったのは「悲しすぎます」とも。

では、内部告発者になろうという重大な決断をくだしたのはいつか？

「これはまずいかもという資料はだれでも目にしますが、あらゆる情報に目を通せる立場にいると、権力の乱用が本当にあることに気づきます。そうやって不正行為に対する認識が積み重なっていきます。ある朝目が覚めて決めたというのではなく、いってみれば自然なプロセスでした」

2008年の大統領選ではオバマに投票しなかったが、彼の約束は「信じて」いた、とスノーデンは言った（彼は「第三者」に投票したという。リバタリアンのロン・ポールのことだろう）。自分が目にしたものを「公表」するつもりだったが、まずは選挙後の状況を見守ることにした。結果はがっかりだった。「オバマは前任者の政策を継続したのです」

こうした話はどれも合点がいった。しかし、スノーデンの履歴には少しばかり妙なところがあった。大学へは行かず、メリーランド・コミュニティーカレッジに通ったというのが、どうもにおう。切れ者のスノーデンとはいえ、学位もなしにそんな重要な仕事にすぐありつけるものだろうか？スパイとしての彼のキャリアを見ると、驚くほど短期間のうちに、直接雇用や契約スタッフのかたちで、主要情報機関にことごとく勤めたことになっている。NSA、CIA、DIA（国防情報局）……。

するとスノーデンはこう言った。米特殊部隊に入るための基礎訓練を受けたが、脚を骨折したために断念した、と。「夢見る男の子だと思いました。（少年雑誌の）『ボーイズ・オウン』顔負けです」とマカスキルは言う。

だが少しずつ、マカスキルはスノーデンの経歴が本当だと確信するようになった。常識では考えられないような部分や、ピカレスク小説じみた部分もあるにはあったが……。彼は核心に触れる質問に移った。「あなたのしていることは犯罪です。たぶん一生監獄に入れられるでしょう。なぜそんなことをするのですか？　それだけの価値がありますか？」

スノーデンの答えはマカスキルを納得させた。「私たちは政府の違法行為を嫌というほど見てき

ました。私のことを悪く言うのは、おかど違いです。彼らは人々の自由度を狭めています」

彼は自分の身にはろくなことが起こらないだろうと覚悟していたが、決断を悔いてはいないし、「発言や行動のすべてが記録される」世界になど住みたくもないと言った。「NSAは、ほぼあらゆるものを傍受できるインフラを築き上げました。それがあれば、通信の大部分を自動的に取り込むことができます」。連邦機関はインターネットを乗っ取った、と彼は言った。それは全国民の監視マシンへと変貌をとげたのだ。

マカスキルはかつて英下院を取材していたころ、情報漏洩者に会ったことがある。ほとんどは政治家だった。野心のためにリークする者もいれば、報復のためにリークする者もいた。不平を持つ者や、ないがしろにされたと感じる者、昇進のチャンスを逃した者が多かった。たいていは身勝手な理由である。だがスノーデンは違った。「彼にはある種の理想がありました。愛国的な行為でした」とマカスキルは言う。

インターネットは絶対に自由であるべきだ、とスノーデンは強調した。黒いラップトップの一つには、彼のスタンスを示すステッカーが貼られている。インターネットの透明性を訴える米国のグループ、電子フロンティア財団のステッカーである。いわく、「オンライン上の権利を支持します」。もう一つのステッカーは、インターネットメッセージの出所をわからなくする匿名化ソフト、Torを支持するものだ。

ワシントン特派員であるマカスキルは、スノーデンの情熱を理解できる部分があった。彼は2008年のオバマの選挙戦を取材したことがある。スノーデンをはじめとするアメリカ人にとって、

合衆国憲法はきっと特別なのだ。それは基本的な自由の守り神なのだ。米政府がこれを人知れず攻撃しているとしたら、それは領土の占領にも匹敵するおぞましい侵略行為である。スノーデンは自身の行為を愛国心の表れだと考えていた。情報リークは裏切り行為などではなく、機能不全に陥ったスパイシステムに対する必要な軌道修正なのだ、と。

「アメリカは基本的によい国です」と彼は述べた。「すぐれた価値観を持った、すぐれた人々がいます。でも、いまの権力構造は自己目的化しています。全市民の自由を犠牲にして、みずからの権力を拡大しようとしています」

その後、スノーデンをナルシスト呼ばわりする人たちが現れた。注目を集めたいからNSAの資料をリークしたのだ、と。マカスキルが受けた印象は違っていた。スポットライトを浴びたときよりも、PCの前に座っているときのほうが落ち着ける、そんな内気な人間という印象だった。「礼儀正しく、愛想のよい男でした。もともと気さくな性格なんでしょう。とてもシャイで」と彼は言う。「有名になりたかっただけだと言う人がたくさんいますが、そうではありません」。マカスキルに写真を撮られると、スノーデンは明らかに居心地が悪そうだった。監視技術についてくわしく話しているときが、彼は一番幸せだったのだ。「おたくっぽい面があります。コンピューターこそ、彼の世界なのです」

グリーンウォルドとマカスキルは、インターネットの技術的なしくみにはとんと疎かった（ポイトラスの技術知識はなかなかのものだったが）。PRISMのスライドも理解できないものが多い。スノーデンは複雑な図表について彼らに説明した。アルファベットの略語の意味、通信経路や傍受

技術の詳細……。横柄ではない、がまん強く明快な説明だった。二重の意味を持つＮＳＡプログラムのコードネームなど、彼にはお手の物である。門外漢にはさっぱり理解不能だったけれども。

英国人のマカスキルは、付け足しのようにこうも尋ねた。この大量データ収集に英国もなんらかの役割を果たしているのか？　たぶんありえないだろうと思っていた。英国人が思い描くＧＣＨＱのイメージといえば、ツイードのジャケットを着てパイプをくゆらし、ナチスの暗号を解読し、チエスをやる技術者――まあそんなところだ。

ＧＣＨＱが米国と長らく情報共有していることはマカスキルも知っていたが、スノーデンが強い調子で答えるのを聞いて驚いた。「ＧＣＨＱはＮＳＡよりひどい。やりたい放題です」

これもショッキングな情報の一つだった。

マカスキルとグリーンウォルドは、スノーデンのもとを訪ねるたび、彼がもういないのではないか、逮捕され、収容所送りになったのではないかと心配した。

翌日、6月5日水曜日、スノーデンはまだミラ・ホテルにいた。よいニュースである。悪いニュースは、ハワイにいるガールフレンドをＮＳＡと警察が訪ねたことだった。欠勤していることがばれたのだ。スノーデンはいつものように冷静だったが、リンゼイ・ミルズの処遇についてはかんかんになった。警察が彼女を執拗に問い詰め、おびえさせているに違いないと思ったからだ。

その時点では、彼は自分の私生活についてほとんどしゃべっていなかった。話はもっぱら米国の監視活動についてである。母親のウェンディは、ボルチモアの地方裁判所で事務員をしていた。5

月20日に彼が姿を消してから、彼女は彼と連絡をとろうとしていた。何かまずいことが起きている、そんな気がした。

スノーデンは苦悩した。「家族は何も知りません。一番怖いのは、家族や友人や恋人など、私の関係者が追及を受けることです。そう思うと夜も寝られません」

NSAがいまホテルへ踏み込んできたとしても不思議はない。彼らのレーダー網にかかった以上、香港のこの隠れ家がすぐに見つかる可能性は高かった。なにしろ何千という最高機密文書を持ち出していたのだから。マカスキルはスノーデンに共感を覚えた。一人の若者が窮地に立たされている。その将来は明るくなさそうだ。自分の子どもたちとさほど年齢は変わらない。「わが子だったら、そんな状況に置いておけません」と彼は言う。

だが、CIAはまだ彼を見つけていなかった。不可解である。なぜ米当局はもっと早く包囲網を狭められなかったのか？　欠勤がわかった時点で搭乗記録を調べ、香港行きを突き止めることもできただろう。それがわかれば、追跡も比較的容易である。スノーデンは1泊200ポンドの部屋に実名でチェックインしていた。支払いも個人のクレジットカードで済ませ、ほぼ限度額まで使いきった（そういえば、カードが追っ手たちに無効化される心配もあった）。

一つ考えられる理由は、米国が共産国の中国で行動を起こすのをためらったこと。もう一つは、米当局の捜索能力が思ったほどではなかったこと。追ってホワイトハウスがスノーデンを香港から送還しようとして失敗したが、それを考えると、後者のほうが可能性が高そうだ。

世界を半周してスノーデンに会い、衝撃的な記事を書くという経験は、極めて不釣り合いな三人のジャーナリストの絆を深くした。一人は議論好きのゲイ、一人はアカデミー賞にノミネートされた情熱的な映画監督、そしてもう一人は「スタートレック」のモンゴメリー・スコットのように「イエス」ではなく「アイ」と言う、英国の記者兼登山家。

何が起こるかわからないスリリングな体験ゆえに芽生えた友情だった。これは公共性の高い、しかもリスクの大きな共同作業だと三人は考えた。マカスキルはマッターホルン、モンブラン、ユングフラウに登ったことがあった。いま、その冷静さが役に立つ。

ポイトラスはもうマカスキルを嫌っていなかった。彼が好きになりはじめていた。「イーウェンはすぐ、見事に、完璧にチームに溶け込みました」とグリーンウォルドは言う。ラスブリッジャーはこの三人組の協力関係を「愛の祝祭」と呼んだ。

その夜、グリーンウォルドはベライゾンに関する記事の草稿を急いで書き上げた。スノーデンの機密文書によれば、NSAはこの米国の通信大手からすべての記録をこっそり収集していた。この記事はまだ序の口にすぎない、と三人は考えていた。だが、時間が味方してくれるかどうか。マカスキルとグリーンウォルドは夜遅くまで記事を検討した。ダブリュー・ホテルのグリーンウォルドの部屋。港と中国本土の山々が見える。香港島の高層ビル群に、空港へ向かう橋——まばゆい夜景である。

グリーンウォルドは自分のラップトップで原稿を書き、それをマカスキルに見せた。マカスキルは自分のコンピューターで原稿を書き、それをメモリースティックでグリーンウォルドに手渡した。

スティックは何度も行ったり来たりした。Eメールは使わない。二人は時がたつのも忘れていた。マカスキルはしばらく横になった。目を覚ますと、グリーンウォルドはまだ働いている。スノーデンは『ニューヨーク・タイムズ』のピーター・マースにこう言ったことがある。

「グレンが何日も徹夜できるのにはびっくりでした」（実際には午後に眠っていたらしい）

彼らは最終版の記事をニューヨークのジャナイン・ギブソンに送った。きっと未曾有の予測できない混乱を巻き起こすだろう。

ただ問題は、『ガーディアン』が本当に記事を発表するのかどうかである。

＊第6章＊

スクープ！

2013年6月
ニューヨーク・ソーホー、『ガーディアン』米国オフィス

ヒギンズ「……やつら発表するかな？」
ターナー「するさ」

映画「コンドル」（1975年）

スペンサー・アッカーマンは33歳。10年以上、米国の安全保障問題を取材していた。人脈を築き、上院議員とムダ話をし、9・11後のブッシュおよびオバマ政権の政策を追いかけてきた。フラストレーションがたまることもある。

2005年には『ニューヨーク・タイムズ』が、ブッシュ政権の令状なき監視プログラム（コードネーム「ステラウィンド」）の一端を暴露していたが、このリーク記事はふつうとはずいぶん違っていた。本当なら漏れることがなかったかもしれない情報だったのだ（『ニューヨーク・タイムズ』はこの記事を1年間伏せていた。結局は発表されたが、それはジェームズ・ライゼン記者がこの件を本に書こうとしたのでやむをえず、という経緯である）。

ストレスがたまると腕立て伏せをするような、やんちゃな男――アッカーマンはニューヨーク出身である。ツインタワーに飛行機が突っ込んだときは21歳で、近くのニュージャージー州のカレッジに通っていた。「大変な出来事でした」と彼は言う。これがきっかけで安全保障問題に興味を持った。

『ニュー・リパブリック』誌に勤めたあと、『WIRED』誌に移り、同誌の安全保障関連ブログ「デインジャー・ルーム」を担当。労力の大半をNSAの監視プログラムに捧げてきた。手がかりはあったが、証拠はほとんどなかった。NSAも、寡黙なカルトゥジオ修道士よろしく、自分たちの業務については口を閉ざしていた。

2011年、ロン・ワイデンの事務所からアッカーマンに電話があった。ワイデンはオレゴン州選出の上院議員で、政府の監視活動を激しく批判している。事務所でのインタビューで、ワイデンは議会での再承認が間近の愛国者法についてとても心配していると述べた。より具体的にいえば、政府は法律の条文とはまったく相いれない法解釈を思いついたのだという。その解釈は都合よく機密扱いにされたから、だれも異を唱えることはできない。だが、とワイデンはほのめかした。ホワイトハウスは詭弁を弄して、データ収集プログラムの規模を押し隠している――。

何が起こっているのか？『WIRED』の記事でアッカーマンは、政府が一般市民に関する大量の情報を集めていると推測した。だがNSAは、アメリカ人をスパイするなんてとんでもないときっぱり否定した。

2012年、NSAのアレグザンダー長官がラスベガスのハッカーコンベンション「デフコン」

に姿を見せた。米国の諜報組織のトップがこのイベントを訪れるのは異例である。アイロンがよくきいた陸軍大将の制服から、よれよれのTシャツと若づくりのジーンズに着替えたアレグザンダーは、いささか不自然な空気を醸し出しながらステージに上がった。彼は聴衆にこう請け合った。NSAは「何百万、何億という」アメリカ人に関する「ファイル」や「情報」を「絶対に」集めてなどいない、と。

これは真っ赤なうそだったのか？　それとも、「ファイル」というのは、たとえば通話記録の大量収集とは意味が違うのだという、語義上の言い逃れだったのか？　アッカーマンをはじめとする安全保障のジャーナリストにとって、これらは大いに興味をかきたてる謎だった。

9・11後に成立した愛国者法が後ろ盾になっていた。だが、全体的なデザインは不明瞭なままだ。当局は秘密裁判所やあいまい戦術、情報の機密分類などを利用して、合法的な情報請求をかわそうとしているのではないか？　でも証拠はなかった。そして、NSAからの情報漏洩はほとんど例がない以上、政府の監視活動の本当の規模が近く明らかにされる見込みも薄そうだった。

5月下旬、ツイッターのヘビーユーザーであるアッカーマンは『WIRED』の職を辞した。新しい仕事は『ガーディアン』の米安全保障担当エディター。ホワイトハウスから3ブロックしか離れていないファラガット広場内のオフィスが拠点になる。米国編集長のジャナイン・ギブソンは、まずニューヨークへ来るようアッカーマンに要請した。1週間の「オリエンテーション」を受けてほしいのだという。「オリエンテーション」がなんなのかはまったく不明である。それでもアッカーマンは、好印象を与えたい、あふれるアイデアを分かち合いたいとの思いでニューヨークへ旅立

った。

新しい仕事がスタートした2013年6月3日は、格別に思いがけない日となった。アッカーマンはブロードウェイ536番地のビルの6階にいた。『ニューヨーク・タイムズ』などに比べると、『ガーディアン』米国のソーホーオフィスは小さくて地味である。逆L字型のオープンプランの部屋に、コンピューターと打ち合わせスペースとキッチン。キッチンにはピージー・チップスの紅茶、ビスケット、コーヒーメーカー。壁には、世界的に有名な『オブザーバー』紙のフォトグラファー、ジェーン・ブラウンが撮った白黒の肖像写真。

編集長の部屋には若きルパート・マードックの写真が掲げられていたこともある。皮肉にも彼はその後、NSAのスクープ記事を報じる『ガーディアン』の第一面に道を譲るように姿を消すことになる（ルパート・マードックは2011年に盗聴スキャンダルを起こしていた）。

ブロードウェイをにぎわすのは、ブティック、カフェ、観光客。スプリングストリートぞいに5分歩くと、クリーム色のスタッコ天井を持つ人気のバー「マザーズ・ルーイン」がある。

『ガーディアン』米国はおそらく、印刷媒体の新聞が恐竜と同じ運命をたどったときの、メディアの一つのあり方を示している。デジタル新聞に特化した米国オフィスは、31人の編集スタッフと、わずか500万ドルの予算で切り盛りされている（これに対して『ニューヨーク・タイムズ』はニュース部門に1150人の従業員がいる）。記者の約半分はアメリカ人。ほとんどが若く、デジタルの世界になじみがある。腕の半分にタトゥーを入れた者も多い。ある猛者は腕全体に入れている。ギブソンによれば、ロンドンの『ガーディアン』の100％米国版として、世の中の動きに異を唱

えるのがミッションだ。

2011年7月の事業開始以来、米国の読者は増えていた。それでも、この新規参入者は『ニューヨーク・タイムズ』『ワシントン・ポスト』『ウォール・ストリート・ジャーナル』といった大新聞と張り合うには立場が弱すぎるように思えた（2012年のホワイトハウス・プレス・ディナーで、『ガーディアン』米国に割り当てられたチケットはたったの2枚、それもトイレと食器用エレベーターの横の席だったというジョークが内々ではささやかれている）。

その週の出来事がはっきり示すように、大新聞の一角を占めていないことにもメリットがあった。ギブソンは率直に言う。「だれも私たちに耳を貸しません。だから文字どおり、アクセスという点では失うものがありません」

エドワード・スノーデンが登場する前から、『ガーディアン』は世界第3位の新聞ウェブサイトだった。だがどうやら、ホワイトハウスはその「肩書」をよくわかっていなかったようだ。新聞、フリーペーパー、ブログ？　それから、革新的な英国人編集長ジャナイン・ギブソンの性格についても。

ギブソンが約束した「オリエンテーション」はいっこうに行われなかった。アッカーマンは、ギブソンとスコットランド出身の副編集長スチュアート・ミラーが彼女の部屋に何時間もこもっているのを目撃した。ドアは固く閉ざされたままである。ギブソンはときどき部屋から出て、ニュースルームをきびきびと横切り、またすりガラスの向こうに消えてしまう。

2011年にロンドンからニューヨークへ移った41歳のミラーは言う。「トイレに行ったり水を

飲んだりするために部屋を出るたび、まるでマングースたちが不意に現れ、互いにうなずき合い、警戒シグナルを送るようなあんばいでした」。何か大きな話が間近なのは間違いなかった。

昼食時、ギブソンからアッカーマンについに声がかかる。ミラーを交えた三人はラファイエットストリートの「エドのロブスターバー」に向かった。レストランはいっぱいだった。三人はどうにか席を見つけて、ロブスターロールを注文した。アッカーマンは他愛のないおしゃべりを始めたが、残りの二人がそれをさえぎった。編集長から衝撃的な発言が飛び出す。「オリエンテーションはありません。あなたにもかんでほしい、いいネタがあるの」

ギブソンは状況を説明した。さる第三国にいる内部告発者。グリーンウォルドとマカスキルが対応している。彼らが準備しているのは……NSAの監視活動に関する記事――。何だって！

アッカーマンは愕然とした。「しばらくものも言えませんでした」と彼は言う。そしてこう付け加える。「この問題について、令状なき監視プログラムについて、私は7年間追いかけていました。この件にはかなりくわしかったのです」

ギブソンはPRISMのスライドについて、それから米国の全顧客の通話記録を提出せよとベライゾンに命じた秘密裁判所命令についていてかいつまんで話した。アッカーマンは両手で頭をつかむと上下に揺さぶりはじめた。「ちくしょう！　ちくしょう！」とつぶやきながら。

ようやく落ち着きを取り戻した彼は、かねてからの疑いが正しかったことに興奮した。オバマ政権はブッシュ時代の監視活動をひそかに継承するどころか拡大していたのだ。「ステラウィンド」という言葉を知っているか、とアッカーマンはギブソンに尋ねた。彼女は知っていた。「鳥が歌い、

蝶が舞うようでした」と、彼はうっとりと回想する。「それは7年間探し回ってきたすべてでした。白鯨をいよいよ銛で捕らえられると思いました。話はやはり本当だったのです」

その情報が意味するのは途方もない事実だった。ベライゾンに対する秘密裁判所命令の日付は2013年4月25日。この米国最大級の通信プロバイダーに、何百万という顧客の通話記録をNSAに提出せよと命じるものだ。ベライゾンは人々のプライバシー情報を「毎日、継続的に」伝えていた。米国内、そして米国と外国のすべての通話情報をNSAに提供していた。NSAが何百万もの米国民の記録を、犯罪者であるか、テロに関与しているかにかかわらず、無差別に収集していたという驚くべき証拠である。

文書の出所は外国情報監視法（FISA）裁判所。ロジャー・ビンソン判事の署名がある同文書は、電話メタデータを90日間にわたって吸い上げる無制限の権限を政府に与えている。期間の終了日は7月19日とある。「これほど刺激的な資料を見たのは初めてでした。FISA裁判所命令なんて、ふつうは目にできるはずがありません」とアッカーマンは言う。「いくら何でも、政府がここまでやっているとは私も思いませんでした」

3カ月間という要請は、これ1回限りだったのか？　ほかにも同様の命令があったのか？　答えはわからない。スノーデンが提供していたのは、比較的新しいこの文書だけである。だが、NSAが他の携帯電話大手にも同じようにデータを提供させていた疑いはぬぐえない。

ギブソンはニューヨークオフィスで入念な計画を練った。基本的な中身は、「法的助言をもらう」「ホワイトハウスへのアプローチ戦略を考える」「香港の記者からサンプルを入手する」の三つ

である。NSAはまだ、わが身にふりかかろうとする災厄に気づいていないようだ。

皮肉にも『ガーディアン』自身が、古典的な諜報機関のように行動しはじめていた。細分化された組織で暗号化通信を用いて、ひそかに仕事をするのだ。Eメールや外部へ筒抜けの通信手段は使わない。ギブソンは仮のスケジュールをホワイトボードに書き出した(これはのちに、フランスのエレクトロデュオ「ダフト・パンク」のその夏のヒット曲に敬意を表して「不死鳥の伝説(The Legend of the Phoenix)」と呼ばれた)。

スノーデンプロジェクトについて知る者はわずかで、その少数精鋭グループが米機密組織の中枢に迫ろうとしていた。新聞記者というのは元来、救いがたいおしゃべりである。この場合は、すべての情報がまるで共産主義体制下のように厳しくコントロールされた。他のほとんどのスタッフは、この同僚たちが恐るべきジェットコースターに乗り込んでしまったことを知らなかった。

『ガーディアン』はまずベライゾンの記事を発表するつもりだった。何千とある文書のなかでも、これが最もわかりやすい。「明白で、動かしようがありませんでした」とミラーは言う。次にくるのは、コードネームPRISMというインターネットプロジェクトの記事。それから、米国がサイバー戦争に積極関与していたことの暴露。そして、もしそこまでがうまくいけば、最後に「バウンドレス・インフォーマント」というカバーネームの裏に隠された真実――。

このスクープにかかわるジャーナリストが香港、米国、英国と世界中に散らばっているため、任務の遂行には困難をともなった。アッカーマンはワシントンDCに戻された。ベライゾンにコンタクトをとる準備をせよと言われていた。また、そのときがくれば、ホワイトハウスとも連絡をとれ、

と。ロンドンでは『ガーディアン』編集長のラスブリッジャーが外交エディターのジュリアン・ボーガーとともに、次のニューヨーク行きに乗るため空港へ向かっていた。

同紙のウェブサイトguardian.co.ukのオンラインエディターだったジャナイン・ギブソンにとって、これはまさにジェットコースターに乗るような体験だった。一つのミスですべてが吹き飛びかねない。問題はいくつもあった。「だれもこのような文書を見たことがありませんでした。FISA裁判所の文書は機密中の機密でしたから、ほかに比べようがないのです」と彼女は言う。裁判所命令の中身というのは話がうますぎやしないか、でっちあげかもしれない、と不安にもなった。

最大の問題の一つは、米スパイ活動法であった。米国の規制制度は英国のそれよりはゆるやかだった。『ガーディアン』の本丸の英国では、政府がすぐに裁判所の差止命令を請求できる。つまりは公表をやめよという命令だから、その件を報道することも禁じられる。だが、修正第1条を誇る米国といえども、NSAの超機密資料を公表したさいの影響は深刻と考えざるをえなかった。過去にない最大級の情報リークなのだから。

米政府が召喚を請求し、大陪審を招集する可能性は高かった。ねらいは『ガーディアン』にニュースソースの身元を明らかにさせることだ。ミラーとギブソンはメディア分野を代表する弁護士二人に相談した。最初はデイビッド・コーゼニック、次いでデイビッド・シュルツ。二人は今後の方向を考える手助けをしてくれた。

スパイ活動法は第一次大戦中につくられた、ある種特殊な法律である。同法によれば、米国の諜報資料を外国政府に「提供、発信、伝達」するのは犯罪である。規定はややあいまいだった。たと

えば、国家の安全保障問題を公表するジャーナリストにこの法律が適用されるのかどうかはわからない。判例法もあまり助けにならなかった。こうした訴訟は前例がほとんどなかったからだ。

楽観的な見方の根拠もないではなかった。第一に、同法はその96年の歴史上、ニュース組織に適用されたことが一度もない。オバマ政権が第一号になりたがるとは思えない。

第二に、政治的な状況も好都合だった。ホワイトハウスは当時、調査ジャーナリストへの度重なる迫害をめぐって批判の矢面に立たされていた。司法省は、アルカイダの謀略失敗について報じたAP通信記者たちの通話記録をひそかに入手していた。取材活動への驚くべき介入である。また、フォックス・ニュースの記者も同じようにターゲットにされていた。激しい抗議を受けて、エリック・ホルダー司法長官は議会に対し、ジャーナリズム活動によってジャーナリストを訴追することはしないと発言した。

それでも『ガーディアン』としては、自社が責任を持って行動していることを示すのが大切だった。米国の安全保障を損なわないよう、しかるべき策を講じていると実証しなければならない。また、政府の監視政策の概略を明らかにする資料を公表しただけで、作戦の細部にダメージを与えたのではない、とも。試金石となるのは、国民には修正第1条に基づく「知る権利」が本当にあるのか――。同紙の唯一の目的は、スノーデンのほか、ワイデンや、彼と同じく上院情報委員会に属するマーク・ウダルなど、政府に批判的な上院議員が長らく望んできた議論を可能にすることである。

計画はまたたく間に進行した。『ガーディアン』のマカスキルは香港から「ギネスは最高(The

Guinness is good)」という短いテキストを送った。スノーデンは本物に違いない、という意味である。ギブソンはNSAに4時間の猶予を与えることにした。その間にNSAは否認コメントを出すこともできる。英国では、この締め切りは極めてフェアである。関係先に電話をかけて方針を固めるには十分な時間だ。ところが、ジャーナリズムと行政がどこぞの社交クラブのようになあなあの関係にあるワシントンからすれば、複雑な資料について報道官に説明することを考えても、これはまさに法外な要求だった。

水曜日のワシントンDC。アッカーマンのワシントンオフィスでの正式勤務がスタートした。『ガーディアン』ワシントン支局長のダン・ロバーツにあいさつはしたものの、自分の現実離れしたミッションについては何も明かせない。午後1時ごろ、彼はベライゾンに電話を入れた。それからホワイトハウスのケイトリン・ヘイデンに電話した。大統領が議長を務め、安全保障問題と外交戦略などの調整役を果たす強力な意思決定機関、国家安全保障会議（NSC）の報道官である。ヘイデンは電話に出なかった。

アッカーマンは緊急のEメールを送った。件名は「至急お話ししたい」。

ケイトリンへ

留守電を残しておきました（たぶんあなたの番号で合ってると思うのですが）。当方はいま『ガーディアン』にいます。米国の監視活動をめぐる記事について至急お話ししたいことがあります。電話で話すのが一番よいかと。……できるだけ早くお電話ください。

ヘイデンは忙しかった。たまたまその日、スーザン・ライス国連大使が国家安全保障問題担当大統領補佐官になることをホワイトハウスが発表したからだ。ヘイデンは1時間後に連絡するとEメールを返した。約束どおりそのころに電話すると、アッカーマンから説明があった。『ガーディアン』がFISA秘密裁判所の文書を入手したこと、そして午後4時30分にそれを発表するつもりであること――。「ケイトリンはとても動揺していました」とアッカーマンは言う。

気を取り直したヘイデンはくわしい内容を書きとめた。「上に伝える」ことを彼女は約束した。上の面々はさぞかし混乱したに違いない。『ガーディアン』ってそもそもどういう媒体だ？　このうっとうしい英国人どもはいったいどこから情報を仕入れた？

午後4時、ヘイデンはEメールで、関連機関である司法省とNSAに「できるだけ早く」話をしてほしいと連絡。アッカーマンは司法省に電話を入れ、NSAの広報官ジュディ・エメルに話をした。エメルはなんの反応も見せなかった。「こっちは心臓がどきどきでした」とアッカーマンは言う。

ギブソンの指示で、アッカーマンはヘイデンにメールを入れた。上司が「午後5時15分まで」締め切りを延ばしてくれた、と。

ヘイデンは次いでホワイトハウスから直接、ギブソン本人に電話をかけた。午後5時15分に電話会議をしたいとの提案を伝える。ホワイトハウスは錚々《そうそう》たるメンバーを送り込むつもりだった。そのなかにはFBI副長官のショーン・M・ジョイスもいた。コロンビア麻薬の捜査官、テロ対策担

当官、プラハの司法担当官などを歴任した、ボストン出身のつわものである。ジョイスは犯罪や安全保障への脅威と戦う、FBIの国内外75の拠点をたばねていた。その彼がFBIの情報責任者を務めている。

それから、NSA副長官のクリス・イングリス。マスコミとの接触がほとんどないため、一角獣のように架空の存在ではないかと思われていたほどだ。その経歴は華々しい。機械工学とコンピューターサイエンスの学位を取得し、NSAではまたたく間に出世をとげた。アレグザンダー長官に次ぐナンバー2となる前は、2003~2006年に特別連絡官(SUSLO)としてロンドンに駐在し、GCHQなど英情報機関との連絡役を務めた。おそらくその間、『ガーディアン』とも接点があったはずだ。

それから、国家情報長官室の法務顧問、ロバート・S・リット(通称ボブ)。ハーバードとイェールを出たリットは、1990年代半ばから末にかけての6年間、司法省に在籍した経験から、FISA裁判所のしくみにくわしかった。切れ者で、口が達者、人当たりもよい。芝居がかったところのある、法律家然とした、美辞麗句を好む男である。「自分が何をしているかちゃんとわかった、賢い人間。器は一級品」とは、アッカーマンの見立てだ。

一方の『ガーディアン』からは、ギブソンとミラーの英国人ジャーナリスト2名が、ギブソンの小さなオフィスに陣取った。安物のソファと、見栄えのしないブロードウェイの眺め。アッカーマンもワシントンDCから参加した。だが、勝ち目は薄そうだった。二人のよそ者が、ワシントンの怪物を敵に回していたのだ。

ヘビー級の人材をそろえることで、ホワイトハウスは『ガーディアン』をうまくおだてて（必要があれば脅して）ベライゾンの記事の発表を少なくとも数日間、うまくいけば永久に延期させようと考えたのだろう。合理的な戦略的ではあった。だが、いくつか思い込みがあった。一つは、ホワイトハウスが状況を掌握していると考えていたこと。それからたぶん、彼らはギブソンを過小評価していた。「編集長というものの真価が発揮されるのは、こういうときなのです」とアッカーマンは言う。

政府側の主な言い分は――もちろん「表向きは」であるが――ベライゾンの記事は公正さに欠けるというものだった。誤解を招くし、不正確だ。でも、われわれとしては一度ゆっくり全体像をご説明するのにやぶさかではない。要するに、ギブソンをホワイトハウスでのおしゃべりに招待しようというのだ。

それまでのメディアには、このような手口が功を奏していた。代表的なのは、2004年に『ニューヨーク・タイムズ』がブッシュ大統領の令状なき監視プログラムを初めて発見したときである。「おしゃべり」をすれば、『ガーディアン』も公表に熱心ではなくなるだろう。本心は「きみらにこの国の事情がわかってたまるか」。「私を言いくるめられると思っていたのでしょう」とギブソンは言う。

彼女の意図は違っていた。この場は、政府が「具体的な」安全保障上の懸念を表明するチャンスである。秘密裁判所命令の公開に人々は大きな関心を示すはずだ、と彼女はボブたちに言った。命令はごく一般的な内容で、作戦上の細部や事実や発見が含まれているわけではない。明白に損害・

損失が生じるとは思えないが、みなさんの懸念を聞きたいとは思う――。

　相手側の男たちは、自分たちのペースでものごとを進めるのに慣れていたため、ギブソンのやり方にすっかり閉口した。こうしたストレスのかかる状況でも、編集長の声は拍子抜けするほど陽気で快活だった。『ガーディアン』のメディアエディターだったときも、ギブソンは権力を笠に着ようとする相手といろいろやり合ってきた。口うるさいCNNアンカーのピアーズ・モーガンだとか、英首相のデイビッド・キャメロンだとか（当時はまだ、カールトンという無名テレビ局の広報マンにすぎなかった）……。

　プレッシャーが高まるにつれ、ギブソンは自分のアクセントが堅苦しい英国調になっていくのがわかった。「メリー・ポピンズみたいな」と彼女は笑う。その間、ミラーは「国家情報長官（DNI）」「ボブ・リット」「クリス・イングリス」「ジョーン・ジョイス」をグーグル検索した。どういう経歴の持ち主なのか？　ワシントンにいるアッカーマンはギブソンのふるまいに感じ入り、グーグルチャットで激励を送った。

　20分もすると、ホワイトハウスの側はいらいらが募っていた。会話は堂々めぐりを続けている。リットとイングリスは、ベライゾンの機密文書について電話で「話し合う」だけでも重罪につながるという理由で、具体的な懸念を表明するのを拒んだ。ついに、メンバーの一人は堪忍袋の緒が切れ、刑事ドラマのスターのように強い訛りでこう叫んだ。「公表する必要なんぞない！　まともなニュース屋なら公表なんぞせん！」

　ギブソンは態度を硬化させた。先ほどまでの優雅さや軽快さはどこへやらで、冷たくこう応じる。

「お言葉ですが、何を公表するかは私どもが決定いたします」

「つまり『よくもそんな口がきけるわね』ということ」とミラーは言う。そしてこう付け加える。「向こうから内容のある話が何も出てこないのは明らかでした。公表するしかない。勝ち目はありました」

ホワイトハウスのメンバーたちは、この件を上に上げるとほのめかした。ギブソンは、『ガーディアン』の編集長はいま大西洋上で連絡がとれないと応じた。「私が最終決定者です」。そして一同は電話会議をおしまいにした。「どうやら行き詰まったようですね」

ギブソンは政権側に丸め込まれまいと、なんとか抵抗した。冷静さを保ちつつ、法的なシナリオには従って。アッカーマンは言う。「彼女はしゃんとして、動じませんでした」。それからこうも言う。「オバマ政権は、自分たちが状況を掌握していない、しているのはギブソンだという事実を受け入れるのに時間がかかりました。……仲よしクラブ以外の人たちとつきあったことがあるのでしょうかね？」

この会議では、英米の新聞社のカルチャーの違いが鮮明になった。米国の場合、三大紙がほぼ市場を独占している。競争がほとんどないため、のんびりとした紳士的な態度で事を進めてもいっこうにかまわない。政治的なカルチャーも違う。米国のマスコミはふつう大統領に礼儀正しい。オバマに厳しい質問や厄介な質問をすれば、それ自体がニュースになる。

一方、英国の新聞はようすががらりと異なる。ロンドンでは12の全国紙が生き残りをかけた消耗戦を展開していた。紙媒体の新聞の発行部数が減少したため、競争はますます激化。スクープがあ

れば公表する。しなければ、ほかのどこかが公表する。食うか食われるかの世界である。

米当局は、今度は英国に圧力をかけようとした。英保安部（MI5）が『ガーディアン』ロンドン本社の安全保障担当エディター、ニック・ホプキンスに電話をかけ、FBIも同紙のナンバー2であるポール・ジョンソン副編集長に電話をかけた（副長官のジョイスは、こう話しかけた。「やあポール、ご機嫌いかがかな？　われわれはミズ・ギブソンと話してきたんだが、どうも進展がなくてね……」）。編集長であるラスブリッジャーへのコンタクトはならなかった。まだ機上の人だった彼は、これはギブソンの決めることだと明言していた。

米国の役人たちはもはや怒りよりも悲しみが先行していた。だがワシントンのアッカーマンは、ふとナーバスになりはじめていた。銃を携帯してサングラスをかけた男たちが、デュポンサークルの彼のアパートの前で待ち伏せしているのではないか？　彼らに連れ去られ、暗い部屋で尋問されるのではないか？「なにしろ、極めて大きな力を持つ、極めて不機嫌な三人の男たちとの電話を切ったのです。しかも、そのうち一人はFBIの副長官ときた」

香港では、スノーデンもグリーンウォルドもじっとしていられなかった。公表に踏み切るだけの図太さを『ガーディアン』がそなえているかは疑問である。もしものときは自分で発表してもよいし、ほかから発表してもよい、とグリーンウォルドはさりげなくシグナルを送った。時間がない。スノーデンも見つかってしまうかもしれない。

午後7時すぎ、『ガーディアン』米国が記事を掲載した。間違いなく超特級のスクープである。だが、これはほんのさわりにすぎなかった。

グリーンウォルドの署名が入った記事は、次のように始まっている。「国家安全保障局は現在、4月に発行された極秘の裁判所命令に基づき、アメリカの通信大手ベライゾンの何百万という顧客の通話記録を収集している」

電話会議の失敗にもかかわらず、ホワイトハウスは『ガーディアン』が秘密命令を発表する大胆さを持ち合わせているとは考えなかったに違いない。記事が出て数分後、ヘイデンはアッカーマンに次のように尋ねるメールを送った。「進めるつもりですか?」

その後もホワイトハウスの対応は、このようにワンテンポ遅れることが多かった。幹部たちは発表のすさまじい速さが信じられないようすだった。NSAはリークの追跡をしていたはずだが、『ガーディアン』がこれ一つではなく何千もの最高機密文書を手にしているとは知らなかった。ギブソンは言う。「私たちは猛スピードで走っていました。記事を出すチャンスは、犯人の追跡が始まるまでの限られた期間にしかないとわかってましたから」

スノーデンは、ベライゾンの件を公表すれば世間は大騒ぎになると断言していた。ギブソンとミラーはあまり納得しなかった。たしかによい記事だけれど、そこまで騒ぎになるだろうか?

その日の仕事が終わったアッカーマンは、妻のマンディと夕食をとった。韓国レストランへ出かけ、心を落ち着かせるために大きめのビールを注文する。発表されたばかりのベライゾンの記事をiPhoneでチェックする。マンディにも見せた。「何よこれ」と彼女は叫んだ。アッカーマンはツイッターを確認した。『ガーディアン』の暴露記事の件がもうあちこちで話題になっている。「一気に電撃が駆け抜けていました」と彼は言う。周囲を見渡した。隣のテーブルの二人の男はF

BIだろうか？

こうした妄想も無理はない。これを境に『ガーディアン』はNSAの厳しい監視の目にさらされた。突然、世界が変わってしまった。緊張の日々。修正第1条に守られながら仕事をするジャーナリストを、NSAがどんな法的根拠でスパイするのかは定かでない。だが、かつて謳歌していた電子通信のプライバシーがもはやなくなったのは明らかだった。

午後7時50分、ミラーはオフィスを駆け出ると地下鉄に乗り、ブルックリンの自宅へ帰った。双子の娘の5歳の誕生日だから、二人が寝る前に会っておきたかったのだ（ミラーが「誕生日だからおまえに会いたかったんだよ」と言うと、娘は「もう誕生日は終わったわ」と答えた）。

ミラーはわずか20分後には仕事場へ取って返した。するとブロードウェイ536番地のところに、なにやら掘削作業員らしき者たちがいる。『ガーディアン』のオフィスのすぐ目の前の舗道を掘り返している。水曜の夜にしてはおかしな光景だ。とても手際よく、彼らは舗道を張り替えた。ギブソンのブルックリンの自宅の前には、もっとたくさんの掘削作業員が集まってきた。『ガーディアン』ワシントン支局の外でも、作業員たちが大きな音を立てて工事を始めた。

ほどなく、スノーデンの案件にかかわるすべてのメンバーが同じように妙な経験をしていた。道がわからず、料金を請求し忘れる「タクシードライバー」、編集長のオフィスの隣でいつまでもぐずぐずしている「窓清掃員」……。

それから何日か、『ガーディアン』のラップトップPCは何度も動かなくなった。ギブソンは特についていなかった。彼女がいるだけでテクノロジーに悲惨な影響が及んだのだ。グリーンウォル

ドらとの暗号化チャットはたびたびダウンし、ハッキングの恐れを懸念させた。彼女は故障したあるPCに「侵入者あり！　使用禁止」と書いた付箋を貼った。スノーデンの文書を垣間見てはっきりしたのは、NSAがほぼどこへでも「侵入」するということだ。言い換えれば、だれかとだれかの会話の間にこっそり割って入り、プライベートデータを吸い上げる。

スノーデンの記事の全関係者は、暗号化の素人から玄人へと変身した。「一刻も早く、スパイ技術にくわしくなる必要がありました」とギブソンは言う。

その夜、充血した目のジャーナリスト二人が、次なる特ダネ、すなわちPRISMに関するスクープの最終仕上げを始めていた。ラスブリッジャーとボーガーは真夜中に仕事にとりかかった。機上で、ラスブリッジャーは米国法およびスパイ活動法についてくわしく調べていた。翌朝、二人はニューヨークオフィスの最寄りのスプリングストリート駅へ地下鉄で向かったが、乗り過ごしてしまう。階段を駆け上がり、反対方面の電車に飛び乗る。「これで尾行者をまけるだろう」とラスブリッジャーは冗談を飛ばした。PRISMの記事の草稿に目を通した彼は、気持ちが高ぶっていた。

その記事も目をみはる内容だった。実はNSAは、グーグル、フェイスブック、アップルなどの米IT大手のシステムに直接アクセスできるという。これまで未公開だったこのプログラムに基づき、分析官はEメールコンテンツ、検索履歴、ライブチャット、転送ファイルなどの収集が可能になる。『ガーディアン』は41枚のスライドで構成されるパワーポイント資料を保有していた。最高機密に分類され、同盟国への開示も認められていない。分析官の研修用らしい。資料には、米国の主要サービスプロバイダーの「サーバーから直接収集」とある。シリコンバレーはこれを強く否定

するだろう。

翌朝にチームが再集合したときも、難しい問題がまだ決まっていなかった。たとえば、スライドを何枚発表するのか？　これまで明かされなかった、国外での諜報工作についてくわしく述べたスライドも何枚かある。それらを暴いても公益にはならない。また、登場するIT各社に連絡して反応を探ることも、法的に、さらには公正さの観点から重要である。『ガーディアン』の米ビジネス記者、ドミニク・ルシェがこの役割を任された。それから、ホワイトハウス。PRISMはベライゾン以上に大きな機密事項である。公表前にどの程度警告すべきだろう？

ギブソンはまたしても厄介な会話を交わすべく電話を取り上げた。相手はボブ・リットと、国家情報長官室のショーン・ターナー報道官。ほかの情報機関もいくつか参加した。ギブソンは、これはまたしてもホワイトハウスが安全保障上の具体的な懸念を表明するチャンスであると説明した。冗談めいた口調で質問があった。「記事のコピーを送っていただけませんかね？　そしたらこちらでチェックしてさしあげますが」。やってみる価値はあるかもしれない。でもギブソンは答えた。

「やめておきます」

当然ながら、NSAはすべてのスライドの公表に反対した。「面倒な週になった」どころの話ではなく、それは本格的な災難に変貌をとげようとしていた。しかしギブソンは、マイクロソフト、ヤフーをはじめとするIT大手がPRISMプログラムに同意・署名したと思しき日付は発表しなければならない、と言い張った。これは重要なスライドである。「その公表は譲れません」と彼女は言った。「作戦内容に直結する部分は取り除いています」とも強調して。

政府側チームはまだ、NSAの極秘資料のかなりの部分が自分たちのコントロール下を離れたことを理解していないようだった。ギブソンが言うように、米当局がなんの影響力も行使できないことを考えれば、「この期に及んで『さもないと』と言ってくるのは理解できませんでした」

『ガーディアン』は41のスライドのうち3枚だけを公表することにした。控えめな決定である。ホワイトハウスには、午後6時に記事をアップすると言ってあった。するとその数分前、同じような資料の公表を手控えていた『ワシントン・ポスト』が、独自のPRISMの記事を発表した。政権内部のだれかが同紙に情報を漏らしたのではないかという疑念が直ちに生じたものの、『ワシントン・ポスト』の記事には一つ大事な要素が抜け落ちていた。フェイスブックなどのネット企業が、NSAによる監視に加担した事実を声高に否定した点である。

午後3時前後、ギブソン、ラスブリッジャーらの面々はオフィスの端にある大会議室に集まった。この場所は冗談めかして「クロナット（Cronut）」と呼ばれている。イングランドにあるGCHQのドーナツ型の本部と、ソーホーの最近の「クロナッツ」（クロワッサンとドーナツを掛け合わせたお菓子）ブームにちなんでいる。若い実習生数名が近くのデスクで、クロナッツを液体のように溶かしていた。特集記事を書いているのだ。クロナットなんて、まあおもしろいだじゃれではない。でも、こういう熱を帯びた気分のときには、あとを引くものだ。

心は軽かった。二つの大きな記事、スノーデンはまだ無事、ホワイトハウスとの交渉……。長い一日が何日も続き、夜は夜で蒸し暑かったこともあり、職場は散らかった学生寮のようだった。汚れたピザの箱がテーブルに散乱し、持ち帰り用カップなどの残骸が転がっている。だれかがカプチ

ーノをひっくり返した。ラスブリッジャーはふと思いついたように、身をかがめて手近の新聞をつかむと、芝居がかったしぐさでコーヒーをふき取りはじめた。そしてこう宣言した。「『ニューヨーク・タイムズ』を文字どおり床ふき用の新聞にしてやった（つまり打ち負かした）わけさ」

スノーデンの暴露はもはや洪水と化していた。金曜の朝、『ガーディアン』は２０１２年10月付の大統領政策令を公表した。スノーデンがポイトラスに明かした18ページの文書である。

これによれば、オバマ大統領は対外サイバー攻撃のターゲット候補をリストアップせよとの指示を関連当局に出している。この政策にもアルファベットの略称が使われていた――ＯＣＥＯ（Offensive Cyber Effects Operations＝攻撃的サイバー効果作戦）という。同政策令は、「敵やターゲットにまったく／ほとんど警告することなく、アメリカの国家目標を全世界で推進する、従来にない独自の能力」を約束する。その影響は「軽微な損害から重篤な損害まで」幅広い。

この記事により、ホワイトハウスは二重の意味で面目をつぶされた。第一に、米国はそれまでずっと、中国がアメリカの軍事施設や国防総省などに悪質なサイバー攻撃を仕掛けていると訴えてきた。ところが米国もまったく同じことをしていたことになる。第二に（こちらのほうがもっと痛快なのだが）、オバマはその日、カリフォルニア州で中国の習近平主席と会う予定だった。中国はすでに米国の批判に反論していた。中国のハッカーが悪質なサイバー攻撃を仕掛けているというが、それとまったく同レベルの攻撃を米国が行っている証拠が「山のようにある」と。

その日、しばらくすると、情報リークの件が大統領の目にとまったことがはっきりした。ＮＳＡプログラムはアメリカをテロ攻撃から守るのに役立った、とオバマは言った。１００％の安全保障、

100%のプライバシーは不可能だとも述べた。「われわれは正しいバランスをとってきました」

ラスブリッジャーとギブソンはテレビモニターに映るオバマを見た。『ガーディアン』がいかに重大なことをやってのけたか、それがひしひしと感じられる。ギブソンは言う。「彼はいきなり私たちのことを話しはじめました。もう後戻りはできない、とみんなが思いました」

ギブソンは再度ヘイデンに電話をかけ、次の記事も準備中であると告げた。今度は「バウンドレス・インフォーマント」に関する記事だ。この最高機密プログラムを用いれば、NSAはコンピューターネットワークや電話回線から収集した情報の量を国別に表示・確認できる。同プログラムによれば、NSAのスパイ活動が集中しているのは、主にイラン、パキスタン、ヨルダン。これはスノーデンがリークした「グローバル・ヒート・マップ」が情報源である。2013年3月にNSAが世界中のコンピューターネットワークから収集した情報の数はなんと970億に上る。

ギブソンは例によって法を尊重し、ホワイトハウスに最新の懸念を公表するよう水を向けた。「こちらはこちらで言いたいことを言いますから」とヘイデンに明るく言う。ヘイデンは「どうかやめて」と返す。おそらくNSCは、『ガーディアン』が責任ある行動をとっているとしぶしぶ認めていたに違いない。口調は丁寧だった。

その夜、イングリス本人から電話があった。用件は、バウンドレス・インフォーマントについて。このNSA副長官はたっぷり30分、インターネットのしくみをギブソンに講義した。大きなお世話である。それでもギブソンによれば、「彼らは私たちと一戦交えようとするところまできていました」

スノーデンのファイルの大部分がそうなのだが、バウンドレス・インフォーマントの文書も専門性が高く難解だった。予定では金曜中に公表することになっている。記者たちが集まったなかで、ラスブリッジャーは記事の草稿を一行ずつ声に出して読んだ。

何度か読むのをやめる。「よくわからないな」とミラーが言った。

やり直しが必要なことがすぐにわかった。香港のグリーンウォルドは、役に立ちそうな文書をもっと探した。それらをもとに記事を書き直し、翌朝に投稿した。ギブソンはスノーデンの件にかかわっていないスタッフに、週末は自由に休みを取ってかまわないと言った。だが、ほぼすべての記者が出社した。この異例の週の、異例の結末を見届けるために。

スノーデンのほうは、みずから名乗り出るつもりだった。自分自身の正体を世間に対して明らかにする予定だ、と彼は言った。

＊第7章＊

世界一のお尋ね者

2013年6月5日、水曜日
香港ネイザンロード、ザ・ミラ・ホテル

「もし私が中国のスパイだったら、北京に直行しないはずがない。いまごろどこかの御殿で、不死鳥でも飼いながらのんびり暮らしているだろう」

エドワード・スノーデン

『ガーディアン』がNSAの最初の記事を発表したのは、香港時間の午前3時ごろ。翌朝早くに三人がスノーデンのホテルに戻ると、この内部告発者は喜びにひたっていた。

彼の暴露内容がCNNのトップニュースで流れている。スノーデンはテレビのボリュームを上げた。アンカーのウルフ・ブリッツアーが三人の評論家とともに、『ガーディアン』の謎のニュースソースの正体を論じている。情報漏洩者はだれなのか？ ホワイトハウスの人間？ 軍の不満分子？ KGBのスパイ？ ある意味皮肉な光景だった。「彼らが漏洩者を推測するのを見ながら、自分はその本人の横にいるのですから、愉快でした」とマカスキルは言う。

人々の反応にはスノーデンも驚いた。インターネット上の投稿はたいがい好意的だった。「修正

第4条を取り戻せ」という草の根運動が早くも起ころうとしていた。今回の迅速な発表は、スノーデンと『ガーディアン』の関係にとって結果的によかった。同紙が誠実に行動することを彼に伝えられたからだ。彼の目標は最初から、議論を喚起することだった。ベライゾンの記事はその点で大成功だろう。

スノーデンは自分が世界のニュースの中心にいると知って、うぬぼれたり、感激したりするだろうか、とマカスキルは考えた。目の前の彼は落ち着き払い、CNNに熱心に耳を傾けている。どれだけ大きなことが起こったのか、ちゃんと理解はしているようだ。ここまできたら、もう後戻りはできない。もしハワイの家へ帰れば、逮捕・投獄が待っている。もう同じ人生は歩めないのだ。

では、次はどうなる？　スノーデンが最もありそうだと考えていたのは、ここ香港で中国の警察につかまるというシナリオである。法廷闘争がある。数カ月くらい、いや1年かかるかもしれない。それが終わると米国へ返される。そして……何十年もの監獄暮らし。

スノーデンは大量の資料をポータブルドライブで持ち出していた。NSAの内部ファイルだけでなく、GCHQ由来の英国の資料も含まれている。信頼関係のもとに英国から米国へ手渡されたものだ。

「英国の文書はいくつくらい？」とマカスキルは尋ねた。

スノーデンは「5万から6万」と言った。

マスコミとの取引については数カ月かけて考えてきた。彼にはこだわりがあった。機密資料の扱いには厳しい条件をつけたい。スパイ活動を開示するNSA／GCHQ文書は、監視のそれぞれの

対象国に渡すのである。つまり、香港に関するスパイ情報は香港のメディアに、ブラジル関連の資料はブラジルのメディアに、という具合に。この点は方針がはっきりしていた。他方、資料がロシアや中国など「敵」の手に落ちたら、彼は外国のスパイ同然だという、あらぬ非難にさらされるだろう。

スノーデンは、外国の諜報機関が彼のファイルを探そうとする可能性も検討し、これは絶対に阻止するつもりだった。スパイとしての彼の仕事の一つは、アメリカの機密情報を中国の攻撃から守ることだった。彼はアメリカの敵の能力を知っていた。米国の外国での諜報工作を邪魔するつもりはない、と彼はくり返し明言した。

「NSAのほか、インテリジェンスコミュニティー全体で働く人すべてのリストにアクセスできました。あらゆる拠点の場所や、そのミッション……。もし米国に打撃を与えようとすれば、監視システムのシャットダウンなど朝飯前だったでしょう。そんなつもりは私には毛頭ありませんでした」と彼は言った。

のちに「反逆罪」と非難されたとき、彼はもっと生々しい言葉で語っている。「考えてもみてください。もし私が中国のスパイだったら、北京に直行しないはずがありません。いまごろどこかの御殿で、不死鳥でも飼いながらのんびり暮らしていますよ」

スノーデンは香港にいるとき、内部告発や公益通報を認めている国の国民は、何が起きているかを知る権利があると述べた。彼は『ガーディアン』などのメディアが、合法的な情報活動にダメージを与えかねない作戦行動をフィルターのように除去するのを望んでいた。それが彼の条件である。

反論はない。

技術的な手も打った。ファイルはメモリカードに収納し、たくさんのパスワードで暗号化してある。ファイルにアクセスする全パスワードを知っている者はだれ一人いない。

スノーデンの接触を受けた米国のフリージャーナリストは、いまや、機密資料の宝の山を手にしていた。ロンドンの『ガーディアン』が２０１０年に報じたウィキリークス事件は、米外交公電、アフガニスタンやイラクの軍事資料をチェルシー・マニング上等兵が漏洩したものだ。そのうち比較的低いレベルの機密指定を受けていた情報でも、わずか６％にすぎなかった。

ところがスノーデンファイルは次元が違っていた。ほとんどが「トップシークレット」かそれ以上。かつて、ケンブリッジ大学で教育を受けたバージェス、マクリーン、フィルビーらのスパイがソ連に亡命するというメロドラマじみた事件があった。だが、これほど大規模な文書漏洩はいまだに例がない。

スノーデンはホテルの部屋ではたいていカジュアルなTシャツ姿だった。だが6月6日の木曜日、グリーンウォルドがこれを着替えさせた。スノーデンはアイロンのきいたグレーのシャツを身につけた。定位置だったベッドからいすへ移動する。背後には鏡が置かれた。部屋の狭苦しい印象が少しやわらぐ。

彼は初の公式インタビューに臨もうとしていた。世界に向けて自己紹介し、ＮＳＡの情報をリークした当人であることを告白する、いや胸を張って打ち明ける。彼はグリーンウォルドに言った。

「身元を隠すつもりはありません。何も悪いことをしていないとわかっていますから」

ふつうでは考えにくい大胆な行動だった。だがスノーデンはずっとそうしようと考えてきた。その理由を、ジャーナリストたちは筋が通っていると感じた。第一に、彼がマカスキルに語ったところによれば、匿名のニュースソースの捜索の結果、ひどい扱いを受けた仲間たちを彼は身近に見てきた。「疑いを持たれた人間」に悲惨な影響が及ぶのはわかっている。仲間たちをそんな目に遭わせたくない、と彼は言った。

第二に、彼はNSAの恐るべき技術力をよく知っていた。見つかるのも時間の問題だろう。最初の記事がいくつか出たら、もともと名乗り出るつもりだった。しかし、チェルシー・マニングをまねようというのではない。彼が2010年に逮捕され、厳しい処遇を受けたのはスノーデンもわかっていた。「マニングは典型的な内部告発者でした。公益に触発されたのです」。結果、この若い兵士はフォートミードのNSA本部の目と鼻の先で軍法会議にかけられ、懲役35年を宣告された。

内部告発者は米国で公正な裁判を受けられない、マニングの例はその証明であるとスノーデンは言いたげだった。それに、長く投獄されれば、議論を喚起するという願いも実現しにくい。

ポイトラスは最初に出会ったときからスノーデンを撮ってきた。当初はカメラに身構えていたスノーデンも、いまはレンズに向かって話しかけることに同意している。本人いわく、「経験がないので」。以前は記者やマスコミとの接触をことごとく避けていた。ガールフレンドのブログに顔を出すのも嫌がった。だが同時に、彼は状況の重大さも痛いほどわかっていた。最終的に大切なのは、人々の審判をあおぐことだ。であればインタビューも役に立つだろう――。

グリーンウォルドはスノーデンと向かい合って座った。弁護士で、アナウンサーの経験もあるグリーンウォルドは、カメラが回る前でのインタビューなど平気である。だが、スノーデンのほうはどうか……。

しかし、不慣れなわりには見事なパフォーマンスだった。質問に流暢に答え、なぜこんな過激な行動に訴えたのかをしっかり説明する。そして何よりも、彼はいたって正気だった。

内部告発者になろうと決意した理由を問われて、スノーデンは、システムの内部で苦しんでいたが、最後はその外側に出るしか方法はないという結論に行き着いたと説明した。「こうした情報機関のシステム管理者のように、特権的なアクセスが得られる立場にいると、平均的なスタッフよりもたくさんの情報に接することになります」

彼が目にした情報は彼を深く「動揺」させた。「何も悪いことをしていないのにみはられ、記録されます」と、彼は『ガーディアン』に語った。「このようなシステムは毎年、10倍、100倍と容量を増やしています。だから何も悪いことをしていなくても、いっこうにかまいません。最終的にだれかから嫌疑をかけられればよいのです。間違いでもいい。すると彼らはこのシステムで過去にさかのぼり、あなたの意思決定の一つひとつ、あなたがしゃべった友人の一人ひとりを入念に調べます。そして、それをもとにあなたを攻撃する。無辜《むこ》の民の暮らしから疑念を引き出し、だれでも犯罪者に仕立て上げるのです」

彼は内部告発者になろうと決めた経緯を説明し、今後の予測できる結末について述べた。「おわかりでしょうが、そういう世の中をあなたもつくってきたのです。世代が移るにつれて、こうした

抑圧のしくみが強化され、状況は悪くなる一方でしょう」
インタビューのようすを食い入るように見ていたマカスキルは、スノーデンはカメラ越しのほうが、説得力があると感じた。

三人のジャーナリストは香港で夜と昼の区別がはっきりしない日々を過ごしていた。興奮と妄想に駆り立てられながら、わが身に鞭打って働いた。

ミラ・ホテルで、ポイトラスは編集したビデオをほかの二人に見せた。17分にまとめられたインタビューは構図も美しく、冒頭には香港の港とビロードのような空が映し出されている。タイトルはひとこと、「PRISMの内部告発者」。彼らはカット可能な箇所を話し合い、最終的にはポイトラスが12分半まで短縮。追ってパート2も発表した。

「彼はまるでスパイ映画の世界に放り込まれたかのようでした」とマカスキルは言う。さて、いったいどうやってこの重要な資料をニューヨークやロンドンまで安全に運べばよいのだろう？

マカスキルは暗号化チャット経由で、技術的な助けが必要だと発信した。『ガーディアン』のシステムエディター、デイビッド・ブリッシェンは、現役のジャーナリストにはめずらしいスキルを持つ男だった。ニュース編集のプロセスも理解していた。ウィキリークスの事件のさいは、アフガニスタン、イラク、ベラルーシなどの国で公表されると危険にさらされかねないニュースソースの名前を編集するのに一役買った（これは重要な仕事だったが、結果的に徒労に終わった。米外交公電をもとに最初の記事が出てから半年後の2011年夏、ジュリアン・アサンジが未編集の文書を

まるまる公開したからだ)。

命を受けたブリッシェンは空港へ向かい、翌日、香港に到着した。彼にとってもこれは懐かしい旅だった。彼は1972年、当時まだ英植民地だった香港に生まれた。英国の役人だった父が駐在していたのだ。マカスキルと合流して朝食をとり、二人がかつて働いたスコットランドの新聞について話をした。

「自分がそこにいる理由が相変わらずよくわかりませんでした」とブリッシェンは言う。「イーウェンは何も言いません」。その後、マカスキルはブリッシェンに携帯電話をホテルの受付に預けさせ、彼を散歩に誘った。外に出ると、彼はブリッシェンにメモリカードを手渡した。小さくて薄い、四角いチップ。なんの変哲もないSDカードだったが、容量は32ギガバイトもある。

ブリッシェンはスノーデンのビデオをニューヨークの『ガーディアン』米国に送らなければならなかった。彼はまずビデオを見た。これはすごいと思った。「信念をはっきり口に出しているようすでした。アサンジやマニングのときもそうですが、その人が理性的かどうかが問題になることがあります。スノーデンは完璧に正常で、信憑性がありました」。編集済みのビデオが入ったカードを手に取ると、彼は不安げにタクシーに飛び乗り、中環《セントラル》地区の自分のホテルへ向かった。

運転手が抑揚のない英語で話しかける。「女の子はどう？　安いし、かわいいよ。アジアの娘はお好きですかい？」

ブリッシェンは早く部屋に戻りたかった。関心はないと突っぱねる。運転手はしばらく考えていた。顔が明るくなる。「そうか、男がお好きなんだ！　男でしょ。あっしのような」。ブリッシェン

はげんなりして答えた。「疲れてるんだ。ホテルへ行ってくれ」。運転手はしつこかった。「ホテルで何をするんで?」。まだ午後7時半だったが、ブリッシェンは眠りたいと言った。「どうしようもない最悪の客でした」

ランカイフォン・ホテルへ戻ると、ブリッシェンはニューヨークにいる『ガーディアン』のジェームズ・ボールに暗号化メッセージを送信した。暗号化したフォルダーを使い、安全な接続を経由してビデオファイルをアップロードする。パスワードは別途連絡した。だが、思いがけない事態が生じる。『ガーディアン』米国側でファイルが開けないというのだ。時間がない。結局、暗号化せずに再送せざるをえなかった。安全な接続を経由してはいるが、NSAにハッキングされる可能性もある。幸い、問題なく到着した。

スノーデンは最初から自分の身をさらすと公言していた。それでもニューヨークでは、実際に話しているスノーデンの姿は一種のカタルシスをもたらした。そしてスタッフを安心させた。「みんなぶっ飛んでしまいました。こいつはいけてる、と。彼については何もかも信用できました」とミラーは言う。

いよいよ動画をアップするだんになると、ニュースルームを緊張が支配した。「身のすくむ瞬間でした」とギブソンはふり返る。ジャーナリストとしての疑問はまだあった。これは正しいことなのか、と。ここでもスノーデンはみずから戦略的な選択を行っていた。限られる一方の手札を自在にあやつって——。

ラスブリッジャーを含む五人がオフィスにいた。ビデオがアップされたのは午後3時ごろ。「爆

弾が爆発するようなものでした」とラスブリッジャー。「爆発後、数秒間の沈黙。何も起こりませんん」。テレビをいろいろなチャンネルに合わせた。ほぼ1時間、どの局も事前収録した日曜のニュースを流していた。すると午後4時ちょうど、ついにきた。どのネットワークもスノーデンの映像を流している。CNNは12分のビデオを全編放映した。

ビデオがオンラインにアップされたとき、香港は午前3時。ツイッターが直ちに火を噴いた。それは『ガーディアン』の歴史上、最もたくさん読まれる記事になろうとしていた。

「そんなふうに情報提供者が人前に顔を出すのはめずらしい。だから、このビデオは評判になると思っていました」とマカスキルはふり返る。「それに先立って発表された、いくつかの大きな記事もすばらしい演出でした」

少し前まで、スノーデンは友人や家族、何人かの同僚が知るだけの存在だった。それがいきなり、世界的な有名人になった。もはや一個人ではいられない。国家、プライバシーと安全保障の境界線、そして社会全体の現状をめぐって激しくぶつかり合う意見を、その一身に浴びなければならない。

スノーデンはそのすべてを冷静沈着に、ユーモアをもって受けとめた。彼は1014号室でグリーンウォルドやマカスキルとオンラインチャットを楽しんだ。自分の外観や、それが引き起こしたネット上のコメントについて、苦笑まじりに冗談を言う。ビデオを見るのはこれが初めてだった（ポイトラスがあらかじめ送っていたのだが、インターネット接続に問題があってアクセスできなかった）。

一つ、避けようのない事実があった。正体を明かしたいま、スノーデンは世界一のお尋ね者にな

ったのである。

追走はもう始まっていた。グリーンウォルドはテレビのインタビューを数多く受けたが、そのなかでCNNは「グレン・グリーンウォルド、香港」というキャプションをつけた。『ガーディアン』のニュースソースの居場所について、見ている人にはかなり大きなヒントになる。地元中国のメディアや国際ジャーナリストたちは、ビデオを隅から隅まで見て手がかりを探していた。最初は、ポイトラスがダブリュー・ホテルから撮影したオープニングショットに幻惑された。スノーデンもそこにいるのではないか。だが、ある事情通の記者が、照明からミラ・ホテルを割り出した。

6月10日月曜日には、スノーデンは荷造りをしてホテルを去ろうとしていた。ポイトラスが彼を撮影するのもこれが最後だ。彼女は彼を守ってやりたい心境だった。彼のことは一番長く知っているし、最初から信じていた。別れのハグをする。「次はどこへ行くのか、予定は知りませんでした」

スノーデンは姿を消した。

ダブリュー・ホテルのマカスキルはコーヒーを買いにちょっと外出した。スーツとシャツも買うことにする。2日間の仕事に必要な衣類しか持参していなかった。CNNのクルーが出入り口で彼を待ち受けていた。

マークス&スペンサーから戻ると、ホテルは大混乱の様相を呈していた。テレビ局の記者やスタッフがロビーで大勢張り込んでいる。それだけではない。ホテル側は「満室」なので出て行ってほしいと言う。彼らは業務用エレベーターを使って客待ちのタクシーにこっそり乗り込み、シェラトンへ移動した。夜までには記者連中にまた見つかった。就寝前、マカスキルはドアの前にいすを積

み上げた。だれかが来たときの警告にはなるだろう、と思った。

2日たった。グリーンウォルド、マカスキル、ポイトラスは、港を見下ろすポイトラスの部屋で、ワインとチーズで旅の終わりを祝した。

マカスキルは疲れて眠り込んだ。まだ明けきらぬころ、ポイトラスから気がかりな電話があった。スノーデンが、身に危険が迫っているという趣旨のメッセージを送ってきたという。逮捕が近いことをにおわせる不吉な文面。マカスキルは、スノーデンの件を扱うようになった香港の弁護士に電話をかけた。応答はない。警察にも電話をかける。留守番電話だ。2時間後、弁護士の一人が折り返し電話をよこし、スノーデンは無事だと告げた。詳細ははっきりしないが、間一髪生き延びたらしい。

あとどのくらい彼は持ちこたえるだろう？

＊第8章＊
際限なき情報収集
2007年〜 北コーンウォール、ビュード

「こちらには頭脳があり、あちらには資金がある。なかなかよい組み合わせだった」
GCHQ元長官、デイビッド・オマンド

それは何マイルも離れたところからでもよく見える。大西洋に足のように突き出たコーンウォールの断崖――その上にそびえ立つ傍受施設は、隠そうにも隠しようがない。まるで異世界のように立ち並ぶ巨大パラボラアンテナのなかには、直径30メートル級のものもある。それらの中心には、ゴルフボールのような形状の白いレーダードーム。まるで顔のない神への捧げ物だ。施設の周りをフェンスが厳重に取り囲む。数メートルおきに監視カメラ。入り口の標識には「GCHQ、ビュード」とある。警備員がいる。訪問者は歓迎されない。

正門の近くには、「クリーブ・クレッセント」というテラスハウスのみすぼらしい集落。周辺にはトネリコ、ハリエニシダ、イバラが茂った渓谷。海岸ぞいの道からの眺めは息を飲むほどだ。勢いよく押し寄せる波、鈍色の海、ローアー・シャープノーズ・ポイントのぎざぎざの岩層。カモメ

が飛び、時にハイタカも岬へ向かって舞う。

スノーデンがGCHQのイントラネットから収集したファイルのなかでも魅力的なのは、見習いスパイたちのビュード旅行記だ。彼らは施設を見学した。レーダードームの内部をのぞき見、大型パラボラアンテナの一つ（愛称「オーシャンブリーズ」）に登り、アンテナをじろじろ見ることを許された。帰途、車を降りてアイスクリームを買い、大西洋の浜辺で足を濡らした。この旅のブログは、ビュードの本来の役割についても触れている。「シギントシステムに通信衛星情報」を提供する——言い換えれば、傍受した衛星通信を英米の情報機関にフィードバックするのである。

この英国の海岸ぞいの印象的な施設は、長らく監視活動に使われてきた。18世紀の税関職員は密輸業者に目を光らせた。ビクトリア女王時代の聖職者、ロバート・スティーブン・ホーカーはみずから木小屋を建て、難破船を探した。ホーカーと教区民たちは、溺れた船員の遺体を切り立った崖の上へ引き上げた。第二次大戦中、軍事基地が建設され、「クリーブキャンプ」と呼ばれた。射撃手たちがナチスの侵入者を警戒したトーチカがいまも残っている。

GCHQは1960年代後半、この政府所有地に拠点を設置した。60マイル先のリザード半島・グーンヒリーダウンズからの商業衛星回線を傍受するためである。グーンヒリーは全世界の国際電話のトラフィックが集中していた場所だが、しだいに時代遅れとなり、2008年に閉鎖された。

しかし、ビュードはいま、英国の新しい野心的な機密プロジェクトの中心地となっている。その成果物はロンドンの米当局に引き渡される。極めてデリケートなプログラムであり、エドワード・スノーデンがこれを暴露すると、英政府関係者はたちまち不安と怒りにかきたてられる。彼らの夢

は「インターネットをマスター」すること。スノーデンは香港で「英国のGCHQはNSAよりひどい」と言って記者たちを唖然とさせたが、政府関係者の言うこのフレーズはまさにそのことを指している。

ビュード自体は海辺の小さなリゾート地で、サーフィンや水泳が盛んである。ゴルフコース、新鮮なカニを売る店が並ぶ大通り、屋外プールのほか、スーパーの「セインズベリー」もある。だが、その最も重要な役割は目に見えない。

少し行くと、ワイドマウスベイ。ここでサーフィンを楽しむ行楽客も、このビーチの重要性を知る者はほとんどいない。そう、米国の東海岸から伸びる主要な海底通信ケーブルが、この地に上陸するのである。それらはアポロノース、TAT8、TAT14、イエロー／アトランティッククロッシング2（AC2）などと呼ばれる。そのほか、近くのランズエンドにも大西洋横断ケーブルが上陸している。何千マイルもの長さになる光ファイバーケーブルは、大手通信会社が多くの場合は共同で運営管理している。

こうした海底ケーブルの上陸地点は非常に重大な意味を持ち、（漏洩された米外交文書によれば）アメリカ合衆国国土安全保障省はこれらを重要な国家インフラと位置づけている。インターネットが通信を牽引する新しい世界にあって、大西洋東端の英国はその中核的な位置を占めている。世界のインターネットトラフィックの25％が英領土をケーブルで通る。接続先は米国、ヨーロッパ、アフリカなど。残るトラフィックの大部分は米国を発着地点としている。したがって、地球上で急増するデータフローのほとんどは、英米がそのホスト役を担っていることになる。

両国の諜報機関はここぞとばかりに、これらの海底ケーブルを盗聴に利用しようと考えた。過去の歴史をふり返れば、それは不思議でも何でもない。技術の変遷にともない、両国は無線通信を傍受し、次いでマイクロ波ビーム、そして衛星回線を傍受してきた。最新の光ファイバーシステムで大量にやりとりされるインターネットデータや通話データに手をつけようとするのは、理の当然である。

戦後の英国は、米国のほかオーストラリア、カナダ、ニュージーランドとともに「ファイブ・アイズ」と呼ばれる諜報の協力体制を築き、キプロス、セイロン、香港、南アフリカ、ディエゴガルシア、アセンション島、オマーンなど中東の従属国に幅広く展開する受信基地を共同利用に供していた。だが大英帝国の衰退にともなって、こうしたメリットも部分的に消滅した。

英国はまた、自国内の二つのサテライト拠点を米国に提供した。ヨークシャーデールズ国立公園の南端にあるメンウィズヒル（「MHS」として知られる）と、CIAの通信を扱うクロートンである。だが一方で、彼らは絶えず現金を手にしてきた。GCHQ長官だったデイビッド・オマンドは次のような楽観論を述べたという。「こちらには頭脳があり、あちらには資金がある」

スノーデンのおかげで、それがどの程度なのか、少なくとも部分的には知ることができる。2009年から2012年にかけて、米政府はGCHQに最低でも1億ポンドを支払っている。

2009年には、NSAからGCHQへ2290万ポンドが供与された。翌年には3990万ポンド。これはGCHQがアフガニスタンのNATO部隊を支援するための資金400万ポンド、「インターネットをマスター」するための1720万ポンドを含んでいる。NSAはまた、ビュー

ドのGCHQの再開発にも1550万ポンドを投じている。おかげでキャメロン連立政権による緊縮財政下でも、GCHQの基本予算は守られた。2011/2012年には、NSAはGCHQにさらに3470万ポンドを拠出した。

英国政府関係者は、大した額ではないと不満げに漏らす。「60年の同盟関係のなかで、資源や専門知識がプールされる共同プロジェクトがあってもまったく不思議はありません」と、内閣府のある報道官は言う。だが、現金の提供によってNSAの影響力はいっそう強化される。2010年のある文書で、GCHQは、「NSAの最低限の期待に応えてほしいと持ちかけられる案件の数が増えた」ことを認めている。GCHQは「まだNSAの要請に応じきれていない」と文書にはある。

米国の顔色がつねに気にかかる。ある内部文書は次のように警告する。「NSAの要請は不変ではない。『安定性』の維持が当面はやはり課題になる」。別の文書はこう述べる。英国が最も恐れるのは「両国のパートナーシップを米国が認識しなくなり、英国への投資が減少すること」である、と。

言い換えれば、英国はつねに自分たちの価値を保持し、実証しなければならなかった。米国の情報機関に比べれば10分の1程度の規模しかない。技術的に後れをとれば、強大なNSAは情報共有を打ち切り、後ろ盾を失った英国はもはや他国と伍することができない屈辱を味わうかもしれない。

このような背景から、「インターネットのマスター」を担当するGCHQ長官は、2009年5月19日、英国の新しいプロジェクトの宣伝文句を書きおこした。GCHQはテクノロジーの変化と闘ってきた、と彼は主張する。「政府内のパートナー、軍部、海外へのサポート提供に必要なトラ

フィックソースの入手がだんだん困難になっている」

だが、現状打開はもうすぐだと彼は言う。ビュードでの2年間の実験が成功を収めたというのだ。インターネットケーブルへの侵入が問題なのではない。それなら英米両国とも実行できる。問題は、ケーブル内を大量に流れるデータの読み込みや分析をどうするかである。そのスピードは毎秒10ギガバイトを超える。

GCHQがなしとげたのは、巨大なインターネットバッファの構築である。このバッファにトラフィックを保存しておけば、分析官やデータマイナーは膨大なデジタルデータを過去にさかのぼって調べられる。Eメールメッセージなどのコンテンツなら3日間、メールの連絡先や件名などのメタデータなら30日間保存がきく。映画のP2Pダウンロードなど、意味のないデータは除去される。運がよければ、残存データから有用な情報を拾い上げることができる。このシステムは、見逃したテレビ番組をさかのぼって見られる「キャッチアップTV」サービス（オンデマンドサービスの一種）に似ていなくもない。

ビュードでは、いくつかの大西洋横断光ファイバーケーブルが至近距離で上陸している。したがって侵入は比較的安価で、データは近くの「地域処理センター（RPC1）」に転送される。これはロッキード・マーティンを筆頭に、BAEシステムズの子会社デティカ、ソフトウェア企業のロジカなどの民間会社が共同でひそかに新設した施設である。この情報傍受プロセスにはSSEという略称がつけられていた（special source exploitation の略）。

2010年3月には、NSAの分析官がこのビュードでのプロジェクトに予備的な参加を認めら

れていた。プロジェクトは当初TINTというコードネームで呼ばれ、のちにTEMPORAと命名された。表向きは「GCHQ／NSA共同研究プロジェクト」と記述されている。インターネットトラフィックの「レトロスペクティブ分析」を可能にするのが特徴である。

　まもなくGCHQは大きな成果を挙げるようになった。「われわれは『インターネットをマスター』しはじめている。そして現在、極めてすぐれた能力を手にしている」。ある文書には、全世界のインターネット利用者は20億人、フェイスブックを常時利用する人が4億人以上、携帯電話のトラフィックは前年比600％増とある。GCHQは、これらすべてを自分たちが掌握していると考えていた。英国はいまや「ファイブ・アイズのなかで最大のインターネットアクセス」を誇ると、そのレポートは書く。

　すべてが完璧というわけではなかった。レポートによると、アメリカのサービスプロバイダーがマレーシアやインドに移転しているという。NSAが「これらの国々で不動産を買収している」らしい。「このトラフィックは英国を通らない」と著者は嘆き、英国も「外国で施設を買収」すべきだと提言する。

　だが、2010年から2011年半ばにかけてのGCHQの報告書は概して論調が明るい。たとえば、24時間で「390億以上の事案」を処理・保存し、「インターネットの使用履歴から独自の情報を生み出す能力を高めることができた」。一日で390億件の情報を収集したということらしい。

　NSAは英国の取り組みに目をみはった。2011年の「共同活動」レポートでは、「英国はN

SAより多くのメタデータを生み出している」と述べている。２０１2年5月には、６０００人のスタッフが「ドーナツ」と呼ぶチェルトナムの本部内に、二つめのインターネットバッファ施設が建設されたとの報告がある。三つめの処理施設も中東のある場所に無事建設された。

このプログラムを駆使すれば、「たくさんのデータ」収集が可能になる。ＴＥＭＰＯＲＡプロジェクトのもと、いまや「３００人以上のＧＣＨＱ分析官と２５０人以上のＮＳＡ分析官」が「大量のデータにアクセスし、ターゲット探索のミッションをサポート」していた。

スノーデンのファイルを見れば、英米の諜報スタッフがいかに密接な協力関係にあるかがわかる。ジュネーブのＣＩＡに勤務しているとき、スノーデンはクロートンを訪れたことがある。オックスフォードの北30マイル、ノーサンプトンシャー州の田園地帯にあるＣＩＡの通信拠点である。彼はTheTrueHOOHAとしての投稿で、実にたくさんの羊が近くで草を食んでいるのに驚いたと書いている。英国ならではの光景だ。

ＮＳＡはロンドンだけでなく、チェルトナムのＧＣＨＱ本部にも１９５０年代から活動拠点を設けている。ＧＣＨＱのスタッフはＭＨＳでも勤務する。事前に通知すれば、チェルトナムの他のＧＣＨＱスタッフも、この厳重に警備された米国の出先機関を訪れることができる。

ＮＳＡには、英国の情報機関との橋渡し役である特別連絡官（ＳＵＳＬＯ）がいる。ワシントンで表向きは外交官として同じ役割を果たす英高官はＳＵＫＬＯと呼ばれる。それ以下のＧＣＨＱ職員はほぼすべてのＮＳＡ施設に派遣され、「インテグリー」と呼ばれる。スノーデンが勤務したハワイのＮＳＡにもＧＣＨＱのスタッフがいる。

基本的にGCHQ職員は、NSAの施設で一度は勤務する。NSAからは、アメリカでの生活に役立つ用語集が配布される。車を借りるときのアドバイスも教えてくれるし、車の後ろの荷物入れ(boot)は米国では「トランク(trunk)」だという指導もある。合同会議、研修コース、交換訪問、暗号ワークショップ、祝賀晩餐会なども開催される。それから、スノーデンの文書には見当たらないのだが、「部局内恋愛」も盛んらしい。

1947年に始まった相互交流はなかなか順調なようだ。ある文書では、「NSAとGCHQの相互協力のさらなる成功事例」について語られたりしている。この親密なパートナーシップは個人のレベルにも及ぶことが多く、両者にとってメリットがある。歴史も長く、婚姻関係と呼んで差し支えないほどだ。

一方、スノーデンファイルからは、ベールに包まれた英国のスパイの世界を垣間見ることができる。GCHQ職員は薄給だが、言語学者や数学者にはいろいろな余暇活動が提供される。パブでのクイズ大会、ケーキ販売、ディズニーランド・パリ・ツアー、「クリプトス」と呼ばれるパズルゲーム……。「スパイスペース」というソーシャル・ネットワーキング・サイトも自前で運営している。一つ大きな難点は、GCHQが地方部にあることだ。「グロスターシャー州がどこにあるかを言えるようにしておきましょう」と、採用案内にはある。

TEMPORAプロジェクトで特に機密性が高いのは、光ファイバーケーブルを保有または運営管理する通信会社がひそかに果たす役割についてである。GCHQは彼らを「傍受パートナー」と

呼ぶ。傍受パートナーとの連絡を担うのは「機密連携チーム」である。

世界有数の企業がパートナーに名を連ねている。主要パートナーであるBTはコードネームが「REMEDY」、ベライゾンビジネスは「DACRON」、ボーダフォンケーブルは「GERONTIC」。もっと小規模な4社にもコードネームがある。2009年時点で、グローバル・クロッシングが「PINNAGE」、レベル3が「LITTLE」、バイアテルが「VITREOUS」、インタールートが「STREETCAR」という具合だ。

これらの企業は英国に上陸するケーブル回線のほとんどの傍受に協力している。上陸地点は、ローストフト、ペベンシーベイ、ホリーヘッド、ホワイトサンズベイ、グーンヒリーなどの海辺の町。

傍受パートナーの企業名はトップシークレットよりも機密性の高い「ストラップ2ECI(exceptionally controlled information)」に分類される。これが暴露されれば、顧客は不快な気持ちになるだろう。ある文書では、企業名が公になれば「高度の政治的影響」が生じかねないと警告する。情報筋によれば、企業側には選択肢がないという。米国の場合と同様、法律で強制されたという言い訳が成り立つわけだ。

こうした企業の協力のおかげで（しかも企業側には英国民の多額の血税が支払われている）、GCHQは2012年には一日6億件の「通話事象」を取り扱っていた。盗聴対象は、英国を通る200以上の光ファイバーケーブル。最低でも一度に46のケーブルからのデータを処理することができた。実際問題、途方もないデータ量である。一日21ペタバイトを超えるというから、大英図書館の全情報を24時間ごとに192回送っている計算になる。

だがGCHQ内部には、他の情報機関に後れをとるのではないかという懸念がなお存在する。TEMPORAの運営担当者の一人は、GCHQの任務が拡大したと述べる。新しいテクノロジーの出現により、Eメール、電話、スカイプでの会話など、大量の新しいデータ、すなわち「光信号」にアクセスできるようになった。「この5年で『光信号』へのGCHQのアクセスは7000%増えました」。分析・処理されるデータの量も3000%増加したという。驚くべき数字である。

GCHQは「新天地を切り開いて」いたが、レベル維持のために苦戦してもいた。「私たちのミッションは複雑になり、いまの管理能力では目的を達成できなくなりました」

2011/2012年の内部報告書でも次のように警告を発している。「次年度にGCHQが直面する二つの大きな技術リスクは、インターネット上の暗号化の広がりと、インターネットデバイスとしてのスマートフォンの利用拡大である。いずれも時間とともに、われわれの活動に大きな影響を及ぼす可能性がある」

2015年にはインターネットトラフィックの90%が携帯電話経由になる、とGCHQは予測する。全世界のスマートフォンの台数は2012年ですでに1億。ケータイは「これまでに最も数多く出回った製品」である。「モバイルデバイスを利用する」ための新しいプロジェクトを立ち上げる予定だ、と報告書は述べる。つまり、「iPhoneやブラックベリーが新たに提供するすべての機能から情報を収集する」。最終目標は「いつでも、どこでも、あらゆる電話を利用する」ことだ。

TEMPORAをはじめとするプロジェクトはたしかに驚異である。だが、プロジェクトの考案

にあたって、英米の諜報機関はもっと大きな全体像を気にもとめなかったようだ。つまり、国家が何百万という国民の通信データを、知らぬ間にこっそり無差別に収集しているという事実を――。

かつて、英国のスパイは銅線にワニ口クリップをとりつけて、泥棒や悪党、IRAのテロリストの電話を盗聴した。個別に令状をとって悪人と判別できる者が対象だった。ところがいまや、NSAとGCHQはすべての人から途轍もない規模でデータを集めまくっている。大多数はなんの罪もない一般人である。

こうして集めた情報をすべて調べるだけの分析官がいない、と関係者は言う。ある当局者は『ガーディアン』に次のように語った。「データの大部分は閲覧もせずに破棄されます。……とにかく人手がありません。何百万というEメールをわれわれが読んでいるという印象をお持ちかもしれませんが、そんなことはありません。英国内のトラフィック、つまり英国人が互いに話しているのを盗み見ようというつもりは、これっぽっちもないのです」。GCHQ長官のイアン・ロバンのお得意のせりふは、「われわれの仕事は干し草の山から針を見つけるようなものだ」

干し草の山はもちろん、英国人と外国人両方の通信データで構成される。なかでもGCHQがかたっぱしから収集していたのは、グーグルやヤフーの国際データセンターを結ぶケーブルの中身である。

英国のスパイたちがよく引き合いに出すのは、外国での無制限の情報収集を認める、あまりよく知られていない法律である。2000年成立のこの捜査権限規制法（RIPA）により、「外部」インターネット通信をすべて大量収集することが認められている、と彼らは主張する。「どんなこ

とをしてでも、この法律の精神と条文に従います」と、ある諜報関係者は言った。「外部」という言葉は、少なくとも片方の終点が外国にあるケーブルからなら、何を盗聴してもかまわないというふうに解釈されている（曲解との見方もあるだろう）。インターネット回線のしくみを考えれば、つまり、英国でEメールを送信する人は多くの場合、GCHQとも話をしていることになる。BTやグーグルの契約書に、そんなことは小さな文字でも書かれてはいない。

英米両国はこの大量データという「干し草」をひそかに検索して、一定の行動パターン、友人グループのつながりや接触、ターゲットとする個人を探すことができる。労働党のデイビッド・ミリバンド（2009年）、次いで保守党のウィリアム・ヘーグという両外務大臣が署名した密書によれば、外交政策上の意図、核拡散、テロ、重大な金融犯罪、英国の「経済的福祉」について調べるための情報検索は認められるらしい。これをどうやって取り締まるのか？「テロ」という言葉が極めて広義に解釈できることは、政府の弁護団が裁判で何度も示している通りである。

相棒のNSAに貴重な情報を提供できたとき、GCHQはこれを大いに自慢している。最近では少なくとも2回、そういうケースがあったという。一つめは、2009年にデトロイト行きの航空機を爆破しようとした「下着爆弾魔」ウマル・ファルーク・アブドルムタラブの事件。もう一つは、パキスタン生まれの30歳のアメリカ人、ファイサル・シャザドがニューヨークのタイムズスクエアで自動車を爆発させようとした事件。

米国の爆弾魔を阻んだGCHQの「貢献」にNSAはたいそう「喜んだ」。正確にどんな貢献だったのか、その手がかりはない。NSAのほうも、ロンドンで2005年7月7日に起きた同時多

発テロのあと、GCHQに捜査協力している。これはロンドンが受けた攻撃としては、第二次大戦以来ともいえる最悪のものだ。4人の自爆犯が地下鉄3両とバス1台を爆破し、52人を殺害した。

GCHQは、ファイブ・アイズの自制的なルールを日常的にかいくぐり、NSAに代わって米国民をスパイしていることを否定する。NSAも、こと英国民の情報収集に関しては、同様のサービスを提供していることを否定する。

残念ながら、スノーデンの文書によれば、そうした主張も真実ではなさそうだ。二つの諜報機関が互いの国民をターゲットにしていることをうかがわせる、2005年と2007年のNSAのメモが明らかになっている。「両国の最大の利益になるのであれば」、NSAは大量監視データベースに英国人を加えることが許される。さらに、NSAが英国側に隠れて英国人をスパイするための手順も詳述されている。「一定の状況下では、もしそれが米国の最大の利益になり、米国の安全保障上必要であれば、相手方の国民、相手方の通信システムを一方的にターゲットにすることが認められる」

このように、西欧の紳士的なパートナーはお互いをスパイすることなどないというファイブ・アイズの主張は、真っ赤なうそとしか思えない。世界をあっといわせた情報リークとその後の大混乱は、そもそも何を意味したのか？　それはつまり、漏洩した本人や記者たちにはすぐにわかったことだが、彼らの大胆さが英米両国のスパイ高官を激怒させたということである。スノーデン、グリーンウォルド、ロンドンの『ガーディアン』記者たちは、その怒りの影響をやがて身をもって感じることになる。

＊第9章＊

もう楽しんだだろう

2013年6月
ロンドン、キングスプレイス、ガーディアンのオフィス

「どんな自由よりも、知る自由、語る自由、良心に従って思いのまま主張する自由を与えたまえ」

ジョン・ミルトン「アレオパジティカ」

本来なら静かなはずのキングスプレイスの4階。深夜清掃のスタッフが、コンピューターの周りに集まった人たちの近くで電気掃除機をかけている。彼は携帯電話越しにスペイン語でおしゃべりするのに忙しそうだが、コンピューターのそばの集団は彼を見ても不興顔を見せなかった。

副編集長のポール・ジョンソンらが見守るなか、やけに遅いデータフォーマットのプロセスが夜通し進行していた。通常の『ガーディアン』ネットワークの話ではなく、モノはＬａＣｉｅの外部ハードディスクドライブである。この大きなオレンジ色のドライブは、ふだんは使われていない備品の一つだが、何ギガバイトもの容量がある。収納されるのはスノーデンの資料——何重もの暗号で守られた、機密性の高い漏洩文書の数々である。

そこには英国の諜報組織に属する5万以上のファイルが含まれていた。GCHQはそれらを米国へ送り、同国の契約業者の手に委ねていた。だが、ジョンソンが神経質になっていた理由の一つは、それらの文書をここ英国で保有すると、特別な——そして恐ろしい——法的問題が持ち上がるからだ。

現在のガラス張りの美しいロンドンオフィスからは、1821年にマンチェスターで非国教系の新聞として産声をあげた『ガーディアン』の面影は感じられない。だがロビーには、ひげをたくわえた堂々たる男の胸像が置かれている。57年半にわたって編集長を務めた伝説的人物、C・P・スコットである。「論評は自由なれど、事実は神聖なり」という彼の言葉は、いまなお『ガーディアン』の活動を支える原理原則である。

C・P・スコットの意志の固さを見習うように、編集長のアラン・ラスブリッジャーは過去に大きな情報漏洩事件を手がけてきた。そのなかではウィキリークスの一件が最も新しく、最も有名である。だが、今回の漏洩はまさに前代未聞だった。

英国のジャーナリストは米国のジャーナリストのように、憲法で言論の自由が守られているわけではない。米国ではまた、ジャーナリズムが社会で重要な機能を果たすという文化的な理解も根強い。これはともすれば権力志向のふるまいにつながりかねないが、ウォーターゲート事件（1970年代に『ワシントン・ポスト』の二人の若い記者がニクソン大統領を失脚させた）に象徴される調査報道の伝統を可能にしている面もある。

これとは対照的に、英国では国家の機密を優先させる抑圧的な文化が色濃い。ウッドワードとバ

ーンスタインがウォーターゲート事件をすっぱ抜いてワシントンでちやほやされていたまさにそのとき、英国の何人かの若手ジャーナリストが「盗聴者」と呼ばれる記事を書いた。記事といっても、無線諜報機関としてのGCHQの存在を暴露したにすぎない。ところが彼らは直ちに、中央刑事裁判所で国家機密法に基づいて有罪を宣告された。そのうちの一人で米市民のマーク・ホーゼンボールは、「英国の安全保障に脅威を及ぼした」かどで、裁判を受ける権利も与えられずに国外追放された。

こうした歴史があるため、GCHQの最高機密文書を英国で公表するのは、相当な思いきりを要する仕事だった。

ドイツのスパイを警戒して1911年に可決され、1989年に改正された国家機密法は、英国の公務員が機密情報を漏洩することを禁じている。だが同法の条項に基づけば、ジャーナリストも罪に問われる可能性がある。公益保護に関する具体的な規定がないため、『ガーディアン』のエディターには、機密情報の公表を犯罪とする法規定が適用されかねない。ただしその場合、情報開示が「有害」であることが条件となる。もし抗弁できるとすれば、公表した記事が有害ではない、少なくとも有害であることを意図したものではないと主張するのが唯一の方法である。

このように『ガーディアン』は、事を起こせば、たちまち警察の手が回りかねない状況に置かれていた。

また、スノーデンファイルをロンドンで保有しているだけでも、それが政府の耳に入れば、報道禁止を命じられる可能性がある。ファイルは間違いなく機密性が高く、ジェームズ・ボンドのよう

な諜報員を名指しすることはないにしても、政府の財産であるのはたしかだ。国家の安全保障が危機にさらされる。

英国の機密法のもとでは、裁判官はそうした資料の公表を全面的に禁じ、ファイルの返却を求める差止命令をすぐに発するだろう。『ガーディアン』はこれに対し、開示内容には公益性があると主張し、裁判で争うこともできる。だがそうしたところで、長い、結果の見えない、お金のかかる法廷闘争に巻き込まれるのが関の山だ。その間は、文書の中身をこれっぽっちも報じることができない。したがって差止命令は、ジャーナリズムにとっては命取りである。

翌日、メディア分野の著名弁護士であるギャビン・ミラーとともに、ラスブリッジャーは法的なオプションを検討した。100％安全なのは、手元の全ファイルをすぐに破棄することだ。もう一つの安全策は、政治家にファイルを渡して中身を調べてもらうことだ。すぐに思いつく相手は、外務大臣を務めた保守党のマルコム・リフキンド。現在は、議会の情報安全保障委員会の委員長である。同委員会はGCHQなどの政府機関を監視するのが本来の役割だが、あまり機能していないというのが大方の評価だった。リフキンドはおそらくファイルを読みもせずに、スパイたちに返還してしまうだろう。

ミラーのアドバイスもわからないではない。だがラスブリッジャーは、スノーデンに対する責任も考えなければならなかった。スノーデンは命がけでこれを手に入れたのだ。しかも、議会は信用できないと思ったから『ガーディアン』に託した。彼が望む議論の喚起、それができるのは新聞だけだ。そして、国家による「嫌疑なき監視」がいかにひどいかを人々が知らないままでは、それは

ままならない。

「ジャーナリストはいろいろな倫理的ジレンマに直面しますが、これはそのなかでもかなり大きなジレンマでした」とラスブリッジャーは言う。

彼は信頼できるスタッフにファイルをくわしく分析してもらうことにした。データは莫大な量だ。いくつかの文書は明らかに機密情報だとわかる。だが、大部分は内輪のよくわからない資料である。パワーポイント、研修用スライド、管理レポート、データマイニングプログラムの略図……。意味不明なものが多いとはいえ、GCHQの技術力の高さと野心の大きさは明白だった。それと、GCHQとNSAの「特別な関係」の驚くべき深さも。

『ガーディアン』のチームは小さな「作戦室」を設置し、厳しいセキュリティー体制を敷いた。警備員が24時間常駐し、出入り口でIDをチェック。電話はすべて使用禁止。ブラックベリーやiPhoneは室外のテーブルに並べ、持ち主の名前を黄色い付箋で表示した。作戦室の窓は紙で覆い隠した。コンピューターはすべて新調。ハッキングやフィッシングの予防策として、インターネットをはじめとするネットワークにも接続しない。

ログインには数多くのパスワードが必要だった。複数のパスワードを知るスタッフはいない。仕事内容は記録し、USBメモリースティックに保存する。部屋の隅では空調設備が低い音を立てている。シュレッダーも備え付けた。

太陽の光が入らず、清掃員の立ち入りも禁じられた部屋は、すぐに嫌なにおいがただよいはじめた。「このにおいはティーンエージャーの男子の部屋だな」と、ある訪問者は言った。

ホワイトボードにはラスブリッジャーの書いたメモが貼られていた。「エドワード・スノーデンは、人々が『監視国家』の実態を知らないから『ガーディアン』に接触した。テクノロジーが法律を凌駕し、市民も裁判所もマスコミも議会も、実効性ある監視・監督ができなくなってしまった、と彼は言う。だからこそ、いまここに文書がある」

メモは続いていた。「こうした公共性の高い懸念に関連する資料を探し出さなければならない。ただの情報探索とはわけが違う」

スノーデンのファイルを調査するチームは、信頼できる幹部クラスのジャーナリストで構成されていた。たとえば、国防・安全保障担当エディターのニック・ホプキンス、データエディターのジェームズ・ボール、ベテラン記者のニック・デイビス、ロンドンとニューヨークの間を行き来したジュリアン・ボーガー。ブラジルのグリーンウォルドがリーダー格の記者で、マカスキルは米国から参加した。

文書を手に入れるのと、それを理解するのはまったく別の話である。記者たちは最初、「ストラップ1」とか「ストラップ2」が何を意味するのかわからなかった。それがトップシークレットのさらに上の機密分類であると気づいたのは、あとになってからだ。

グリーンウォルドはマカスキルに有益なヒントを与えていた。TEMPORAと呼ばれるプログラムを探せ、と。最初の日、チームは夜中まで作業をし、翌朝の8時に再集合した。TEMPORAに導かれて、スノーデンがアップロードしていたGCHQ内部の「Wiki」に行き着くと、作業ははかどりだした。それはほとんど平易な英語で書かれていた。

ホワイトボードはまたたく間にNSA／GCHQプログラムのコードネームで埋め尽くされた。SAMUEL PEPYS、BIG PIGGY、BAD WOLF……。文書解析の初期段階は難航した。「どれもやけに専門的で、おそろしく退屈で、まったくのスグレモノでした」とホプキンスは言う。ホプキンスが叫ぶ。「QFDって何だ？」。だれかが答える。「クエリ・フォーカス・データベース」。じゃあ「10gps Bearer」は？　あるいはMUTANT BROTH、MUSCULAR、EGOTISTICAL GIRAFFE……？

最初の衝撃の一つは、2009年にロンドンで開催されたG20サミットの2度の会議で、GCHQが諸外国の首脳を盗聴していたことだ。労働党のゴードン・ブラウン首相とデイビッド・ミリバンド外相はこのスパイ行為を承認していたと思われる。GCHQはキーロギングソフトを仕込んだ偽のインターネットカフェを設置し、代表者たちのパスワードを盗み出した。また、彼らのブラックベリーに侵入して、Eメールメッセージや通話内容をモニターした。45人の分析官が、サミット期間中、だれがだれに電話したかをリアルタイムで追跡・記録した。トルコの財務大臣および15人の代表団メンバーもターゲットになった。もちろんテロとはなんの関係もない。

『ガーディアン』のこの発見は、なかなかタイミングがよかった。デイビッド・キャメロンがちょうど、北アイルランドの風光明媚なロックアーンでまたしても国際サミット（G8サミット）を主催しようとしていたのだ。オバマ大統領やプーチン大統領をはじめとする各国首脳が集合する。GCHQは今回も盗聴するだろうか？

差止命令がいつ出されるかわからないため、ポール・ジョンソンは印刷版の新聞発行を急ぐことを決めた。6月16日の日曜日の夕方、彼は200部の特別版を印刷した。午後9時15分には、さらに3万部を刷り終えた。深夜に「印刷を止めろ!」との命令がくだっても大丈夫なように。

その夜、ラスブリッジャーの電話が鳴った。元空軍少将のアンドリュー・ヴァランスからだ。ヴァランスは「D通告」という英国ならではのシステムを運営していた。国家の安全保障を揺るがすと思われる記事の発表を、政府がマスコミにやんわりと思いとどまらせるシステムである。

1993年、情報公開へ向けた暫定措置の一環として、これはDA(Defence Advisory)通告と名を変えた。政府におうかがいを立てるのも立てないのも任意だという事実を反映させようとしたのだろう。

「任意」であろうがなかろうが、DA通告はマスコミ報道を阻む手段として一般的に利用された。ヴァランスはすでに『ガーディアン』だけでなく、BBCやスカイニュースなどの放送局・新聞にも「極秘の」通告を行っていた。『ガーディアン』米国によるPRISMのスクープ記事に追随することまかりならず、とのお達しをGCHQになり代わって出したわけだ。英国のメディアは総じて従順で、ほとんど記事を発表しなかった。ところが『ガーディアン』は、G20での盗聴について世界に報じる前にヴァランスに相談しなかった。それが遺憾だと彼ははっきり口にした。

これが英政府と『ガーディアン』の戦いの始まりだった。保守党のキャメロンが2010年に首相になってから、ラスブリッジャーはせいぜい30分、彼と時間を過ごしたかどうか。「友好的な関係でも建設的な関係でもありませんでした」とラスブリッジャーは言う。だが翌日、キャメロンが

ロックアーンでG8首脳をもてなしている間、報道官のクレイグ・オリバーがラスブリッジャーにこっそり電話を入れた。元BBCエディターのオリバーといっしょにいたのは、上級外務官僚で国家安全保障担当首相補佐官のキム・ダロック。

花粉症だったオリバーは鼻をすすりながら、G20に関する『ガーディアン』の記事は国家の安全保障に「不用意なダメージ」を与えかねないと言った。政府関係者はあの暴露記事を快く思っていないし、ラスブリッジャーを牢屋に入れてしまえという声もある——。「まあ、そんなことはしませんが」

ラスブリッジャーは、『ガーディアン』はスノーデンのリーク資料を責任ある方法で扱っていると述べた。われわれがスポットを当てるのは作戦内容や名前ではなく、安全保障とプライバシーの境界線である。今後の記事について政府と話し合うのはやぶさかでないし、安全保障上の具体的な懸念に耳を傾ける用意もある——。

次に予定されていたのは、英国政府が通信大手企業を利用したTEMPORAプロジェクトに関する記事だ。これを発表すればスパイ機関の幹部をもっと困らせることになるのは、ラスブリッジャーもわかっていた。

彼はオリバーに電話会議を提案した。その場で『ガーディアン』がTEMPORAの記事のポイントを事前に説明しようというのだ。ねらいは安全保障に対する真のダメージを回避すること、そして差止命令を回避すること。ギブソンも米ホワイトハウスとの交渉で同じ方法をとっていた。ラスブリッジャー自身も2010年、ウィキリークスの公電を一部公表する前に、米国務省と同様の

対話をしたことがある。オリバーは、「政府も良識ある会話がしたい」とこれに同意。だが差止命令の件について聞かれると、確約を避けた。「まあ、もしも記事がすごいあれだったら……」と、言葉をにごして。

『ガーディアン』は国家安全保障担当首相補佐官のキム・ダロックにTEMPORAの件を話した。2日後、政府から正式な反応が返ってきた。オリバーが弁解がましく言う。「いろいろ手間取っていまして」。彼が言うには、首相は最近、プーチン大統領ら客人が帰ったあと、ようやくスノーデンの件について報告を受けた。そして「憂慮されている」――。オリバーはこうも付け加えた。「われわれは、あなたがたがもっとたくさん資料をお持ちだという前提のもとに動いています」

結局、キャメロン首相の懐刀であるジェレミー・ヘイウッド卿が特使として派遣された。内閣府長官のヘイウッドはすでに三人の首相、三人の大臣に仕えていた。オックスフォードとハーバードで教育を受けた、聡明であか抜けたこの自信家は、たいがいのことは意のままに動かしてきた。

2012年の人物紹介で、『デイリー・ミラー』紙はヘイウッドを「英国で最も力を持つ役人……表に名前は出ない」と評している。同紙によれば、ロンドン南部のクラパム地区でぜいたくな暮らしをしているらしい（ワインセラーとジムを建設中だったとか）。内閣府で政策担当責任者を務めたニック・ピアースは、冗談まじりに『ミラー』に語っている。「この国にもし成文憲法があれば、『ジェレミー・ヘイウッドがつねに権力の中枢にいるのは事実だとしても、われわれは自由で平等な市民である』と書かなければなりませんね」

今回と同じようなミッションに内閣府長官を起用した不幸な前例がある。1986年、当時のマ

ーガレット・サッチャー首相は、情報漏洩を法的に抑えようとしてロバート・アームストロング卿をはるばるオーストラリアに派遣したが、失敗に終わった。実はMI5が、元職員のピーター・ライトの回顧録 *Spycatcher*（邦訳『スパイ・キャッチャー』）の出版を止めようとしていたのだ。このなかでライトは、元MI5長官のロジャー・ホリスはソ連のスパイだった、MI5はロンドンで盗聴や不法侵入をくり返し、英連邦会議を盗聴していたと主張した。GCHQによるG20の盗聴疑惑と同じである。

サッチャーの思惑は頓挫した。アームストロングは証言台で冷笑の的にされた。特に、「公僕は時に真実を出し惜しみするものです」と独りよがりな発言をしたのがまずかった。その宣伝効果もあって、ライトの回顧録は全世界でベストセラーになった。

6月21日金曜日の午前8時30分、ヘイウッドは『ガーディアン』のキングスプレイスのオフィスに到着した。「見るからにいらいらしていました」とジョンソンは言う。首相、副首相のニック・クレッグ、外相のウィリアム・ヘーグ、法務長官など、「政府の方たちがみんな大いに懸念しています」とジェレミー卿は言った（ドミニク・グリーブ法務長官の名前を出したのはわざとである。国家機密法に基づく訴追を決定するのはグリーブだったからだ）。

ヘイウッドは、アフガニスタンにおける部隊の展開場所、「わが国の諜報員」の活動拠点を明かさないという確約をほしがった。「お約束します」とラスブリッジャーは言った。政府はここまでの『ガーディアン』の理性的な行動に感謝している、とヘイウッドは謙虚な姿勢を見せた。だが、これ以上の情報公開はよからぬ犯罪を助長し、MI5の諜報員を危険にさらしかねない――。

『ガーディアン』の暴露記事は米国ではトップニュースになり、大きな議論を巻き起こしている、とラスブリッジャーは言った。アル・ゴアからグレン・ベックまで、ミット・ロムニーからアメリカ自由人権協会まで、あらゆる人々が懸念をいだいている。インターネットの生みの親であるティム・バーナーズ＝リー、愛国者法の起草者の一人であるジム・センセンブレナーも協力的だ。オバマ大統領でさえ議論を歓迎すると述べた――。

「オバマと同じように考えてくださることを望んでいます。有意義な議論ですから」とラスブリッジャーは言った。

ヘイウッドは答えた。「議論はもう十分でしょう。散々盛り上がっていますよ。これ以上記事を発表する必要はありません。ほんのわずかでも公にしてもらっては困ります」

法的手段に訴える可能性をヘイウッドは否定しなかった。「さらなる措置」を講じるか否かは法務長官と警察しだいだ、と彼は言った。「あなたがたは盗難物を持っておられるのですよ」と強調しながら。

ラスブリッジャーは、訴訟を起こしても無駄だと説明した。スノーデンの資料はいま、英国以外のいくつかの国にある。グレン・グリーンウォルドをご存じだろうか？　グリーンウォルドはブラジルに住んでいる。『ガーディアン』が公表できなければ、グリーンウォルドがきっとあとを引き継ぐだろう――。

ヘイウッドが言う。「首相が心配しておられるのは、アメリカ人ブロガーよりも『ガーディアン』のことです。いいですか、あなたがたを重要視されているのですよ」

『ガーディアン』はいま外国勢力のターゲットになっている、と彼は続けた。中国やロシアのスパイに侵入される恐れがある。「どのくらいの中国人スパイがその資料をつけねらっているか、ご存じですか?」。彼は窓の外、リージェンツ運河の向こうに見える近代的なアパートを身ぶりで指した。

『ガーディアン』のオフィスは往来の激しい交差点に位置している。ある方向には、キングスクロス駅とセントパンクラス駅。その間に古い貨物操車場——もうじきグーグルの新しい欧州本社になる予定だ。運河には、はしけ、オオバン、アカライチョウ……。ヘイウッドは向かいのアパートを指さして言った。「わが国のスパイもどこにいますかねえ」。冗談なのかどうか判断がつかない。

舞台裏では『ガーディアン』に怒り心頭の者が数多くいるらしかった。目にもの見せてやると息巻く者も。「スノーデンに関してそもそも何をご存じですか? 政府の多くの人間が、あなたがたを営業停止にするべきだ、中国がバックにいるのではないかと考えています」

ラスブリッジャーは、このGCHQの最高機密文書はすでに……そう、何千というアメリカ人と共有されていると言った。結局のところ、リークしたのは『ガーディアン』ではなく、GCHQの海の向こうのパートナーなのだ。ヘイウッドは「どういうことだ」というふうに目を白黒させた。だが、英国の調査は厳しいぞと釘をさした。「この件について書くのは公益に供しません。議会がすべてチェックしています。冷静になってもらえませんか」

ラスブリッジャーはジェレミー卿に、報道の自由という基本原則を思い出してほしいと丁寧に語りかけた。40年前、『ニューヨーク・タイムズ』とペンタゴン・ペーパーズをめぐって同じような

議論があった。ベトナム戦争について論じるのは議会の仕事であり、ジャーナリズムの仕事ではないと米政府関係者は主張したが、『ニューヨーク・タイムズ』は結果的に公表した。「今回、公表するのは誤りだと思われますか？」とラスブリッジャーはこの高級官僚に尋ねた。

話し合いは平行線だった。政府にすれば、『ガーディアン』がいかに強情であるかがはっきりした。『ガーディアン』にすれば、政府が脅しをかけて議論を打ち切ろうとしていることがわかった。よからぬ犯罪を助長云々の非難は、事の性質上、立証できない。それに、追って明らかになるのだが、英政府は実は法的権限を容赦なく行使したいわけではなかった。理由はたぶん単純だ。スノーデンやグリーンウォルドがある種の「保険」をかけていることを恐れたのではないか。つまり、政府が警察沙汰にすれば、ウィキリークスがやったように、機密文書が一つ残らずネットに流出するというしくみである。

国家安全保障担当次席補佐官だったオリバー・ロビンスはのちに、政府の考え方について次のように証言している。「『ガーディアン』が協力的な態度を示すかぎり、取引が最善の戦略でした」。次なる記事について『ガーディアン』が対話の席につくのを条件に、ラスブリッジャーとヘイウッドの二人はハイレベルブリーフィングの開催を提案。ブリーフィング後、同紙は一部修正を加えたうえでTEMPORAの記事を発表した。

それが『ガーディアン』のウェブサイトに掲載されたのは、午後5時28分。直ちに反応があった。怒りの声が続々と寄せられる。たとえば、こんなコメント。「同意もなく私たちをスパイし、プライバシー情報を外国に引き渡すなんて、だれがGCHQに許可した？」

『ガーディアン』調査エディターのニック・ホプキンスは、日常業務の一環として各情報機関と連絡をとりあってきた。TEMPORAの記事の発表後、ホプキンスはあるGCHQ職員に、誤解を解くための「和平会合」を申し入れた。すると、「きみといっしょにいるところを見られるくらいなら、自分の目玉をくり抜いたほうがましだ」との返事。ホプキンスはこう応じた。「そんなことをしたら、僕たちの次のスクープが読めませんよ」。別のGCHQスタッフは、皮肉をこめて、オーストラリアへの移民を考えなくちゃいけないと言った。

『ガーディアン』のジャーナリストたちは、今後の報道が法的な圧力を受けるのではないかと心配した。「この記事は出せなくなるんじゃないか、などと考えたこともあります」とラスブリッジャーは言う。ちょっとしたフットワークが必要だった。

2010年、『ガーディアン』は『ニューヨーク・タイムズ』やドイツの『デア・シュピーゲル』誌と協力して、ウィキリークスによる米機密外交公電の漏洩を報じたことがある。

今回も相互協力、特に米国メディアとの連携にはメリットがあった。そうすれば憲法修正第1条に基づく権利の保護が期待できる。それに、必要とあらば、報道業務をニューヨークにそっくり移すこともできる。ニューヨークではギブソンの巧みな手腕により、かなりの記事がすでに執筆されていた。

ラスブリッジャーは、独立系ニュースサイト「プロパブリカ」の創設者、ポール・スタイガーに連絡を入れた。相性はぴったりだった。非営利のプロパブリカは厳正な報道姿勢で評価が高く、ピュリツァー賞を2度受賞していた。編集済みの文書を一部選び、厳重に暗号化したうえ、フェデッ

クスでスタイガーに届けた。このシンプルなローテク手法は結果的に人目を引かず、100%安全だった。

プロパブリカのテクノロジー担当記者、ジェフ・ラーソンがロンドンの作戦室に加わった。大学でコンピューターサイエンスを専攻したラーソンは、その道のプロだ。NSAの複雑なデータマイニングプログラムも図表を使って簡単に説明してくれた。お見事というほかない。

ラスブリッジャーは『ニューヨーク・タイムズ』の編集主幹、ジル・エイブラムソンとも話をしていた。前任者のビル・ケラーと知り合いだった関係で、エイブラムソンとは親しい間柄だった。考えてみれば、おかしな対話である。理屈のうえでは『ニューヨーク・タイムズ』と『ガーディアン』はライバル関係にある。しかも『ガーディアン』はつい最近、安全保障に関するスクープを連発することで、『ニューヨーク・タイムズ』の米国の縄張りを侵したようなものだ（『ニューヨーク・タイムズ』があっぱれなのは、NSAの記事を後追いし、同紙なりのすぐれた記事を書いた点である）。

そんな『ニューヨーク・タイムズ』がスノーデンファイルに関して『ガーディアン』とタッグを組むだろうか？　ラスブリッジャーはエイブラムソンに、これはとっておきのホットなネタだとあからさまに言った。『ニューヨーク・タイムズ』がこれにお目にかかれる保証はない。その使用をめぐっては厳しい条件がつきそうだ。「（ここ英国は）ますますアツくなっています」と彼は言った。ウィキリークスで協力したときと同様、両方の側にメリットがあった。『ニューヨーク・タイムズ』はUSBメモリーを、『ガーディアン』は修正第1条を手に入れられる。エイブラムソンは同

意した。

この取引をスノーデンはどう思うだろうか？　まず歓迎しそうにはない。スノーデンは『ニューヨーク・タイムズ』を何度も激しく批判していた。不誠実で、あまりにも米政府寄りだというのが、彼の見立てである。

しかし、ほかにやりようがなかった。『ガーディアン』は窮地に立たされていた。いつなんどき警察が踏み込んできて、スノーデンの文書を押収しないともかぎらない。そうなれば専門家がハードディスクを詳細に調べるのは避けられない。その結果、情報源であるスノーデンに対する米国の捜査がさらに強化される可能性がある。

2週間が過ぎた。『ガーディアン』はその間も記事を発表しつづけた。作戦室の面々にとっては、ストレスの募るきつい時期だった。友人や同僚にも話せない。話せるのは信頼できる仲間だけ。

すると7月12日金曜日、ヘイウッドが再び現れた。ピンクのストライプシャツを着たクレイグ・オリバーもいっしょである。GCHQのファイルを返還せよ、というのがメッセージだった。政府は態度を硬化させているようだ。ただし、状況把握が進んだとは思えなかった。「どういうものをお持ちかはよくわかっていません」とジェレミー卿は言った。「30から40の文書をお持ちなのでしょう。そのセキュリティーについて心配しています」

ラスブリッジャーは言った。「アメリカに文書のコピーがあるのはご存じでしょう?」。ヘイウッドが答える。「われわれとしては、よしなに計らうこともできれば、法に訴えることもできます」

ラスブリッジャーはそこで妥協案ともとれる提案をした。GCHQから技術専門家を派遣しても

らい、データの安全な取り扱いについてスタッフにアドバイスしてもらえないか。破棄という可能性もいずれ含めて――。ただしファイルを渡すつもりはない、と彼は明言した。「まだ作業は続いていますから」。ヘイウッドとオリバーは週末に検討すると言ったものの、ファイルを返す方向で考え直してもらいたいのが本音だった。

3日後の夜、ラスブリッジャーは近くのイズリントン地区にあるビクトリアンパブ「クラウン」で静かにビールを飲んでいた。首相報道官のオリバーからテキストメッセージが届く。国家安全保障担当次席補佐官のオリバー・ロビンスとのミーティングを設定したか、と。

「JH（ヘイウッド）はあなたがミーティングに賛同してくれなかったので心配しています」

ラスブリッジャーは面食らった。返信：「安全対策についての？」

オリバー：「資料返還についてです」

ラスブリッジャー：「彼が提案したのは安全対策についてのミーティングでは？」

オリバー：「いいえ。資料返還に関するミーティングで間違いありません」

週末に何かが変わったらしい。スノーデンファイルを返すという取引などなかった、とラスブリッジャーは報道官に述べた。

オリバーはとりつく島もなかった。「十分楽しまれたでしょう。そろそろファイルを返すときです」

ラスブリッジャーは応じる。「明らかに違うミーティングの話になっています。その件に同意した覚えはありません。心変わりされたのなら、それはそれでけっこう」

オリバーはいよいよ強権をふりかざした。「返却されないなら、今夜『別の人たち』に話をしな

ければなりません……」

ラスブリッジャーはあっけにとられていた。6週間前にスノーデンの最初の記事が出て以来、政府の対応は特に切羽詰まっていなかった。反応に何日かかかることもめずらしくなかった。官僚的な、怠惰といってもよい遅滞ぶりだ。それがいま、数時間以内の決定を望んでいる。「いきなりなんなんだという感じでした」と、ある部内者は言う。敵国からの差し迫った脅威が感知されたのかもしれない。あるいは、警察当局が業を煮やしたか。それとも、キャメロンが「なんとかしたまえ」と気のない指示を出したのか。

翌朝、ロビンスから電話があった。38歳のロビンスは、オックスフォード、財務省、トニー・ブレアの私設第一秘書、内閣府の情報担当相と、出世街道まっしぐらの人物だった。「すべて終わり」だと彼は宣告した。スノーデンのファイルが「破棄された」という確証を、閣僚たちはすぐに必要としている。GCHQの技術者もファイルを点検し、それがたどった「道筋」を確認したがっている。第三者が盗んだものかどうかをチェックするために。

ラスブリッジャーはくり返した。「意味がわかりません。もう米国の手にあるんですよ。われわれは向こうから報道を続けます。あなたがたは状況を掌握できなくなります。米国のニュース機関とこういう話はできませんよね」

次いでラスブリッジャーは尋ねた。「こちらが言うことをきかなければ、本気で営業を止めるおつもりですか?」

「そう申し上げています」とロビンスは言った。

その日の午後、『ニューヨーク・タイムズ』のジル・エイブラムソンと編集幹部のディーン・バケットが『ガーディアン』のロンドンオフィスをこっそり訪れた。

『ガーディアン』は協力の条件14項目を、A4判の紙に並べていた。

双方の新聞がファイルを共有することが取り決められた。『ニューヨーク・タイムズ』には国家安全保障の知識が豊富な記者がいることを、ラスブリッジャーは知っていた。「これが私たちのニュースソースです。彼のことはそちらのニュースソースとしても扱ってください」とラスブリッジャーは言った。それから、スノーデンもグリーンウォルドも『ニューヨーク・タイムズ』のファンでは必ずしもない、と付け加えた。『ガーディアン』の記者も何人かニューヨークに派遣することにした。

エイブラムソンは苦笑した。彼女は条件に同意した。

その後、エイブラムソンとバケットは帰国するためヒースロー空港に到着した。警備員が彼らを壁のほうへ連れて行く。たまたまなのか？　それともGCHQのファイルを探しているのか？　いずれにしてもファイルはなかった。すでに大西洋をこっそり渡っていたからだ。

ラスブリッジャーのほうはいつもの夏のように、中央フランス・ロット渓谷の「ピアノキャンプ」に出かける予定だった。*Play it Again*という本を上梓したばかりだった。これは過酷な仕事の日々やウィキリークスの記事と、ショパンの最も難しいとされる作品「バラード第1番」の練習をどう両立させたかという話である。副編集長のジョンソンに相談し、こういう異常事態のなかで

はあるがラスブリッジャーは出かけることにした。彼はボルドー行きのユーロスターに乗り込んだ。最初のうちこそ音楽に集中できなかったが、やがてドビュッシーの音楽世界に完全に没入した。

ラスブリッジャーがピアノ技術を磨いている間、ロンドンでは、『ガーディアン』の長い歴史のなかでもとりわけ奇妙なエピソード」（ラスブリッジャー）へ向けて、ものごとは進行しようとしていた。

ロビンスが再び現れた。「実に礼儀正しく丁寧でした。あからさまな威嚇はありません」とジョンソンは言う。だがこの官僚は、政府は『ガーディアン』のコンピューターを押収し、これを科学的な分析に回す意向だと述べた。ジョンソンは拒否した。スノーデンおよび『ガーディアン』のジャーナリストに対する責任がある、と。副編集長は別の提案をした。営業停止を避けるため、GCHQの指導のもとで「作戦室」のコンピューターをみずからたたき壊そうというのだ。ロビンスは同意した。

まるで産業革命による失業を恐れて労働者が機械を破壊した、ラッダイト運動のパロディーである。

7月19日金曜日、GCHQから二人の男が『ガーディアン』を訪れた。名前は「イアン」と「クリス」。彼らは『ガーディアン』幹部のシーラ・フィッツサイモンズと面会した。クレムリンはまさにジェームズ・ボンドばりのテクニックを使えるようだ、とイアンは言った。「そこのテーブルにプラスチックのカップがありますね。プラスチックのカップはマイクに変えることができます。ロシア人は窓からレーザー光線を送り込んで、これを盗聴器に変えられるのです」。『ガーディア

ン』はこの二人に「ホビット」(児童小説の主人公)というニックネームをつけた。

2日後、ホビットがまたやって来た。今度はロビンスと、カタという一筋縄でいきそうにない役人がいっしょである。二人のうち年長のイアンは、背が低く快活で、シャツにチノパンツというい でたちだった。サウスウェールズを思わせるアクセントで話す。クリスのほうが背が高く、無口だった。彼らは謎めいた大きなリュックサックを一つ持参していた。どちらもジャーナリストと接したことがなく、これは新鮮な経験だった。通常ならマスコミと親しくするのは厳禁である。

イアンは、自分なら『ガーディアン』の秘密の作戦室にどうやって侵入したかを説明する。「警備員に5000ポンド渡し、ダミーキーボードを設置させる。隠密裏にこれを取り戻す。あなたがたのすることはすべて筒抜けだ」(この計画はかなり楽観的な前提のもとに成り立っていた)。このとき、カタが首を横に振った。『ボーイズ・オウン』への投稿はどうやら歓迎されなかったらしい。するとイアンは尋ねた。「文書を拝見できますかね?」。ジョンソンはダメだと言った。

次に、GCHQのチームは例のリュックサックを開けた。なかからは大型の電子レンジのようなものが出てきた。この怪しい物体は、消磁装置。磁場を壊して、ハードディスクとデータを消去する。電機メーカーのタレスの製品である。

イアンとクリスの二人組は「よい警官・悪い警官」というよりも「悪い警官・静かな警官」というたたずまいだった。

イアン:「こういうのが必要ですよ」

ジョンソン:「自分の消磁装置を買うので、けっこうです」

イアン：「無理でしょう。3万ポンドします」
ジョンソン：「なるほど。じゃあ無理でしょうな」
『ガーディアン』は、政府のスパイ機関が薦めるほかのものはすべて買うことにした。アングルグラインダー、ドレメル（回転ビット付きのドリル）、マスク……。「煙と火がたくさん出ますよ」とイアンは忠告した。そして嫌味たらしく付け加えた。「なんならブラックヘリコプターを退去させましょうか」

翌7月20日土曜日の正午ごろ、ホビットがまたしてもやって来た。3階下の窓のないコンクリートの地下室にいる、ジョンソン、ブリッシェン、フィッツサイモンズと合流する。使われていない部屋だが、過去の時代の遺物がたくさん置かれている。1970年代に組版に使ったライノタイプ機、かつてファリンドンロードの古いオフィスに飾られていた「The Guardian」の巨大な文字……。

ジーンズにTシャツ姿の『ガーディアン』の三人のスタッフが、イアンの指示に従い、交代でコンピューターをたたきつぶす。筐体、回路基板、チップ……。ハードな仕事だった。すぐに火花と炎が上がった。粉塵もすごかった。

イアンは、GCHQの暴露記事のせいでお気に入りのジョークが使えなくなったと嘆いた。彼はよく就職フェアに出向き、聡明な学生をスパイ機関にスカウトしていた。スピーチの締めくくりはこうだ。「もっと関心がおありなら、お母さんに電話してください。それでこちらにつながりますから！」。このジョークは広報部から禁止されてしまった、と彼はぶつぶつ文句を言った。

破壊行為が続くなか、イアンは自分が数学者であることを明かした。しかも、そんじょそこらの数学者ではない。彼がＧＣＨＱに入った年は応募者が７００人いたらしい。１００人が面接を受け、採用されたのはたったの三人。「ずいぶん優秀なんでしょうね」とフィッツサイモンズが言った。「そういうふうに言う人もいます」とイアンは答えた。クリスは目を丸くした。ＧＣＨＱの二人はｉＰｈｏｎｅでそれぞれ写真を撮った。

破壊作業が終わると、ジャーナリストたちは破片を消磁装置にかけた。まるで積み木を箱に片づける子どものように。全員が後ろに下がってようすを見守る。イアンが身を乗り出した。何も起こらない。……まだ何も起こらない。ようやく、ポンという大きな音が一つした。

3時間かかった。データは破壊され、レーザー光線をあやつるロシアのスパイの手の届かぬところへ行ってしまった。ホビットの二人は喜んだ。ブリッシェンはあきらめきれない気持ちだった。「ずっと守ってきたものが完全に壊されてしまいました」。スパイたちと『ガーディアン』のチームは握手した。イアンは急いでその場を去った（翌日が結婚式なので、ちょっと急いでいたそうだ）。イアンとクリスはロンドンに来ることなど、めったになかったに違いない。二人とも家族へのおみやげが入ったショッピングバッグをさげて出て行った。

「とても異様な出来事でした」とジョンソンは言う。英政府が大手新聞社にコンピューターの破壊を強要したのだ。この異例ともいえる時間は諜報活動のようでもあり、無言劇のようでもあった。しかし、政府の高圧的な姿勢はこれがピークではなく、まだまだ続くのである。

＊第10章＊ 邪悪たるべからず

2013年夏
カリフォルニア州シリコンバレー

「彼らは目が覚めるまで決して反抗できない」

ジョージ・オーウェル『1984年』

それは象徴的なコマーシャルだった。1984年のマッキントッシュの発売にともなって、スティーブ・ジョブズは世界をとりこにする広告をつくった。ジョージ・オーウェルのディストピア小説を下敷きに、配役を変更した。主人公のウィンストン・スミスがアップルである。勇敢な同社が、ビッグ・ブラザーの暴政と戦うのだ。

ウォルター・アイザックソンがジョブズの伝記で述べているように、このアップル創業者はカウンターカルチャーの申し子だった。禅を実践し、マリファナを吸い、はだしで歩き回り、流行りのベジタリアンになろうとした。彼は「フラワーパワーとプロセッサパワーの融合」を体現していた。たとえアップルが超のつく大企業になっても、未来を切り開いたハッカー、海賊版制作者、おたくなど、コンピューター分野の初期の反逆児やヒッピー的なパイオニアに共感しつづけた。

コマーシャルを監督したのは、「ブレードランナー」で名高いリドリー・スコット。スクリーン上に映るビッグ・ブラザーが、整列した労働者たちに演説している。彼らスキンヘッドの無能者は、そろいの制服を着ている。この灰色の悪夢の世界に、突如、魅力的な若い女性が現れる。オレンジの短パンに、白いタンクトップ。手にしているのはハンマーだ！　フル装備の警官たちが彼女を追う。ビッグ・ブラザーが「われらこそ勝利する」と宣言したとき、ヒロインが彼にハンマーを投げつける。閃光のなか、スクリーンが砕け散る。労働者は口をぽかんと開けている。そこへなめらかなアナウンスが流れる。「1月24日、アップルコンピューターはマッキントッシュをお披露目します。１９８４年が『１９８４年』のようにならない理由がわかるでしょう」

この60秒のコマーシャルは、スーパーボウルの放映中に1億人近いアメリカ人に流され、その後、歴史上最もすぐれたCMの一つと称えられた。アイザックソンは書く。「最初、技術者とヒッピーはうまくかみ合わなかった。カウンターカルチャーの支持者の多くは、コンピューターは不吉でジョージ・オーウェル的だ、ペンタゴンやパワーカルチャーの領分に属するものだと考えた」コマーシャルが訴えたのは、その正反対のメッセージである。すなわち、コンピューターはクールで革命的で、人々に力を与える自己表現の道具である、と。マッキントッシュは、全知全能の国家からの自由を主張するための一つの手段だった。

それから30年近くたち、２０１１年にジョブズが亡くなったあと、ＮＳＡのある分析官がこのコマーシャルに対する意地悪い返答を思いついた。最高機密のプレゼンテーション資料を作成した彼は、最初のスライドにジョブズのＣＭから2枚のスチールを拝借した。一つはビッグ・ブラザーの

写真、もう一つはハンマーを持ち、オレンジの短パンをはいたブロンドのヒロインの写真である。

「iPhoneの位置情報サービス」の見出しのもと、彼はこう書いた。

「1984年にだれが知っていただろうか……」

次のスライドは、iPhoneを掲げるジョブズの姿。

「この人物がビッグ・ブラザーになるとは……」

3枚目のスライドには、iPhone4を買って大喜びする顧客たちの姿。あるファンは頬に「iPhone4」と描いている。分析官の決めぜりふは、

「……ゾンビたちがお金を払う顧客になるとは」

ゾンビとは、一般大衆を指していた。iPhoneのおかげで、諜報機関がビッグ・ブラザーも真っ青の監視能力を手にしたことを、彼らは知らない。「お金を払う顧客」は、『1984年』の無能な労働者になってしまった。

デジタル時代とはすなわち創造的な表現、フラワーパワーを意味すると考える人にとって、このプレゼンテーションは衝撃であり、スティーブ・ジョブズへの侮辱だった。ヒッピーカフタンを愚弄し、タンバリンを踏みつけるものだ。発表したNSAの分析官がだれかはわからない。だがその見解は、9・11のあと尊大で無責任になった諜報組織の考え方を反映しているように思えた。スノーデンはNSAを「自己証明的」な組織と呼んだ。だれがインターネットを支配しているかという議論のなかで、NSAは「われわれだ」と、それこそわがもの顔で答えたことがある。

ポイトラスが提供を受け、『デア・シュピーゲル』が公表したこれらのスライドからは、NSA

がiPhoneをハッキングする技術を開発していたことがわかる。アンドロイドなど他のスマートフォンに取り組む専門チームもいた。かつて難攻不落のデバイスとしてホワイトハウスのスタッフに重用されたブラックベリーもターゲットにされた。

写真からボイスメールまで、NSAは何でも盗み出せる。フェイスブックもグーグルアースもヤフーメッセンジャーもハッキングできる。特に重宝するのは、ターゲットがいつどこにいたかを教えてくれる地理データだ。全世界の携帯電話利用者の位置情報が、一日に何十億件と集められる。NSAは強力な解析システムを使ってこれらをふるいにかけ、ターゲットの「旅の相棒」を探し出す。以前はこういう仲間を知る手立てはなかった。

別の機密プログラムでは、1970年代のピンク・フロイドの名アルバム『狂気』のジャケットをヒントにしたロゴが使われていた。白い三角形が光をスペクトルに分解している。プログラムの名称は「PRISM（プリズム）」。スノーデンはPRISMの機能を説明した41枚のパワーポイント資料をリークした。

あるスライドには、シリコンバレーのIT企業がNSAのパートナーになったと思しき日付が明示されていた。最初にデータ提供に協力したのはマイクロソフトで、日付は2007年9月11日。同時多発テロの6年後である。次いでヤフー（2008年3月）、グーグル（2009年1月）。続いてフェイスブック（2009年6月）、パルトーク（2009年12月）、ユーチューブ（2010年9月）、スカイプ（2011年2月）、AOL（2011年3月）。理由はわからないが、アップルは5年間抵抗した。大手では最後に同意した会社である。同意時期は2012年10月――ジョ

ブズが亡くなってちょうど1年後だった。

トップシークレットのPRISMプログラムのもと、米国のインテリジェンスコミュニティーは、Eメール、フェイスブックの投稿、インスタントメッセージなど、大量のデジタル情報にアクセスできる。米国外に住む外国人テロリストを追跡するために必要だという理屈である。

このデータ収集プログラムは個別の令状を必要としないらしい。そんなことをせずとも、連邦裁判所がFISAに基づいて一括承認してくれる。スノーデンがPRISMの存在を暴露したときには、少なくともIT企業9社がこれにかかわっていた（スライドによれば、ドロップボックスも加わる予定だった。ツイッターの名前は見当たらない）。

最も議論を呼ぶのは、NSAがこの個人データにどのようにアクセスしているかである。スライドの記述によると、データはグーグル、ヤフーをはじめとする「サービスプロバイダー」9社の「サーバーから直接」収集される。

スノーデンは香港で、この「直接のアクセス」こそがPRISMの実態であると強調した。彼はグリーンウォルドに言った。「米政府はみずからの目的のために企業を仲間に引き入れています。グーグル、フェイスブック、アップル、マイクロソフトなどの企業がNSAに手を貸しています。私たちがコミュニケーションをとり、データを保存し、クラウドに情報を預けるため、はたまたバースデーメッセージを送り、日記をつけるために使うあらゆるシステムのバックエンドに、NSAは直接アクセスすることができます。IT企業は、監督したり責任を負ったりするのが嫌だから、NSAに直接のアクセスを認めるのです」

漏洩したPRISM文書は、NSAスタッフ向けの研修マニュアルがもとになっている。マニュアルにはいくつかのステップが示されている。まず、複雑な「タスキング」プロセス。分析官がPRISMを使って（タスクを課して）、新しい監視ターゲットを探す。次に、上司が分析官の検索語（「セレクター」として知られる）をチェックする。その後、ターゲットが米国外に住んでいるという、分析官の「合理的確信」に上司が同意する（このさいの基準は低く、「51％の確信」でよいとされる）。

ターゲットに同意が得られると、PRISMが本格的に始動する。IT各社に設置されたFBIの高性能機器が、そのターゲットにマッチする情報を引き出す。FBIが持つ独自のデータベースを使って、誤ってデータを吸い上げた米国人を取り除く（スライドの表現では「調査・確認する」）。ただし、このシステムは100％確実ではない）。FBIはこのデータをNSAに渡す。NSAの各種解析ツールがこれを処理する。たとえば、インターネットの記録を選別・保存するMARINA、通話記録に用いるMAINWAY、ビデオを扱うPINWALE、音声データ用のNUCLEONなど。

別のスライドによれば、NSAには「リアルタイムの報告能力」があるらしい。言い換えれば、ターゲットがEメールを送り、テキストメッセージを書き、チャットを始めるたびに、NSAに通知が行く。コンピューターを起動しただけでもわかるという。

スノーデンのスライドを見ると、米国の諜報活動にとってPRISMがいかに重要かがよくわかる。2013年4月5日現在、米国のPRISMデータベースには11万7675人の監視ターゲッ

トが登録されていた。『ワシントン・ポスト』によれば、PRISM由来の情報は、その多くが最終的にオバマ大統領まで報告される。情報機関のレポートの七つに一つがPRISM関連である。英国のスパイもそれを読む。

研修マニュアルからは、シリコンバレーが積極的にNSAに協力している印象を受ける（会社によって熱心さに差はあるが）。PRISM資料の各スライドの上部には、IT企業9社すべてのロゴが印刷されている。ジョブズのアップルも例外ではない。光り輝く、色とりどりの蝶のようだ。

PRISMをめぐる懸念が自分を内部告発に駆り立てた、とスノーデンは言う。その資料は、グリーンウォルドとポイトラスに彼が最初にリークした文書の一部である。だがPRISMは、厄介な全体像を構成する一つの重要要素にすぎなかった。過去10年間、米国政府は自国に出入りする通信トラフィックのほぼすべてをひそかに集めていたのだ。

NSAの本来のミッションは、外国の情報収集である。だがこの諜報機関は、錨が切れて漂う超大型タンカーのように当初の目標を見失ってしまった。NSAは国内の通信情報も大量に集めている。ビッグデータの時代になったいま、「具体」から「一般」、外国を標的にした監視から、スノーデンの言う「すべてをお見通しの自動的な大量監視」へ移行した。

NSAには光ファイバーケーブルの盗聴という大きな極秘任務もあるが、それは英国のGCHQのTEMPORAプロジェクトと並行するように実行され、UPSTREAMというコードネームで呼ばれた。このプログラムにより、NSAはインターネットや電話のデータが行き来する光ファ

イバーケーブルに直接アクセスできる。

あるスライドでは、UPSTREAMは「ファイバーケーブルおよびデータインフラ上の通信の収集」と説明されている。米国の地図があり、そこから太平洋と大西洋の両方に茶色のケーブルが伸びている。まるで巨大な海洋生物の触手のようだ。どうやら米国は、南米、東アフリカ、インド洋でもケーブルを盗聴しているらしい。ケーブルの一部を囲むように緑色の輪が描かれ、それがUPSTREAMと記されたボックスにつながっている。下のほうにはもう一つボックスがあり、PRISMと書かれている。両方のボックスを指して、データ収集者への指示がひとこと。「両方を使うように」

NSAの内部告発者、ウィリアム・ビニーを取材したジェームズ・バムフォードによれば、UPSTREAMは全通信の80％を掌握しているという。UPSTREAMが取りこぼしたデータをPRISMがカバーするのだ。

スノーデンはUPSTREAMについてグリーンウォルドにこう語っている。「NSAは外国の情報だけでなく、米国を通過するすべての通信を収集しています。米国本土には、通信が監視、収集、分析されずに出入りできる地点は一つもありません」

大量のインターネットトラフィックが米国を通り、その4分の1が英国を横断するので、NSAとGCHQは全世界の主な通信の大部分をハッキングすることができる。NSAの監察官が書いた2009年のレポート（これもスノーデンがリークした）は、この事実を認めている。「米国はさまざまな手段を通じて外国諜報活動を行っている。最も有効な手段の一つは、営利事業者と協力し

て、簡単には得られない情報にアクセスできるようにすることである」

このレポートは「全世界の通信の中心というアメリカの利点」に触れている。NSAは「100以上の米企業」と関係を結んでいる、とレポートにはある。民間企業と諜報機関のこうした蜜月関係は「第二次大戦のころまで」さかのぼるという。

特に二つの企業（名前は明かされていない）との強いつながりのおかげで、NSAは世界中の通信を傍受できる。さきの監察官の言葉を借りれば、「光ファイバーケーブル、ゲートウェイスイッチ、データネットワーク経由で米国を通る大量の外国間通信」にアクセスできる。

国際電話に関しても米国には同じ「メリット」がある。ほとんどの国際通話は、国際電話システムのなかの少数のスイッチないし「チョークポイント」を経由して最終目的地に到達する。その多くは米国にある。米国は「国際的な交換電話トラフィックの中心地」であるとレポートは言う。そこには特筆すべき数字が示されている。2003年の電話通信1800億分《ふん》のうち、20％が米国を発着し、13％が米国を通過していた。インターネットの数字はそれ以上である。2002年に全世界のインターネットトラフィックで米国を経由しなかったのは、ごくわずかしかない。

通信会社にとって、NSAとの協力関係はずいぶんお金になった。国際通話の81％にアクセスする見返りに、米政府は毎年、大手通信会社に何億ドルもの大金を支払っている。英政府が国内の「傍受パートナー」、なかでもかつて国営企業だったBT、それからボーダフォンにいくら払っているかはわからない。だがおそらく、同じように相当な金額になるだろう。

当時からNSAの能力は驚くべき水準にあった。英国をはじめとするファイブ・アイズの支援を

受け、光ファイバーケーブル、電話メタデータ、グーグルやホットメールのサーバーにアクセスできた。ＮＳＡの分析官は人類の歴史上、最も強力なスパイだった。彼らはどんなときでも、ほぼどんな人でもターゲットにできる、大統領とて例外ではない、とスノーデンは断言する。

「ＮＳＡもそうですが、インテリジェンスコミュニティーは概して、可能なかぎりの手段を使い、あらゆるところから情報を入手しようとします」と彼は言う。「最初のうちは外国の情報だけが対象でしたが、いまや国内にも活動は及んでいます。ＮＳＡはすべての人の通信をターゲットにします。無条件にそれをシステムのなかに取り込み、選別、分析、測定し、長い間保存します。目的を達成するには、それが一番簡単で効率的で役立つ方法だからです」

スノーデンファイルを全体として見れば、ＮＳＡの分析官として自分が強大な力を持っていたという彼の主張にも納得がいく。

「彼らは、外国政府とつながっている者やテロリストと疑われる者をターゲットにしているのかもしれませんが、そのためにはあなたの通信内容も収集します。分析官はどんなときも、どんな人でもターゲットにできます。どんなセレクターでも、どんな場所でも。こうした通信を傍受するかどうかは、センサーネットワークの範囲や分析官の権限しだいです。すべての分析官が、あらゆる人を標的にできるわけではありません。でも私は、机に座ったまま、だれでも盗聴できる権限を与えられていました。個人用メールアドレスがあれば、あなたも、あなたの税理士も、連邦判事も、それに大統領だって盗聴可能です」

ＰＲＩＳＭの暴露記事によってサンフランシスコ・ベイエリアのハイテク企業は、最初は当惑し、次に否定し、そのあと憤慨した。ハイテク大手のほとんどが居を構えるサンタクララは、反政府的であることを気取ろうとする土地柄である。クパチーノやパロアルトの町で感じられるのは、リバタリアン的、反体制的な空気である。ハッカーコミュニティーをルーツとするシリコンバレーの伝統といってもよい。同時に、これらの企業は政府からの契約をめぐって張り合い、相手より優位な立場に立つために政府の元職員を雇い、自社に有利な法律を通してもらうために何百万ドルという資金をロビー活動に投じる。

アメリカ一強大なスパイ機関と協力していると断定されるのは、会社として最悪の事態である。シリコンバレーのイメージ、ＩＴ企業は革新的で因習にとらわれないという常識が崩れてしまう。グーグルは「邪悪たるべからず（Don't be evil）」というミッションステートメントを誇りにしていたし、アップルは「発想を変えよ（Think Different）」というジョブズの教えをアピールしていた。マイクロソフトのモットーは「一番のプライオリティーはプライバシー（Your privacy is our priority）」である。こうした企業スローガンももはや皮肉にしか聞こえない。

ＰＲＩＳＭの記事の発表に先立って、『ガーディアン』の米ビジネス記者、ドミニク・ルシェは取材先リストに目を通し、オバマ政権の元スタッフで、現在はフェイスブックの広報担当のサラ・スタインバーグ、それからアップルの広報責任者のスティーブ・ダウリングに電話をかけた。マイクロソフトやパルトークなどにも電話した。どの会社もことごとく、ＮＳＡに自発的に協力したことを否定した。

「完全にパニック状態でした。ＰＲＩＳＭなんて聞いたことがないとみんな言いました。だれにも直接のアクセスを認めていない、と。私のところへはハイテク企業の幹部から電話がかかってきて——それもだんだん偉い人からになってきて——むしろこちらが質問攻めにされました」とルシエはふり返る。

どの企業も、個別の裁判所命令に応じてＮＳＡに情報を提供しただけで、包括的な方針があったわけではないと述べた。フェイスブックは、２０１2年の後半に、1万８０００〜1万９０００人のユーザーの個人データを、ＮＳＡだけでなくＦＢＩ、地方警察など、さまざまな法執行機関に渡したことを認めた。

政府の水面下の情報要請についてもっとくわしく発言できるよう、ＦＩＳＡ裁判所に訴えを起こしたと強調する会社もいくつかあった。グーグルは「米政府を含めいかなる政府にも、システムへのアクセスを認めていません」と主張した。同社のチーフアーキテクト、ヨナタン・ザンガーいわく、「シュタージ（旧東ドイツの諜報機関）を再建するために冷戦を戦ったわけじゃありません」。ヤフーはもっと情報公開させてほしいと2年間戦っており、ＦＩＳA改正法にも異を唱えたと言った。これまでのところ、その努力は実を結んでいない。

だが、ＮＳＡの文書は明快このうえないと思われる。「直接のアクセス」と述べているのだから。

この矛盾をどう説明するのかと問われて、グーグルのある幹部は「難しい問題」だと答えた。彼はＰＲＩＳＭのスライドは根拠のない「内部マーケティング」の一端だと片づけ、こう付け加えた。「ＮＳＡにデータを提供するための裏口などありません。すべては表玄関経由です。裁判所命令が

出され、私たちはそれに従わざるをえないのです」

だが2013年10月に、裏口の存在が明らかになった。関係各社も知らない裏口だった。NSAがヤフーとグーグルのデータを傍受していることを『ワシントン・ポスト』がすっぱ抜いたのである。やり口は巧妙だった。「英国領内で」、ヤフーおよびグーグルの全世界のデータセンターを接続する光ファイバーリンクに侵入するという方法だ。

この傍受工作のコードネームは、MUSCULAR。実際は米国の代わりに英国がハッキングを担当しているようだ（MUSCULARのあるスライドには「2009年7月運用開始」「英国での大規模な国際アクセス」とある）。

ヤフーにせよグーグルにせよ、顧客のデータの安全性確保に手を尽くしている。しかし彼らは、欧米にあるデータセンター間で情報を伝達する。インターネットケーブルをリースし、独自のプロトコルでこれを保護している。NSAは、英国を通るこのケーブルに侵入したのである。興味深いのは、両社がケーブルオペレーターとして雇ったとされるレベル3コミュニケーションズだ。レベル3は英国の最高機密文書のなかで、LITTLEというコードネームの「傍受パートナー」と位置づけられている。コロラド州を本拠とする同社によれば、営業する各国の法的要請に従っているとのこと。

あるNSA分析官は、MUSCULARプログラムのしくみについて子どもじみた説明をしている。スライドには「公共のインターネット」と「グーグルのクラウド」という二つの領域が示され、NSAがデータに侵入するその接合部分にはスマイルマークが描かれている。ツイッターでは数多

くのパロディーがつぶやかれた。「こういうスライドがいくつもあって、NSA内部の人間が自分たちのプログラムを自慢していることがわかります」と、プロパブリカのジェフ・ラーソンは言う。「連中ときたら、『暗号を破れる！　プロトコルを入手できる！』とはしゃいでるありさまです」

NSA調達部門のある文書によれば、裏口からのアクセスのおかげで、何億ものユーザーアカウントに入り込むことができるという。データはフォートミードのNSA本部に送られ、保存される。その数たるやすさまじい。2012年後半のある1カ月間に、メタデータを含む1億8128万4466件の新しい記録がパズル・パレスに送られている。

グーグルとヤフーはこれらの暴露情報に卒倒せんばかりの反応を示した。グーグルの最高法務責任者のデイビッド・ドラモンドは、米政府が「われわれのファイバーネットワークからデータを盗んで」いたとは何ごとかと憤慨した。ヤフーは、NSAの泥棒行為についてなにも知らなかったとくり返した。

2013年の秋までには、関係するすべてのIT企業が、この手のスパイ活動からシステムを守るべく対応を急いでいると述べた。成功の見込みはあった。NSAが世界中の通信を傍受できるといっても、その力はスノーデンが指摘するほど底知れないとはかぎらないからだ。つまり、全世界のデータフローに侵入するのと、それを実際に読み解くのは別次元の話なのである。暗号化が始まればなおさらだ。

1642年10月23日、イングランドのオックスフォード北方で二つの軍隊が衝突した。一方はチ

ャールズ国王軍、もう一方は議会軍。この「エッジヒルの戦い」はイングランド内戦の最初の戦闘である。戦いは泥沼化した。議会軍は大砲を撃ち、国王軍は騎兵隊で突撃する。双方の未熟な兵士が相次いで脱走する。敵を打ち負かすより略奪に熱心な者もいた。勝敗はつかなかった。さらに4年間、戦いは延々と続いた。

2世紀後の1861年7月21日、またしても衝突が発生した。今回は、アメリカ南北戦争で初めての大規模な陸地戦である。場所はバージニア州のポトマック川の支流、ブルラン。北軍がすぐに勝利する勢いだったが、南軍が猛烈な反撃を開始。アービン・マクドウェル准将以下の北軍兵士はワシントンDCの方向へ逃走した。そう簡単に相手をノックアウトできないことが、この戦いからはわかる。

それから何年もたち、米英のスパイ機関は二つの最高機密プログラムの名前を検討していた。彼らがやろうとしていたのは領土をめぐる戦いではなく、電子データをめぐる戦いである。敵は、拡大する一方の暗号化。彼らが新しい戦いの名称に選んだのは「ブルラン」と「エッジヒル」だ。二つの内戦にスポットを当てたのは、何か特別な意味があったのだろうか？　きっと自国内の企業に宣戦布告しようとしていたに違いない。

暗号が最初に使われたのは古代エジプトおよびメソポタミアである。現在と同じく、機密保持が目的だった。第一次大戦と第二次大戦のさい、軍事暗号や、これを読み解いて敵の動きを知る暗号解析が重要な役割を果たした。だが、それは主に戦争を繰り広げる国民国家の領分だった。一般に、暗号のたぐいに関心を持っていたのは、戦時中のブレッチリー・パーク（暗号学校が設置されてい

た）でナチスの暗号解読に人知れず貢献し、その後はソ連を相手に活躍した英国の数学者たちである。

しかし1970年代には、PGPなどの暗号化ソフトが企業にも個人にも出回るようになっていた。敵のメッセージを引き続き盗み見ようとする西側の諜報機関にとって、暗号化は明らかに煙たい存在だった。クリントン政権はこれに対抗して、商用暗号化システムにバックドアを仕込もうとした。そうすればNSAが侵入できる。だが、この試みは政治的に頓挫した。上院の超党派グループやハイテク企業の幹部が、それはシリコンバレーのためにならない、それに修正第4条に反すると主張したためだ。

2000年を迎えるころには、日々のオンラインコミュニケーションで暗号化がますます普及。NSAは何十億ドルもの資金を投じて、その対抗策を探ろうとしていた。標的はウェブ検索、インターネットチャット、Eメール、個人データ、電話、さらには銀行取引の記録や医療カルテなど。問題は、暗号化されたままの状態で数学的に意味のない「サイファーテキスト（暗号文）」を、いかに「クリアテキスト（平文）」に変換するかだった。

2010年のGCHQのある文書は、時間とともに「情報の流れが変わり、暗号化が当たり前になれば」、同盟国の情報収集能力が後退しかねないと警告している。

最初のうちはスパイ側の負けだと思われた。少なくとも手詰まり状態にはあった。2006年のある漏洩文書によれば、その日現在でNSAが破っていた暗号は、外国の原子力省のもの1件、旅行予約システム1件、国外航空会社3社にすぎない。

ブルランとエッジヒルのおかげでNSAが劇的な進歩をとげるのは、2010年になってからだ。NSAはスーパーコンピューターを使って、暗号化の基本要素であるアルゴリズムを解析した（アルゴリズムは、メッセージの暗号化・復号化を可能にするキーを生成する。キーが長ければ長いほど、暗号は安全になる）。

だが、ここで何よりも重要なのは、スノーデンファイルが示すように、NSAがインチキをしていたことである。バックドアに関して政治的に敗北したにもかかわらず、何百万もの人が使う暗号化ソフトに平然と「トラップドア」を仕込んだのだ。開発業者やIT企業と協力して、NSAはハードウエアとソフトウエアの両方にわざとセキュリティーホールを埋め込んだ。業者が自発的に協力する場合もあれば、法的な命令で協力を強いる場合もあった。必要とあらば、NSAは暗号化キーも盗み出した。キーがしまわれているサーバーに侵入すれば、ほぼ確実に目標を達成できる。

当然、NSAとGCHQはこうした「闇」の詳細を表沙汰にしたくなかった。2010年のある漏洩文書には、ブルランについて箝口令が敷かれていたこと、そしてそれが極めて効果的だったことが記されている。チェルトナムのGCHQスタッフにNSAの新しい成果を説明するさいはパワーポイントが使われた。その結果、解読されたインターネットトラフィックが分析官のデスクに次々と送り込まれるようになった。

文書は言う。「この10年間、NSAは幅広く普及したインターネット暗号化技術を破るため、各方面から積極的な努力を重ねてきた。暗号解読がいよいよ現実のものとなった。これまで捨てていた大量の暗号化データを十二分に活用できるのだ」

また、「このチャンスに乗じるため」には「大規模な処理システム」を新たに導入しなければならないとする。それまでブルランについて知らなかったGCHQスタッフは、NSAが新しく見いだした恐るべき能力に驚いた。ある内部メモには、「まだ説明を受けていなかった者はショックを受けた」とある。

スノーデンが最初に公表した一連のファイルには、暗号解読でNSAに協力した企業名は出てこない。どの商品にバックドアが仕込まれているのかもわからない。だが、ブルランの規模がいかに大きいかは理解できる。米国のインテリジェンスコミュニティー全般に関する予算レポートによれば、ブルラン・プログラムの2013年の予算は2億5490万ドル（これに対してPRISMは年間たったの2000万ドル）。2009年以降、NSAは「シギントの推進」に8億ドル以上をつぎ込んできた。同プログラムは「米国内外のIT業界を積極的に巻き込み、彼らの商品設計にひそかに影響を与え、これを公然と活用する」とレポートは書く。

NSAいわく、同プログラムのよさは、暗号化されているはずの通信内容がもはやハッキング可能なことを一般市民が知らない点にある。178ページに及ぶ予算レポートによると、暗号化システムに「設計変更」をほどこした場合でも、「消費者をはじめとする敵方にとっては……システムのセキュリティーは無傷のままである」。

国家情報長官のジェームズ・クラッパーも暗号の重要性を強調する。「敵対者の暗号を見破り、インターネットトラフィックを活用するため、われわれは革新的な暗号解読技術に投資している」と彼は書く。

ＮＳＡの野心はとどまるところを知らない。リーク資料によれば、この諜報機関は4Ｇ携帯の暗号化システムも破っているほか、ＨＴＴＰＳ、ＳＳＬなど、セキュアトランザクション（銀行やビジネス関連の安全取引）で使用されるオンラインプロトコルも標的にしている。全世界の暗号化市場を「方向づけ」たいというのが願いである。「ある大手通信プロバイダーの拠点を経由するデータ」ならびに「ある大手Ｐ2Ｐ音声・テキスト通信システム」（スカイプのことか）にもまもなくアクセスできる見込み、とある。

一方、英国のＧＣＨＱはブルランと同様のエッジヒル・プロジェクトを精力的に推進していた。ある資料によれば、インターネットプロバイダー3社、企業などが遠隔地からシステムにアクセスするためのバーチャル・プライベート・ネットワーク（ＶＰＮ）30種への侵入に成功している。２０１５年にはインターネットプロバイダー15社、３００のＶＰＮへの侵入が目標とある。

ミッションの遂行に暗号解読の能力は不可欠であり、それがなければテロリストの追跡も重要な国外情報の収集もできなくなる――それが諜報機関の言い分である。だが問題は、『ニューヨーク・タイムズ』が指摘するように、ＮＳＡによる秘密裏の暗号解読工作がゆゆしき事態を招きかねないということだ。

暗号化システムを意図的に弱体化させることで、ＮＳＡはそのシステムに侵入できるようになった。ところがそれは、よかれと思って行動する政府機関だけでなく、暗号化キーを入手できるハッカーや敵国の諜報機関にもいえることだ。矛盾した話だが、ＮＳＡはアメリカ人の安全を守ろうとして、アメリカ人の通信の安全性を低下させた。インターネット全体の安全性を損なってしまった

のである。

サイバースペースのセキュリティー標準を策定する主な機関は、アメリカ国立標準技術研究所(NIST)である。NSAはここにも痛手を与えた。スノーデンの文書によれば、NSAは2006年、NISTの主要な暗号化標準の一つにバックドアを設置(暗号化標準はテキストの暗号化に使うランダムな素数を生成する)。そのうえで別の国際標準機関——そして他の国々——にその採用を推奨した。「ついにわれわれは唯一無二のエディターになった」とNSAは豪語している。

英米両国の諜報機関は、人気の高い匿名化ツールTorの暗号解読にもエネルギーを注いでいる。皮肉にも、米政府はTorの最大の後援者といってよい。国務省と国防総省(NSAの上位組織)が開発資金の約60%を拠出している。理由は単純で、イランなど独裁国家のジャーナリストや活動家がTorを使って、政治的報復やオンライン検閲から身を守っているからだ。

しかしこれまでのところ、NSAとGCHQはTorトラフィックの大部分を解読できていない。代わりにファイアフォックスなどのウェブブラウザーを攻撃し、ターゲットの端末を支配してきた。また、Torシステムの関連トラフィックに「印」をつける能力も開発している。

不断の努力にもかかわらず、NSAとGCHQはどうやら暗号をめぐる現代の内戦にまだ勝利できていないようだ。しかるべき教育訓練と専門知識があれば、企業や個人は(そして間違いなくテロリストも)暗号を用いていまなおプライバシーを守ることができる。

香港に身をひそめながら参加した『ガーディアン』読者とのQ&Aセッションで、スノーデン自身こう述べている。「暗号化は有効です。強力な暗号システムを正しく実行すれば、これほど信頼

できるものはそうはありません」
彼が言うなら間違いない。

＊第11章＊

脱出

2013年6月23日、日曜日
ロシア・モスクワ、シェレメチェボ国際空港、ターミナルF

「われわれは永遠というと必ず、人知を超えた広大無辺なにものかを想像します。でも、なぜ広大でなければならないのか？　永遠がちっぽけな一つの部屋だったらどうでしょう。田舎の風呂場みたいに暗くてほこりっぽく、隅という隅に蜘蛛の巣——これが永遠だとしたら？」

フョードル・ドストエフスキー『罪と罰』

エドワード・スノーデンは香港のミラ・ホテルを急いでチェックアウトし、地下に潜った。当地で彼をサポートする法廷弁護士のロバート・ティボと事務弁護士のジョナサン・マンは彼の行方を知っていた。ほかにもそれを知る者がいた。香港に住む、ある人脈豊富な人物である。それがスノーデンの秘密の守り神だった。アメリカ人のスノーデンは、ずいぶん前から中国に関心を持っていた。

細かいことははっきりしないが、この後援者はスノーデンに、ある友人といっしょに滞在するよ

う声をかけたらしい。もう一人の弁護士アルバート・ホーによれば、スノーデンはいくつかの家に移り住んだ。そのうち少なくとも一つは、中国本土に近い新界地区にある。700万の人間が密集する大都市に彼は姿をくらました。

人権派弁護士のティボは、困った境遇にいるクライアントを昔から助けてきた。おしゃれなブレザーを身にまとい、生え際が後退した、この感じのよいカナダ人は、国外追放されそうなスリランカ人、亡命を不当に拒否されたパキスタン人、虐待を受けた難民など、弱い立場の人や抑圧された人の味方だった。

トニー・ブレア政権における最も後ろ暗い時代にも、ティボはある案件を手がけている。2004年、リビア人のイスラム教徒、サミ・アル・サーディは妻ら家族と香港に来ていた。その後は英国へ行くつもりだった。ところが、カダフィ大佐の諜報機関の意を受けたMI6がサーディを拘束し、トリポリへ送還。彼はそこで尋問と拷問を受け、投獄された。それからまもなく、当時の英首相ブレアはこのリビアの独裁者と取引を結んだ。この件でのMI6の恥ずべき役割は、2011年のカダフィ政権崩壊後に明らかになったものだ。

スノーデンもサーディのように、西側の諜報機関に暗くじめじめした牢屋に入れられるおそれがあるクライアントだった。スノーデンはミラ・ホテルからこっそりチェックアウトしたあと、ティボと初めて会った。この弁護士は守秘義務を理由に多くを語らないが、スノーデンがみずからの良心に従って判断をくだせる合理的で聡明な青年である、と考えたのは間違いない。そしてまた、山ほどトラブルをかかえた若者でもある、と。その後2週間、ティボは通常業務をこなしながら、ス

ノーデンになり代わって徹夜もいとわず働いた。

弁護士たちはスノーデンの「スパイワールド」にたちまち飲み込まれた。アルバート・ホーは、スノーデンと待ち合わせたときのことについて『ワシントン・ポスト』に語っている。ある夜、約束の場所にとまっている車に乗り込むと、そこにスノーデンがいた。帽子をかぶり、サングラスをかけている。彼は何もしゃべらなかった。

全員でスノーデンが滞在している家に行くと、「みなさん、携帯電話は冷蔵庫に」と彼がささやくように言う。それから2時間、弁護士たちとスノーデンは今後の作戦を検討した。ホーが食事を持ってきた。ピザ、ソーセージ、手羽フライをペプシで流し込む。「考え抜いた計画があったわけではないと思います。まだ子どもですね」と、ホーはのちに述べている。

弁護士たちは厳しい見通しを示した。最終的には米国への送還に抵抗できるかもしれないが、当面、最も可能性が高いのは、香港の裁判所が亡命申請を検討する間、スノーデンが牢屋に入れられるというシナリオだ。この法廷闘争は4年ほどかかるかもしれない。鉄格子のなかではコンピューターが使えないと気づいて、スノーデンは恐怖に襲われた。

小さい部屋に閉じ込められるのは苦にならない。しかし、インターネットに接続できないのは勘弁してほしい。「彼は外出もせず、小さなスペースにずっとこもっていました。コンピューターがあるから大丈夫なんだそうです」と、ホーは『ニューヨーク・タイムズ』に語っている。「コンピューターを取り上げられるなんて、彼にはとうてい耐えられないでしょう」

打ち合わせのあと、ホーは香港政府に探りを入れるよう頼まれた。逮捕されても保釈が許される

か？　どうにか国外脱出できないか？　この内部告発者のおかげで、香港の行政官はジレンマに陥った。ここは中国の一部だが、「一国二制度」の枠組みのもとで統治されている。名目上の自治権はあるものの、外交問題の最終責任は北京が握っている。

中国の諜報機関は、アメリカの監視活動の手法や範囲を明かす何万というNSAの機密文書を見られるのなら、スノーデンを手元に置いておくことに関心を示すに違いない。だが一方、もし香港が彼の本国送還を拒んだら、米中関係は著しく緊張する。すでに米国は圧力をかけはじめていた。両大国が激しくののしり合うようにでもなればコトだ。

ほかにもある。スノーデンの事件は中国国内で一石を投じる可能性があった。それは当局にとって好ましくない。多くの中国市民は、自国の保安機関も国内でスパイ活動をしていることを知らなかった。電話の盗聴、Eメールの傍受、郵便の盗み読み……検閲は言うまでもない。スノーデンを引き止めておくと、現在は内密に処理できている問題をめぐって、つまらぬ議論が引き起こされるかもしれなかった。

香港の行政長官、梁振英は、スノーデンの拘束をしつこく迫る米国にどう対応するか、顧問たちに何度も相談したといわれる。

慎重にターゲットを絞った情報開示のせいもあって、香港の世論はほとんどスノーデンの味方だった。6月12日、スノーデンは『サウス・チャイナ・モーニング・ポスト』紙のインタビューに隠れ家から応じている。そのなかで彼は、米国が中国の民間人のテキストメッセージを大量に傍受していると暴露した。「NSAは中国の携帯電話会社をハッキングするなど、あらゆる手を使ってみ

なさんのSMSデータを盗み出します」。そのほか、有名な清華大学も標的にされていると彼は述べた。清華大は大規模なデジタルネットワークのハブであり、そこから何百万という中国市民のデータを入手できるのだ。

米国は長年、中国がサイバースペースで大がかりなスパイ活動を行っていると抗議してきた。GCHQとNSAは数多くの文書で、サイバースパイのほとんどは中国とロシアの仕業だと名指ししている。だがどうやら、NSAも同じどころか、もっとひどいことをしているようだ。

スノーデンは、今回のリークを受けて香港政府が同情的な対応をしてくれるのを望んだに違いない。ホーが当局に接触したあと、ある仲介者がスノーデンに連絡をとった。その仲介者はメッセージを託されていた。すなわち、香港の司法は独立している。だから彼は牢屋に入れられる可能性がある。ただし――ここが重要なのだが――彼の出国を政府は歓迎するだろう、と。

ホーはもっと確証がほしかった。彼は、香港に来ていた『ガーディアン』北京特派員のタニア・ブラニガンに言った。「政府関係者と話をしました。本当に彼の出国を望んでいるのか、確認したかったので。それに、もし本当に出国を望んでいるとして、果たして安全に脱出できるのかも」

6月21日金曜日、米国政府はスパイ行為のかどで正式にスノーデンを起訴。身柄を即刻引き渡すよう要求した。「香港が直ちに行動を起こさなければ、双方の関係が難しくなり、法の支配を尊重する香港の姿勢にも疑問が生じる」と、オバマ政権のある高官は言った。

法的な選択肢が刻々と狭まるなか、スノーデンは重大な決心をした。香港を出よう――。

6000マイル離れた場所で、こうした経緯にことのほか関心を寄せる男がいた。ジュリアン・アサンジである。アサンジはこの逃亡中のNSA契約スタッフになんとか連絡をとろうとしていた。自称ウィキリークス編集長。もう1年以上、ロンドンの小さなエクアドル大使館に身をひそめていた。

アサンジは万策尽き、大使館が入るアパートの建物のなかに避難していた（ハンスクレセント3番地、フラット3b）。2012年夏、英最高裁判所はスウェーデン当局が交付した引渡令状は有効であると判断。アサンジは二人のスウェーデン人女性に性的暴行を働いたという2010年8月の訴状に答弁しなければならない、とした。

アサンジは直ちに大使館に駆け込み、エクアドルの左翼政府に政治亡命を認められた。これをやりすぎだと思う者もいた。冷戦のさなか、ハンガリーの反体制的人物、ミンツェンティ枢機卿が米大使館で15年間過ごした例はある。しかし、今は1956年ではなく2012年である。ロンドンのナイツブリッジにあるペントハウスで国家が残虐行為に及ぶとは思えない。ソ連の戦車の代わりに見えるのは、ベントレーやフェラーリだ。

アサンジがこのように地下に潜ったせいで、ウィキリークスはしばらく重要な資料をほとんど公表できなかった。『ニューヨーク・タイムズ』のデイビッド・カーいわく、アサンジは「忘れ去られた男のようだった」

ここへきて、アサンジはスノーデンのドラマに首を突っ込んできた。くわしいことは謎だが、仲介者や香港の弁護士を通じてアプローチしたことはわかっている。まだスノーデンがビデオで例の

告白をする前の話である。そしてビデオの公表後は、アプローチがいっそう激しくなった。

アサンジの側からすれば、接触を図るのは道理にかなっていた。スノーデンも米国に反旗をひるがえす内部告発者で、それが自分と同じように困った立場に置かれている。2010年にアサンジは、チェルシー・マニング上等兵から入手した大量の機密文書を漏洩していた。『ガーディアン』などの新聞と協力してそれらを発表すると、世界は大騒ぎになった。マニングは投獄され、伝えられるところでは、大陪審がこの件でアサンジを取り調べた。

スウェーデン人女性をめぐるトラブルはまったく別の問題である。もっとも、この元ハッカーは二つの問題を頻繁に（皮肉にも、と表現する向きもある）混同していたのだが。とはいえアサンジは、亡命に関する専門知識がたしかにあった。そしてスノーデンの事件は、自分が再びスポットライトを浴びるチャンスでもあった。

思想的には、二人には共通点が多かった。インターネットや情報の透明性に対する強い思い、情報をめぐるリバタリアン的な哲学、図抜けたデジタルスキル――。スノーデンは一度、アサンジにNSAファイルをリークしようと考えたことがある。でもリスクが大きいために考え直した。英当局やその協力者の目と鼻の先、ロンドンのエクアドル大使館に幽閉状態にあるということは、絶えずモニターされ盗聴されていることを必然的に意味する。

気性に関しては、スノーデンはアサンジとはまるで違っていた。彼はシャイで、カメラが苦手で、マスコミに注目されるのを嫌った。有名人になどなりたくない。ジャーナリズムの世界とは無縁だった。アサンジはその正反対である。彼は世間の目を集めたがるタイプだった。チャーミングで、

まじめくさったユーモアとウィットを駆使するかと思えば、いきなり癇癪を起こして反撃に出ることもある。そうした移り気のせいで、熱烈なファンとアンチの両方がいた。支持者たちは彼を国家機密と戦う英雄ととらえ、敵対者たちは鼻持ちならぬナルシシストととらえた。

アサンジの計画には主に二つのポイントがあった。第一に、自分と同じような亡命の道をスノーデンのために確保すること。アサンジは、中南米の反米左翼指導者の一人、エクアドルのラファエル・コレア大統領から亡命を認められていた。第二に、スノーデンが香港からキトへ移るのを手助けすること。CIAをはじめ全世界のほぼすべての諜報機関が彼のあとを追っていることを考えると、これは決して簡単ではない。

アサンジは、在ロンドンのエクアドル領事で友人でもあるフィデル・ナルバエスと検討を始めた。二人は親密な関係を築いていた。目標は、仮渡航文書、できれば外交官旅券などの正式書類を取得し、スノーデンをスムーズにアンデス中腹の町へ連れて行くことだ。結局、アサンジはかつてのガールフレンド、サラ・ハリソンを香港へ派遣した。ナルバエスが署名したエクアドルへの安全通行証を持たせて。31歳のハリソンは、ジャーナリスト志望のウィキリークス活動家。忠誠心は完璧だった。

スノーデンが亡命先としていつも第一に考えていたのはアイスランドである。この国はメディア関連の法律が世界で最も先進的な部類に入る、と彼は思っていた。しかし、香港からレイキャビクへ行くには、米国またはヨーロッパを通らなければならない（ヨーロッパの国も米国の指示で彼を逮捕するかもしれない）。一方、エクアドルならキューバやベネズエラ経由で安全にたどり着ける。

キューバやベネズエラが米国の指示に従う可能性は低い。

ただし残念ながら、その場合もロシアでの乗り継ぎが必要になりそうだった。

スノーデンをモスクワに行かせるのはだれのアイデアだったのか？　これは難問である。スノーデンの弁護士であるティボは、状況は「複雑」だったと答えるのみ。ハリソンは、西ヨーロッパ上空を飛ぶのは避けたかったと言う。米国での乗り継ぎを必要とする便も多かったが、これはもちろん選択肢に入らない。だがどうやら、スノーデンの「旅程」決定にはジュリアン・アサンジの影響が大きかったように思われる。

米国をはじめとする西側諸国が人権を侵害すると、アサンジはこれを直ちに批判する傾向があった。だが、身柄引き渡しを回避しようとする彼の努力を支持する政府については、声高に非難しようとはしなかった。特にロシアがそうである。ウィキリークスが公表した米外交公電からは、プーチン政権下のロシアの暗部を垣間見ることができる。政府と諜報機関と犯罪組織の区別がつかないほど、ロシアは事実上の「マフィア国家」になっていた感がある。

だがそれでもアサンジは２０１１年に、実質的な英語国営チャンネルであるロシア・トゥデイ（RT）と好条件で契約を交わしている。このテレビ局の使命は、（自国の欠点には口を閉ざしたまま）西側の偽善を糾弾することだ。ロシア国内の内部告発者の運命はおのずと知れていた。背後関係もはっきりせぬまま殺害された反体制派ジャーナリストは、挙げだせばきりがない。調査ジャーナリストのアンナ・ポリトコフスカヤは２００６年に自宅アパートで射殺され、人権活動家のナタリア・エステミロワは２００９年にチェチェンのグロズヌイで誘拐され、その後殺害された。

アサンジの世界観は基本的に自己中心的で二元論的だった。つまり自分を支持する国（ロシア、エクアドル、そのほか中南米全般）か支持しない国（米国、スウェーデン、英国）かというのが基準になる。一時期ウィキリークスを支持しながら熱の冷めた人は少なくないが、やはりその一人であるジャマイマ・カーンは次のように言う。「アサンジたちの問題点は、ジョージ・W・ブッシュの言葉を借りれば、世界を『われわれの味方か敵か』に分けて考えることです」

２０１３年6月23日、日曜日。スノーデンの同伴者を務める人物が香港国際空港に到着した。グレーのシャツを着てバックパックを背負った、痩せた女性――ウィキリークスの若きスタッフ、サラ・ハリソンである。蒸し暑い朝だった。

二人は神経をとがらせていた。アエロフロートのカウンターでモスクワ行きＳＵ２１３便のチェックインを済ませ、通常の出発ゲートへ向かう。スノーデンは、アサンジの友人であるナルバエスが発行し、ハリソンによって届けられた安全通行証を持っていた。私服の中国当局者数名が、二人をじろじろ観察する。警戒していたＣＩＡ捜査官にとって、この出発はさぞや腹立たしかっただろう。

理論上は、スノーデンの大胆な脱出劇はありえないはずだった。米当局は前日、スノーデンのパスポートを無効にしていた。香港当局へは身柄引き渡しの書類をファクスし、直ちに彼を拘束するよう要求していた。だが香港サイドは、アメリカの書類に不備があったため、それが修正されるまではスノーデンの出発を引き止められないと述べた。

それからまもなく、4万フィート上空で、スノーデンとハリソンは温かい食事をむさぼるように食べた。2回出るうちの最初の食事である。アエロフロートは、顧客サービスなんて皆無というソ連時代の悪評を覆そうと懸命だった。

地上では、スノーデンが香港を脱出してモスクワに向かっていることが発覚し、世界中が大騒ぎになっていた。逃げられた！　世界一の大国アメリカにとって、法律上妥当とは思えない香港の説明は屈辱的な仕打ちだった。スノーデンはまんまとずらかったばかりか、ロシア、キューバ、ベネズエラなど、ワシントン政府の敵の陣地にそのまま向かおうとしているらしいのだ！

米議会は怒りを隠さなかった。「この国々はみんな米国の敵だ」と、下院情報委員会委員長のマイク・ロジャースは憤慨した。「米政府はあらゆる法的手段を講じて、あの男を取り返さなければならない。彼が言う理想と実際の行動は、まったくちぐはぐだ」。民主党上院議員のチャールズ・シューマーも容赦なかった。「ウラジーミル・プーチンは常日頃から米国への嫌がらせにご執心らしい。シリアに関してもイランに関してもそうだ。そして今度はスノーデンときた」

スノーデンのかつての上官、キース・アレグザンダーNSA長官は言った。「彼はわれわれからの信頼を明らかに裏切りました。崇高な意図があって動いているとは、私には思えません」

しかし、中国に悪びれたようすはなかった。新華社通信は返礼代わりに、米国が「善人の仮面の下」で行うスパイ活動を激しく非難した。「サイバー攻撃の被害者面を長らく装ってきた米国が、実は最大の悪党であることがはっきりした」

スノーデンがエアバスA330－300に無事乗り込んだのを見計らうかのように、アサンジは

ている。

声明を発表した。今回の救出劇は自分たちの功績だと彼は強調した。ウィキリークスがスノーデンのチケット代を負担し、香港では法的な助言も与えたのだ、と。のちに『サウス・チャイナ・モーニング・ポスト』とのインタビューで、彼はみずからの役割を「密入国斡旋業者」のそれにたとえている。

あたかも保護者のような口ぶりで、「スノーデンはチームウィキリークスの最も新しいスーパースターだ」と持ち上げながら、声明文は次のように述べる。「英米の諜報機関による全世界での監視活動の証拠を暴いたアメリカ人内部告発者、エドワード・スノーデン氏は、合法的に香港を離れた。彼は亡命のため、ある民主国家に安全なルート経由で向かっている。ウィキリークスの外交団と法律顧問団が同行している」

モスクワのジャーナリストたちは日曜の予定を急きょキャンセルし、シェレメチェボ国際空港のターミナルFに駆けつけた。スノーデンはここで乗り継ぎをするはずだった。同空港は、ロシア一の名家の誉れ高いシェレメチェフ伯爵家にちなんで名づけられた。シェレメチェフ家は数々の皇帝に仕え、途方もない富を築き、オスタンキノとクスコボという二つの宮殿をモスクワに建てた。ニコライ・シェレメチェフ伯爵は農奴だったプラスコービアと恋に落ち、ひそかに結婚。このロマンスは実にさまざまな文化や歴史を生んだ。

ロシアや諸外国の大勢の記者が小さなドアの前に押しかけた。到着旅客はここから出てくる。頭のいい記者はスノーデンの写真を持参していた。香港からの同乗客に見せるためだ。

私服のロシア諜報員も、ミュンヘンから来たビジネスマンや国営テレビ局ＮＴＶの記者を装って、

ターミナルで網を張っていた。ベネズエラの代表団もそこにいたといわれている。これはスノーデンの最終目的地がカラカスではないかとの憶測をあおる結果になった。エクアドルの大使はBMW7シリーズに乗って空港に現れた。道に迷ったのか、ターミナルを歩き回っている。「彼はどこでしょう？　ここに来ますか？」と記者の一団に尋ねる。ある記者が応じる。「ご存じだと思ってましたが」

現地時間の午後5時に飛行機がモスクワに到着したときは、ロシアの警備車両が何台か待ちかまえていた。エクアドルのリカルド・パティニョ外相は、スノーデンが同国に政治亡命を申請したと、ベトナムからツイートした。だが、彼はどこにいるのか？　インタファクス通信は、翌日のキューバ行きアエロフロート機をスノーデンが予約していると発表した。彼はモスクワのトランジット（乗り換え）エリアにとどまっているらしい。あるアエロフロート職員は（あとで間違いと判明するのだが）、ターミナルEのカプセルホテルに泊まるとの情報を提供した。

ロシア政府はスノーデンの到着についてどの程度知っていたのか？　プーチン大統領は、スノーデンがモスクワ行きの飛行機に乗っていると聞かされたのは着陸のわずか2時間前だと主張。アメリカは彼のパスポートを無効にし、以降のフライトを不可能にするという初歩的なミスを犯したと述べた。

皮肉とうそっぽい悲嘆が混ざった独特の調子で、プーチンはスノーデンを「迷惑なクリスマスプレゼント」と表現した。ロシア当局は、スノーデンが同国で立ち往生してしまったことに心底驚いているようすだった。しかし有力紙『コメルサント』は、スノーデンが香港のロシア領事館に2日

間こっそり滞在していたと報じた。スノーデン本人はこれを強く否定している。

プーチン自身は内部告発という行動に間違いなく否定的な考えを持っていた。のちに彼はスノーデンを「妙なやつ（stranniy paren）」と評している。「彼はみずからに困難な人生を強いてしまった。次に何をやらかすのか見当もつかない」

KGBの役人として1980年代に東ドイツで働き、KGBの継承機関であるロシア連邦保安庁（FSB）の長官も務めたプーチンは、国家の裏切り者を快く思わない。2006年、元FSB職員で反体制派に寝返ったアレクサンドル・リトビネンコが、放射性物質ポロニウムを摂取した影響で死亡した。英国政府はこれがロシアの国ぐるみの陰謀だとにらんでいるが、KGBの「沈黙のおきて」は絶対だった。

権力の座に就いて13年。プーチンは疑い深く、被害妄想的で、国内外問わず何ごとも陰謀で説明するきらいがあった。そして、自身の圧倒的な力を以前にも増して確信していた。西側諸国、特に米国との関係を、ソビエト的な排外主義のレンズを通して見た。KGBアカデミーで訓練を受けた彼のことだから、スノーデンが、冷戦時代にアメリカがよく仕掛けたペテンの一つではないかと考えたに違いない。

だが実際には、スノーデンはありがたい贈り物だった。人権、スパイ、犯罪人の引き渡しに関して、ワシントンのダブルスタンダードをあげつらう絶好のチャンスを与えてくれた。プーチンはまた、ロシアが米国と同等の超大国であるという喜びを味わったのではないか。それは「よみがえるロシア」、世界における米国の対立軸という彼の念願の根底に横たわる感情だった。アメリカ人は

いずれスノーデンを返してくれと懇願せざるをえまい！

スノーデンの到着から数時間とたたずに、ロシア連邦は彼に亡命を認めるべきだという親政府派の声が高まるようになった。

翌日、シェレメチェボ空港でマスコミの大騒ぎがまたぞろ始まった。なかには航空券を買い、スノーデンを探してトランジットエリアを歩き回る記者もいれば、そこで何日か張り込む者もいた。あるいはキューバのビザを取得し、ハバナ行きの同じアエロフロート機を予約する者もいた。スノーデンは飛行機に乗るだろうというのが一般的な見方だった。

『ガーディアン』のモスクワ特派員、ミリアム・エルダーは搭乗ゲートで待機していた。何かが起こっていた。アエロフロート職員の態度がふだんより悪い。彼らはテレビ局のスタッフが窓越しに飛行機を撮影するのを制止する。屈強な警備員が何人もあたりをうろついている。

エルダーは飛行機に乗れなかった。ビザを持っていなかったのだ。他の記者たちはぞろぞろと機内に入り、通路を歩きながら亡命者を探した。スノーデンとハリソンが予約していた席は、窓に近い17Aと17C。フィンランドの『ヘルシンギン・サノマット』紙の記者、ユッシ・ニーメレーネンは17F——この近さなら、世界一のお尋ね者からコメントの二、三もとり、栄えあるトップ記事を確保するのも夢ではない。離陸数分前になってもスノーデンの姿は見えなかった。席は空いたままだ。残る搭乗予定客は四人。

そのとき、「ne uletayet, ne uletayet!」というささやき声が機内に広がった。ロシア語で「飛ぶな」の意味だ。スノーデンは来ない。ロシア人記者が何人か、いきなり「シャンパントリップ、シ

ャンパントリップ」と唱和しはじめた。キューバまでの12時間のフライトにアルコールは出ない、ソフトドリンクをお出しする、とパーサーがおごそかに伝える。「笑うしかありませんでした」とニーメレーネンは言う。「フライト中は『ザ・マペッツ』を見ました。その場にふさわしい映画でしたよ」

スノーデンは法的に中ぶらりんの状態にあった。ロシア政府はその後数週間、スノーデンはロシア領土に入っていない（そもそもロシアのビザを持っていない）、ロシアはスノーデンとは無関係だというつくり話を押し通した。同時に、彼の滞在を最大限利用しようと考えた。

スノーデンの居場所は謎だった。理屈上はシェレメチェボ空港のトランジットエリアにとどまっているはずだが、だれも目撃者はいない。当局が「トランジット」を柔軟に解釈した結果、少し離れた場所にいるのかもしれないし、厳重な警戒態勢を敷いた空港内のホテル「ノボテル」にいるのかもしれない。それとも、どこか別の場所なのか。

スノーデンの到着後、米ロ関係は悪化した。オバマが優先する外交政策の一つが、ロシアとの関係の「リセット」だった。ジョージ・W・ブッシュ大統領の時代に、イラク戦争、ロシアのグルジア侵攻（2008年）を受けて、両国の緊張が高まっていたからだ。しかし、シリア問題、中央ヨーロッパにおける米国のミサイル防衛計画、リビアでのNATOの軍事行動、元KGB諜報員とされるロシア人武器商人ビクトル・ボウトの米国での投獄など、対立要因があとを絶たず、関係修復はすでに困難を極めていた。

オバマは、一時的にプーチンの後釜に座っていた、タカ派色が比較的薄いドミトリー・メドベー

ジェフ大統領との関係を深めようとしていた。しかし、メドベージェフは傀儡も同然だった。２０１１年、プーチンは彼を押しのけ、３度目の大統領の座に就く。ある漏洩公電で、米国の外交官は「プーチンのバットマンに対し、メドベージェフが助手のロビン」と報告している。プーチンはこのたとえについて、アメリカの傲慢さの表れであると、いらだちをあらわにした。

オバマはスノーデンの引き渡しをロシアに要求していたが、老練なセルゲイ・ラブロフ外相は、スノーデンは決して国境を越えておらず、ロシア「国内」にはいないと述べ、その要求をかわした。プーチンはスノーデンの身柄引き渡しを認めなかった。米国との間に相互条約はないと指摘し、あわせて、ロシアの治安当局はスノーデンに何の興味もないと断言した（いかにも眉唾だったが）。2日後、オバマは、スノーデンの奪還に地政学的資本を費やすつもりはないと発表した。

しかし水面下では、スノーデンの行く手をふさぐためにオバマ政権はあらゆる手を尽くしていた。同盟国に圧力をかけ、彼を搭乗拒否リストに載せ、南米各国を丸め込む……。

最初こそ彼の亡命要求を支持していたエクアドルも、しだいに熱意を失った。ジョー・バイデン米副大統領はコレア大統領に電話をかけ、スノーデンをキトに迎え入れたらどういう結果になるかを説明した。コレアは、誤って発行されたとしてスノーデンの安全通行証を取り消した。アサンジについてもエクアドルは腹立ちを隠せないようだった。駐米大使によれば、ウィキリークスが「なにもかも仕切っている」というではないか。

6月30日、スノーデンは20カ国に亡命を申請した。そこにはフランス、ドイツ、アイルランド、中国、キューバも含まれていた。

翌7月1日、スノーデンはウィキリークスを通じて声明を発表した（これが最初で、その後もいくつか声明が出る）。「真実を述べたせいで自由と安全が脅かされることが明らかになったため」香港を出た、と彼は言った。そして「引き続き自由でいられること」について「新旧の友人や家族ら」に感謝の言葉を述べた。

次いでスノーデンは、バイデンを使って「私が亡命を求めている国々の指導者にこれを認めないよう圧力をかけた」としてオバマを非難した。かつてオバマは、いかなる外交的「策略」にも関与しないと約束したことがある。これは結局うそだったのか――。

スノーデンは続ける。「世界的な指導者によるこの手のごまかしは正義ではない。法的枠組みを超えた追放という罰も正義ではない。これは古き悪しき政治的攻撃の手段である。その目的は、私ではなく、私に続く人たちを脅かすことだ」

ホワイトハウスは「亡命を求める権利」を擁護してきたのに、今回はそれを認めようとしない。「オバマ政権は市民権を武器として使う戦略を採用した。……結局のところ、彼らは私やブラッドリー・マニングやトーマス・ドレークのような内部告発者を恐れているのではない。私たちはもう国籍や権利を奪われている。あるいは収監されている。オバマ政権が恐れているのは、あなただ。みずからの権利に目覚めた怒れる市民が、約束された――そして約束されるべき――立憲統治を要求するのを恐れているのだ」

声明は次のように結ばれる。「私は信念を曲げるつもりはないし、多くの人が払う努力に勇気づけられている」

「立憲統治」を持ち出すのはスノーデンの面目躍如だろう。彼が内部告発を決心したのは、NSAの合衆国憲法違反がきっかけである。ただし、声明文の他の箇所はアサンジの手によるものとも思われる。なかでも「オバマ政権が恐れているのは、あなただ」と二人称で呼びかける部分。スノーデンは以前、私的マニフェストの草案づくりに手を貸してほしいとグリーンウォルドに頼んだことがある。グリーンウォルドは断った（スノーデンの強力な支援者ではありつづけたのだが）。ここへきてスノーデンは、原稿作成の新しい協力者を得たようだ。それがジュリアン・アサンジだった。

7月2日、ロシア政府は天然ガス輸出国が一堂に会するフォーラムを主催。出席者の一人にボリビア大統領のエボ・モラレスがいた。就任式のスピーチを読むのに苦労したといわれる先住民出身のモラレスは、強硬な反米主義者である。RTのスペイン語チャンネルとのインタビューでスノーデンについて聞かれると、次のようにすぐさま答えている。例のNSA内部告発者からは亡命申請をまだ受けていないが、もし申請があれば好意的に対応する——。

その日、モラレスと側近はモスクワを発ち、帰路についた。離陸後2時間ほどすると、パイロットから面倒なニュースが伝えられた。フランスとポルトガルが大統領機の領空通過を拒否しているという。事態はさらに悪くなった。スペインとイタリアも領空通過の承認を取り下げたらしい。切羽詰まったパイロットはオーストリア当局と連絡をとり、ウィーンに緊急着陸した。いったい何が起こっているのか？

実は米情報機関のある筋からワシントンDCに情報がもたらされていた。モラレスが大統領機に

スノーデンをこっそり乗せたというのだ。まさにリアルタイム情報収集の成果！　ついにつかまえた！　ところが、スノーデンは乗っていなかった。誤った情報のせいでホワイトハウスがあわてて非常ボタンを押したかっこうである。ロシアがガセネタをつかませた可能性もある。それとも、昔からよくあるＣＩＡのちょんぼか。

ウィーンでは、ボリビアの大統領と国防大臣のルベン・サアベドラが、空港のソファに座っていた。米国が小さな主権国家をあえて辱めたことが、がまんならない。スノーデンをこっそり乗せたのかと問われると、サアベドラは怒りで顔を青くした。「そんなのはうそだ。米政府の捏造だ」と彼は言った。「これは不法行為、権力乱用だ。航空輸送協定違反だ」

中南米の左翼的な国が相次いで怒りを表明した。ボリビアのアルバロ・ガルシア副大統領は、モラレスが「帝国主義に誘拐された」と発表。ベネズエラ、アルゼンチン、エクアドルなども抗議声明を出した。

空港のＶＩＰラウンジからモラレスはあちこちに電話をかけ、領空通過の禁止を解こうとした。4人のパイロットは赤い革張りのいすで数時間の睡眠をとった。やっと再離陸がかなったのは、15時間後のこと。帰国したモラレスは、今般の強制的なルート変更は「北米帝国主義」による「露骨な挑発行為」だと非難した。

米国にとって不名誉なエピソードだった。国務省は、スノーデンの逃走について他の国々と話し合ったことを認めた。米国はまるで国際規範を踏みにじるのに躊躇しないいじめっ子のように揶揄されることがあるが、この不細工な介入劇はそれが完全に正しいことを証明していた。と同時に、

それはスノーデンの中南米行きの計画が簡単ではないことも証明していた。もちろん、ロシアの原子力潜水艦にでも潜り込むというのなら話は別だけれども。

スノーデンがロシアに来てから3週間後、タニヤ・ロクシナは1通のEメールを受け取った。ロクシナはヒューマン・ライツ・ウォッチのモスクワ副所長。その仕事はタフである。ロシアの市民社会を「敵」から守らなければならない。相手が強権的なロシア政府であることもしばしばだ。

2011年5月にプーチンが大統領に返り咲いてから、彼女の仕事はいっそう難しくなった。プーチンはソビエト時代と見まがうかのような人権弾圧を推し進めていた。モスクワをはじめとする大都市で、反プーチンの抗議運動が繰り返されたのがきっかけである。最初の運動が起きたのは2011年末。下院選挙での不正行為に対する抗議集会だった。

ロクシナは気骨のある明るい女性で、英語とロシア語が堪能である。人権擁護のために戦う集団の一員だった。

そのEメールは、にわかには信じられなかった。シェレメチェボ空港の到着ロビーに来てほしいという内容で、署名は「エドワード・ジョセフ・スノーデン」。そこへ行けば、「空港スタッフの一人が『G9』と書いた標識を持ってお待ちしています」。何かの悪ふざけだろうか？　「世界一注目を浴びる男からと思われるその招待状は、冷戦時代のスパイ小説の気配を帯びていた」と、彼女はブログに綴る。すりつぶしたニンジンを赤ん坊に食べさせながら、彼女は世界各国のメディアからの電話に対応した。

招待は本物らしいことがわかった。空港のセキュリティー担当から電話があり、パスポートの番号を聞かれたのだ。ロクシナは空港行きの列車に乗った。途中、米大使館から電話がかかる。相手のアメリカ人外交官は、スノーデンにメッセージを託してほしいと言う。こういう内容だ。米政府の見解では、スノーデンは人権の擁護者ではなく、法律違反を犯した者であり、その責任を負わなければならない――。ロクシナは必ず伝えると答えた。

シェレメチェボに着くと、「G９」の標識を持った男が見つかった。少なくとも１５０人程度の記者が、やはり彼を見つけていた。スノーデンの姿をみんな懸命に探している。「人ごみとか記者には慣れっこだが、目の前の光景は異様だった。大声で叫びながらもつれ合う人たち、執拗なマイク攻撃、無数のカメラ。国内メディアも国外メディアも同じこと。体が引き裂かれるんじゃないかと怖くなるほどの狂乱ぶりだった」と彼女は書く。

G９の男は黒いスーツを着ていた。「招待客のみなさんはこちらへどうぞ」と彼がアナウンスする。長い廊下を歩く。客人はほかに8人いた。ロシアのオンブズマン、議員、他の人権団体の代表者……ほとんどが独立の個人だが、ロシア政府やFSBとつながっている者も少数いる。

ロクシナたちはバスに乗せられ、別のエントランスへ連れて行かれた。そこにスノーデンがいた。見たところ元気そうで、しわくちゃのグレーのシャツを着ている。彼に付き添うのはサラ・ハリソンだ。「最初に思ったのは、えらく若いということ。大学生みたいだった」とロクシナは書く。通訳も同席していた。

机の後ろに立ち、スノーデンは用意した声明文を読み上げた。声がやや上ずり、時にしわがれる。

あがっているようだ。何しろ初めての記者会見である。それに、ふつうとは違う会見でもあった。ロシア政府はずっと、人権団体のことを西側の言いなりになるスパイだとけなしてきた。その彼らが招かれている。クレムリンは政治的な見解を述べたがっていた。

スノーデンはこう切り出した。「こんにちは。エド・スノーデンといいます。1カ月ちょっと前、私は家族といっしょに、この世の楽園で、とても心地よい生活を送っていました。それからまた、みなさんの通信情報を法的な裏づけもなく捜索・押収し、盗み読むことができました」

彼は続ける。「どんなときでも、どんな人の通信でもそれは可能です。それは人々の運命を変える力であると同時に、深刻な法律違反でもあります。わが国の憲法の修正第4条・第5条、世界人権宣言第12条など、数多くの法律や条約が、大規模で広範囲な監視を禁じています……」

このとき、「ピンポンパンポン」という大きな音が聞こえた。空港のスピーカーからいきなりロシア語と英語のアナウンスが流れる。「ビジネスラウンジは3階、39番ゲートの隣にございます」。スノーデンは体を折り曲げるようにしてほほ笑み、少人数の聴衆もいっしょに笑った。彼が話を再開しようとすると、またしてもやかましい館内放送がとどろいた。「この2〜3週間でもう聞き飽きました」と、彼はしわがれ声で言った。ハリソンが、「もう覚えたから、いっしょにアナウンスできるかも」と冗談を飛ばす。

スノーデンが言おうとするポイントは興味深かった。FISA秘密裁判所の判決は「違法な事案を無理やり合法化」し、「正義という最も基本的な概念をおとしめて」いると彼は言った。正義を実現しなければばならない――。さらに、1945年のニュルンベルク裁判にまでさかのぼって話

を続けた。「それぞれの人間には国際的な義務があり、それは国内の服従義務を超越します」。そして、彼が米国の安全保障を意図的に傷つけ、取り返しのつかないダメージを与えようとしたという批判に反論した。

「私は正しいと思うことをし、この不正を正すための運動を始めました。お金をもうけようとしたわけでも、米国の機密情報を売ろうとしたわけでもありません。身の安全を保証するため、外国政府と手を結んだわけでもありません。私はただ自分が知っていることを人々に伝え、私たちみんなに影響することなのだから、それを私たちみんなで堂々と議論できるようにしたかった。正義を実現したいと思いました。私たち全員に影響するスパイ行為について人々に話す――その決定は多くの代償をともないました。でも、それはやらなければならない正しいことであり、私はまったく後悔していません」

米政府がどこまでも彼を追いつづけるのは、「私と同じように声をあげる可能性がある人たちへの警告」だとスノーデンは述べた。搭乗拒否リスト、制裁をちらつかせての脅迫、そして「ある中南米の大統領機を飛行させないよう軍事同盟国に命じるという前代未聞の措置」――それらはどれも「危険なエスカレーション」だと彼は言った。それから、「この歴史的に均衡を欠く攻撃」に直面しても支援を惜しまず、安全な場所の提供を申し出てくれた国々に感謝した。具体的に挙げたのは、ロシア、ベネズエラ、ボリビア、ニカラグア、エクアドルだ。

「強者による弱者の人権侵害に最初に立ち向かってくださったことに謝意と敬意を表します。脅されても原理原則を曲げないこれらの国は、全世界の尊敬を勝ち取りました。私は一つひとつの国をまわって、国民と指導者に直接お礼を言いたい気持ちです」

次いでスノーデンは、ロシアに亡命を求めていると述べた。これは中南米に移動できるようになるまでの、やむをえない一時的な対応である、と付け足して。活動家たちには、彼の行動を邪魔しないよう欧米に頼んでほしいと呼びかけた。会見は45分で終わった。

弁護士のゲンリ・レズニクは、他の客人たちとターミナルFに戻ってマスコミの集団と再会したとき、「スノーデン氏は幽霊ではない。実在する」と語った。ロシア連邦人権委員会代表のウラジーミル・ルキンは、「握手しました。彼の手をちゃんと感じました」と、ロシアのテレビ局に語った。「行動の自由がないのはもちろんうれしくないけれど、それ以外の生活環境に不満はまったくないとのことです。『もっとひどい状況を知っているから』と言っていました」

ロシアでの長逗留はスノーデンが望んだものではない。動くにも動きようがなかった。だがそのせいで、彼の信念に基づく「逃走の物語」はいっそう込み入ったものになった。批判する側にすれば、彼は政治難民などではなく、21世紀のキム・フィルビー（ソ連に故国とその機密情報を売り渡した英国人）だという主張を展開しやすくなる。

スノーデンをバーノン・F・ミッチェルとウィリアム・H・マーティンにたとえる批判者もいた。

この二人のNSA分析官は1960年にソ連へ亡命し、以後、そこでみじめな人生を過ごしている。マーティンとミッチェルはキューバへ飛んでソビエトの貨物船に乗り込み、数カ月後、モスクワのジャーナリスト会館での記者会見に姿を現した。その席で彼らは前の雇用主を非難し、米国が同盟国をスパイしていることや、ソ連のレーダーパターンを把握するため、同国領空にわざと航空機を送り込んでいることを暴露した。

このたとえはアンフェアだった。スノーデンは売国奴ではない。ミッチェルでもマーティンでもフィルビーでもない。だが、よきにつけ悪しきにつけ、この30歳のアメリカ人はいま、クレムリンと、その配下の謎に包まれた諜報機関に保護と支援を頼らざるをえない。

チェチェンでの悲惨な戦争、不正な選挙、批判勢力の執拗な追跡など、ロシアの実情を知る者にとって、スノーデンのスピーチは部分的にうそっぽさを感じさせた。スノーデンのケースでは、ロシアはたしかに人権侵害に立ち向かったかたちだが、それは人権を尊重していたからではない。ロシア政府は人権など尊重していなかった。プーチンはよく人権を軽んじるような物言いをした。この場合はただ、スノーデンをゲームの駒に利用できると考えたのだ。不倶戴天の敵、アメリカに恥をかかせる絶好のチャンスというわけだ。

スノーデンの思いもよらない記者会見の前日、法制史上見たこともないような現実離れした出来事が起こっていた。ロシアが死者を裁判にかけたのである。まるでゴーゴリの小説だ。

37歳の会計士、セルゲイ・マグニツキーは2009年に獄中で死亡した。マグニツキーはロシア内務省を舞台にした巨額の税金詐欺を暴いていた。この不正にかかわった役人たちは彼を逮捕。獄

中で彼は医療処置も受けられぬまま拷問にかけられた。米国とEUの何カ国かがこれにかかわった役人を非難し、彼らの国外資産を凍結して以来、本件はクレムリンとホワイトハウスにとってある種の象徴的事件となった。被告がいるはずの場所は、空っぽの檻——それは何やらダダイスト的な光景だった。

1週間後、ロシアの反政府指導者、アレクセイ・ナワルニーも裁判所に出廷した。弁護士、反汚職ブロガーで、中流層の支持が大きく、時にナショナリストの視点も持つナワルニーは、プーチンの最も有名な敵である（プーチンはナワルニーの名前を口に出す気がせず、「あの男」と小ばかにするように呼んだ）。ナワルニーは木材企業からの「窃盗」の罪で禁錮5年の判決を受けた。この罪状を信じる者はだれもいなかった。のちに刑の執行は猶予されるが、背景には政府の内紛があった模様だ。

そのころ、ロシアがどこへ進もうとしているのか、その方向性は混迷を深めていた。汚職、見せしめ裁判、司法への政治的圧力は日常茶飯事。いかにもKGBを思わせるやり口で、プーチンは新しい法律も通していた。西側諸国から資金提供を受ける非政府組織に「外国代理人」としての登録を義務づける法律である。黒海沿岸のリゾート地、ソチで開催される2014年冬季オリンピックを前に、ロシア議会は「ゲイの宣伝」を禁止する法律を成立させた。

これらはいずれも、学歴が高く言うことをきかないモスクワのブルジョワ層など無視して、労働者、年金生活者、公務員など、保守的なプーチン支持層に直接アピールしようとする政治戦略の一環である。

シェレメチェボ空港でスノーデンに会った活動家たちによれば、新しい用心棒が何人か彼についていたらしい。いったいだれか？　ＦＳＢの諜報員だろうというのが、もっぱらのうわさだった。

ＦＳＢはロシア随一の諜報機関で、巨額の予算を与えられながらも運営の詳細はベールに包まれている。ソ連崩壊後、ＫＧＢは解体されたが、消え失せはしなかった。１９９５年、ＫＧＢのオペレーションの大部分は新しくできたＦＳＢに移管された。刑事訴追、組織犯罪の捜査、テロ対策など、名目上はＦＢＩをはじめとする西欧の法執行機関と同じ機能を果たす。だが、ＦＳＢの最重要任務は防諜活動である。

７月12日のスノーデンの記者会見に招かれた法律家の一人に、アナトリー・クチェレナがいる。会見後、スノーデンはクチェレナにＥメールを送り、援助を求めた。クチェレナは同意した。２日後に彼はシェレメチェボ空港へ戻り、スノーデンと長い打ち合わせをした。ロシアの法律について説明するとともに、他の亡命申請を取り下げたほうがよいと助言した。「なぜ私が選ばれたのかはわかりません」とクチェレナは言う。

翌日、クチェレナは空港を再訪し、ロシア移民局へ出すスノーデンの一時亡命申請書を作成した。あっという間にスノーデンの後ろ盾、スポークスマンになっていた。「彼は現在、ロシアへの滞在を希望しています。彼には選択肢があります。友人やたくさんの支援者がいます。……何もかもうまくいくでしょう」と、彼は記者たちに語った。

なぜスノーデンがクチェレナに接触したのかはわからない。だが、この弁護士はしかるべき人脈を持っていた。２０１１年にプーチンが大統領に返り咲いたさいは、その選挙戦を公的に支援して

いる。恰幅がよく白髪の、52歳の気さくな弁護士は、有名人とのパイプも太かった（政府と良好な関係にある映画監督、ニキータ・ミハルコフもクライアントの一人）。

だが、上流社会とのつながり以外にも、クチェレナには使える人脈がある。彼はプーチンが2006年につくったFSBの「評議会」に名を連ねているのだ。スパイ機関の評議会というだけあってミッションは漠然としている。すなわち、治安部門と国民との「関係構築」——。当時のFSB長官、ニコライ・パトルシェフがクチェレナの仕事を承認した。彼は十五人いるメンバーの一人である。仲間の弁護士によれば、FSBの諜報員というタイプではなく、「システムの人間」らしい。

だから、クチェレナが独立独歩の弁護士だと考える者はほとんどいない。彼はスノーデンに会うことを許された数少ない人間の一人だった。空港へ行くときは、ちょっとしたみやげ物を持参した。ロシアやモスクワの旅行ガイドのほか、「ロシア人のメンタリティーを理解する一助」にと、古典文学書も贈った。ドストエフスキーの『罪と罰』、チェーホフの短編集、歴史家ニコライ・カラムジンの著作……。スノーデンは『罪と罰』をすぐに読了。さらに、ロシア国家の包括的な歴史を初めて書き起こした19世紀の作家、カラムジンの著作をいくつか読み終えると、この著者の全作品を所望した。

クチェレナはそのほか、ロシア語の学習用に、キリル文字に関する本をプレゼントした。着替えも差し入れた。

スノーデンは外出できなかった。「空港の不衛生な空気」を吸っているが、体調は良好とのこと

だった。とはいえ、ひたすら待たなければならない心理的重圧は相当なものだ。「いまかいまかと待ちつづけるのは、彼にとってとてもつらい」とクチェレナは言った。「内面では、エドワードは完全に自立しています。みずからの信念に完全に従っています。表に出る部分はどうかというと、やはり確信を持っています。アメリカ人、そしてすべての人に、自分たちがスパイされていると知ってもらうために起こした行動だ、と固く信じています」

スノーデンがロシアに着いたとたん、ある疑問が持ち上がり、ふくらんだ。ロシアはスノーデンのNSA文書を手に入れたのか？——6月24日、『ニューヨーク・タイムズ』は「政府諜報機関で働いていた情報専門家二名」の話を紹介している。二人の専門家は、証拠を何も示さずに、スノーデンが香港に持ち込んだラップトップ4台の内容を中国政府がまんまと盗み出したのではないかと語った。

こうした報道が急速に広がったが、スノーデンはきっぱり否定する。ロシアにもNSA資料は渡していない、と彼は言う。「中国にもロシアにも情報提供していませんし、彼らが私のラップトップからデータを取り出した事実もありません」と、彼は7月の二つのインタビューでグリーンウォルドに語っている。グリーンウォルドはこの件でスノーデンを強く擁護した。

スノーデンはデジタル分野での自己防衛に極めて長けている。CIAやNSAに雇われていたときの仕事の一つは、危険に満ちたデジタル環境でいかにデータを守るかを、安全保障担当官やCIA職員に教えることだった。外国の重要な軍事情報を国防総省に提供する国防情報局（DIA）で

教えたこともある。それがいま、彼自身が外国の諜報機関のエージェントに囲まれ、まさに自分が教えていた敵対的な環境に置かれている。

スノーデンはこの点について、ニューハンプシャー州選出で2期務めた元共和党上院議員、ゴードン・ハンフリーに連絡した。「エドワード・スノーデン様」宛てのレターで、ハンフリーは次のように書いた。「もしあなたが諜報機関を危険にさらすような情報を漏らしていないとすれば、重大な合衆国憲法違反（だと私は思います）を暴露したのは正しい行いだと思います」（ハンフリーはまたスノーデンのことを、「わが国政府の増長ぶり」を暴いた「勇敢な内部告発者」と呼んでいる）

スノーデンの返信は全文を引用するに値する。

ゴードン・ハンフリー様

心強いお言葉、どうもありがとうございます。貴殿と同じような信念を持つ議員がもっといれば、私が起こしたような行動は必要なかったのに、と思うばかりです。

メディアは私の行動や意図を歪曲して、憲法違反という本質から目をそむけ、人格や性格の問題に焦点を当ててきました。現代の物語には必ず悪人が求められるとでも言わんばかりに。たぶんそうなのでしょう。たぶんいまは、自分の国を愛すればその国の政府に憎まれる、

そんな時代なのでしょう。

もしそれが歴史の事実だとしても、私は憎まれることをいといません。市民の義務として、その罪状を一生背負っていく覚悟です。そんなことはあえてしない少数の為政者が、悪を正す口実に私を利用しようがかまいません。

最初のころに大まかにお話ししましたが、私の意図は、一般の人々に、彼らの名前で、彼らを裏切るかたちで何が行われているかを知らせることです。いまもその気持ちは変わりません。記者や当局の方々は信じないかもしれませんが、私はアメリカ国民（諜報員でもそうでなくても）に害を与える情報をいっさい提供していませんし、そのつもりもありません。

また、いかなる情報組織といえども（アメリカの情報組織であっても）私が保護しつづける機密データに手を出すことはできません。報道はされていませんが、私の専門の一つは、危険きわまりない防諜環境のなかで（中国のことです）いかにデータを守ればよいかをＤＩＡの人たちに教えることでした。

たとえ拷問を受けても、そうしたデータを明かすことはありませんから、ご安心ください。

私たち双方が愛するこの国のために、貴殿が働かれていることに感謝して。

エドワード・スノーデン

このレターにはスノーデンの基本思想が表れている。愛国心、市民としての義務、憲法を守りたいとの思い……。気高い意志の感じられる文面で、ところどころ芝居がかってさえいる（「もしそれが歴史の事実だとしても、私は憎まれることをいといません」）。しかし、敵国の諜報機関がデータをつけねらう危険をスノーデンが察知し、十二分な防御策を講じていたことは疑う余地がない。

スノーデンが早くから信頼を寄せていた数少ない人物の一人、『ワシントン・ポスト』のバートン・ゲルマンは、スノーデンがデータを手の届かないところへやったのではないかと言う。「ロシアにいる間は、自分自身もアーカイブを開けないようにしたのではないでしょうか」と、ゲルマンは米ラジオ局のNPRに語っている。彼はこう付け加える。「彼がもう暗号キーを持っていないというのではありません。開けるべきものがそもそもないということです。ロシア滞在中は暗号情報を開けられないようにしたのです」

しかし、だからといってロシア政府がスノーデンのラップトップの中身に関心がなかったというわけではもちろんない。FSBは電子監視を得意としていた。KGBの時代から、盗聴、隠しカメラ、おとり捜査などはお手の物だ。NSAとは違って、「嫌疑だらけの監視」とでもいえるような手法も用いていた。西側の諜報機関の場合、対象に気づかれることなく監視するのが原則である。これに対してFSBは、「これ見よがしの追跡（demonstrativnaya slezhka）」も実行した。

旧東ドイツの秘密警察シュタージが1970年代に完成させた方法を用いて、FSBは、西側の外交官や外国人ジャーナリストなど、いわゆる敵の家へ侵入する。だが、国内の反対分子を抑え込むうえでもFSBは活躍し、英米の大使館で働くロシア人などもターゲットにした。諜報員のチー

ムはターゲットのアパートに忍び込むと、自分たちがそこにいた手がかりを残す。開いた窓、電源の切られたセントラルヒーティング、理由もなく鳴る警報、はずれた受話器、ベッド脇のセックスマニュアル……。

このような心理的威嚇は、プーチン政権2期目の2004~2008年に盛んになった。ウクライナのオレンジ革命に続く改革運動が起こりはしまいかと、ロシア政府が疑心暗鬼になっていた時期である。2009年、駐ロ米大使のジョン・ベイルは本国の国務省に電文を送っている。チェルシー・マニングが暴露した外交公電にはロシア発信のものが数千あり、これはその一つである。彼が綴った率直な文面は以下の通り——。

「この数カ月、全大使館職員に対する嫌がらせ行為が増大し、長年見られなかった水準に達しています。大使館スタッフは、個人を中傷するもの、性的関心をあおるものなど、いわれのない攻撃をメディアで受けています。家族は、配偶者である職員が事故で亡くなったと断定されるなど、心理的に耐えがたい被害に苦しんでいます。家宅侵入は日常茶飯事で、手口もずっと大胆になりました。現地職員への嫌がらせも、これまでにないペースで続いています。FSBの仕業なのは疑いようがありません」

これがそう、FSBだった。なんとも皮肉だが、ロシアの情報機関もロシア国民に対して、NSAと同じ広範な監視を行っていたことになる。

ロシア全土に行き渡る遠隔傍受システムはSORMと呼ばれる。SORMの技術基盤は1980年代半ばにKGBが開発した。以来、技術の急速な変化に合わせて改良が加えられている。SOR

Ｍ１は、携帯電話を含む電話の盗聴用。ＳＯＲＭ２はインターネットトラフィックを傍受し、ＳＯＲＭ３はあらゆる通信からコンテンツデータや記録データを収集し、長期間保存する。

監視・監督のメカニズムは、米国では機能しなくなったが、ロシアでは最初から存在しない。スノーデンの文書によれば、ＮＳＡは電話会社やインターネット・サービス・プロバイダーに顧客情報の提出を強要し、ＦＩＳＡ秘密裁判所の命令がこれを合法化した。企業側はこうした命令に裁判で異を唱え、政府機関が何を要求しているかをもっとくわしく公表させろと訴えた。

ロシアのＦＳＢもターゲットの盗聴には裁判所の命令が必要である。ただ、一度命令を受けたら、だれに対しても令状を示す必要はない。通信会社は何も知らされない。ロシアの安全保障問題の専門家、アンドレイ・ソルダトフによれば、ＦＳＢはインターネットプロバイダーのスタッフに連絡などしなくてもよい。ＦＳＢ本部の特殊なコントローラーを呼び出せば、それがプロバイダーのネットワークに設置されたＳＯＲＭデバイスとケーブルで直結しているのだ。

このシステムは全国で同じように運用されている。ロシアのどの町にも、厳重に保護された地下ケーブルがあり、それが当地のＦＳＢ部門とその地域のすべてのプロバイダーをつないでいる。その結果、ＦＳＢは反体制活動家をはじめとする「敵」のＥメールトラフィックを、なんのおとがめも受けずに傍受できる。

ロシアのお役所仕事は時間がかかる。しかし今回は、だらだら仕事のせいで遅れているわけではない。スノーデンの亡命を認めた場合に考えられる影響を、プーチンは慎重に見きわめていた。７

月24日、スノーデンの立場はまだはっきりしないとクチェレナは言った。その間、スノーデンは空港にとどまっていなければならない。

この弁護士によると、スノーデンはロシアでの生活、あるいは仕事について長い目で考えはじめていた。つまりロシアに滞在し、「ロシアの文化を学ぶ」つもりになっていた。どうやら「こんにちは」とか「お元気ですか」くらいはロシア語で言えるようになったらしい。ハチャプリ（グルジアのチーズパン）も試したとのこと。

モスクワ到着から39日後の2013年8月1日、スノーデンはついに空港を出た。ロシアが1年間の亡命を認めたのだ。国営テレビ「ロシア24」は、スノーデンの出発時の写真を放映した。リュックサックを背負い、大きな旅行かばんを持ったスノーデンがにっこり笑っている。いっしょにいるハリソンもうれしそうだ。彼は歩きながらクチェレナと二言三言、言葉を交わし、所属の知れぬグレーの車に乗り込んだ。車が走り去る。スノーデンは姿を消した。

クチェレナはスノーデンに発行された関係書類のコピーを記者たちに見せた。ロシア領内への一時立ち入りを認めるその文書には、「エドワード・ジョセフ・スノーデン」の名がキリル文字の大文字で印刷されている。指紋と、新しいパスポート写真。警備関係者によれば、スノーデンは現地時間の午後3時半ごろにトランジットエリアを去った。ロシアは米国に事前通知しなかったようだ。

スノーデンの行き先についてくわしいことは申し上げられない、とクチェレナは言った。なぜなら彼は「世界一のお尋ね者」だから——。ウィキリークスの声明によれば、スノーデンとハリソンは「安全な秘密の場所」へ向かったという。声明にはスノーデンの発言も紹介されていた。「こ

の8週間、オバマ政権は国際法にも国内法にも敬意を払ってきませんでしたが、ついに法の勝利するときがきました。国内法および国際的責務に従って亡命を認めてくれたロシア連邦に感謝します」

米国の反応は手厳しかった。ホワイトハウスは、サンクトペテルブルクで9月に開催されるG20サミットに合わせて予定されていた米ロ首脳会談をキャンセルすると発表。ジェイ・カーニー大統領報道官は、ホワイトハウスが「大変失望している」と述べた。

カーニーは、米国の機密情報をライバルの大国にプレゼントしたとして、スノーデンを事実上非難した。「そのような機密性の高い情報を安全な場所以外で保有すれば、それだけでも大きなリスクであり、なおかつ法令違反です。ご存じのように、彼はもう何週間もロシアにいます。その情報が安全な場所からどこかへ移される……その危険が大いにあります。そんなことはすべきではありませんし、できないはずです。誤った行為です」

状況をさらに悪化させるかどうかは、共和党上院議員のジョン・マケインしだいだった。スノーデンがTheTrueHOOHAのハンドルネームで投稿していたころに絶賛したマケインは、ロシアとの関係の「リセット」をめざすホワイトハウスを長らく批判していた。そんな妥協的政策をとればプーチンをつけ上がらせるだけだ、と。マケインは次のように皮肉っぽくツイートした。「スノーデンは『透明性と人権の国』にいる。例のリセットボタンを押すチャンスだ」

スノーデンはどこへ行ったのか？　赤の広場とクレムリン宮殿――それは黄土色の高い壁と金色の正教会の塔が織りなす光景だ。赤の広場の端には、シュールなタマネギ型ドームの聖ワシリイ

大聖堂がある。

ここから丘を上ってホテル・メトロポール、カール・マルクスの像を過ぎると、古典的な彫刻をほどこした、いかめしい大きな建物に着く。それがルビャンカだ。かつてはKGB、いまはFSBが本部を置く。なかへ入れば、先ほどの疑問の答えが見つかるに違いない。一方、ロシアのジャーナリストは、モスクワ近くの大統領保養施設にスノーデンはいるのではないかと推測した。

ハッカーから転じた内部告発者、スノーデンは亡命を認められた。だが、長い間人前から姿を消せば消すほど、非公式なかたちではあるにせよ、彼がFSBにとらわれの身になったという印象が強くなるのだった。

＊第12章＊

デア・シットストーム！

2013年10月
東ベルリン、シュタージ本部

グルビッツ部長「ドライマンはどうかね？」
ヴィースラー「監視させます」

映画「善き人のためのソナタ」（2006年）

ロビーにはヤギひげを生やした男の彫像がある。レーニンの秘密警察を指揮した、「鉄のフェリックス」ことフェリックス・ジェルジンスキーだ。壁には、1989年に劇的な崩壊を迎える前のドイツ民主共和国（GDR＝旧東ドイツ）の地図。いくつかの地区に分けられ、主な都市は太字で表示されている。首都の（東）ベルリン、ドレスデン、マクデブルク、ライプチヒ。

ベルリンのリヒテンベルク地区にある、このいかにも近づきがたい建物は、かつて東ドイツ国家保安省の本部だった。シュタージといったほうが通りがよいかもしれない。シュタージはジェルジンスキー率いる「チェーカー」をモデルにしていた。犯罪捜査も手がけるが、諜報機関、秘密警察

の機能も兼ねた。1950年からベルリンの壁崩壊までの40年近く、シュタージは東ドイツの「敵」の掃討作戦を実行した。ほとんどが国内の敵だ。掲げる目標は、「すべてを知る」

2階には、1957年から1989年までこの作戦を指揮したシュタージ長官、エーリッヒ・ミールケの執務室がある。思いのほか質素な印象を受ける。布張りのいす、1960年代の家具、旧式のダイヤル電話、電動タイプライター。隣の部屋には仮眠用のベッド。キャビネットの一つにはテープレコーダーが埋め込まれている。同じ階には大きな会議室がある。シュタージ幹部と会うとき、ミールケは会話を必ず録音したという。

ソビエト圏のなかでは、東ドイツは成功した部類に入る。比較的短い間ではあるが、歴史上最も徹底した監視国家を築き上げた。シュタージの諜報員は、1950年の2万7000人から1989年には9万1000人に増加。それ以外にも18万人が非公式協力者（IM）として活動していた。本当の数字はもっと多かっただろう。彼らは友人、同僚、隣人、家族をひそかに監視する。夫が妻をスパイする。東ドイツが崩壊するころには、国民の13人に2人が協力者だったともいわれる。

政府に逆らう輩を抑えつけるのにシュタージが好んで用いたのが、盗聴や偵察などの傍受活動である。このスパイ組織は2800の郵便の宛先を監視し、1日9000通の手紙を蒸気で開封した。手間のかかる仕事である。大量の情報を集めても、その大部分は諜報上の価値がない、ありふれたものだった。1990年1月15日、怒れる市民たちがシュタージのビルに乱入し、ファイルを略奪。ドイツのパズル・パレスは音を立てて崩れ去った。

ナチス、次いで共産主義者と、全体主義に翻弄された歴史を持つドイツだけに、スノーデンの暴

露情報が人々を激怒させたのも無理はない。米国のスパイ行為に対するドイツ人の怒りをうまく言い表した「デア・シットストーム（der Shitstorm）」という名詞も新しく使われた。英語からきたこの言葉は、2013年7月にドイツ語の辞書「ドゥーデン」に採用された。NSAスキャンダルが世界を揺るがしていた、まさにそのころである。「デア・シットストーム」とは、インターネット、特にソーシャルメディア上で幅広く表明される猛烈な怒りを意味する。

シュタージの東ドイツと隣接する西ドイツは、ゲシュタポの残影をある意味引きずっていた。国家によるスパイ活動の記憶は、統一後のドイツにもなお影を落としている。1984年の東ドイツを舞台にした「善き人のためのソナタ」、ナチスの時代を描いたハンス・ファラダの *Alone in Berlin* など、成功を収めた数多くの映画や本が、スパイされるというトラウマ体験を作品の題材に取り上げている。

こうした理由から、ドイツ憲法にはプライバシー権がしっかり組み込まれている。ジョン・ランチェスターが『ガーディアン』に書いた文章からも、ドイツ法が歴史的に人権の獲得を重視してきたことがわかる。「欧米では国民と国家の境界線は、個人の権利という抽象的な概念に基づいて決められる。そしてこの概念は、国家が何をすべきかという観点でかたちづくられる」（対照的に英国のコモンローは、抽象的な権利の存在ではなく、具体的な「不正」を改めることに重点を置く）

ドイツ人はビッグ・ブラザー式の監視を本能的に嫌う。いまでも街中に監視カメラはほとんどない。モニターされ放題の英国とは大違いである。グーグルの「ストリートビュー」プロジェクトは2010年に激しい抵抗に遭った。ドイツの地図をクリックすると、まだボカシの入ったエリアが

少なくない。ドイツが再統一後に初めて国勢調査の結果を発表したのは、2013年の夏である。1980年代に実施された調査でも、国家に個人データを提出したがらない人のボイコットが相次いだ。

アドルフ・ヒトラーと二人のエーリッヒ（エーリッヒ・ミールケと、東ドイツ指導者のエーリッヒ・ホーネッカー）の時代は終わった。ほとんどのドイツ人はそう考えていた。しかし9・11後にNSAがやったことの前では、ドイツ憲法など悪い冗談にしか見えなかった。2013年になって少しずつ公開されたスノーデンの文書によって、NSAがドイツを徹底的にスパイしていることが明らかになった。多くの点でシュタージの上を行くほどだ。

さらにあろうことか、NSAは10年間にわたって、ヨーロッパ一影響力の強い政治家、ドイツのアンゲラ・メルケル首相の電話まで盗聴していた。東ドイツで育ったメルケルは、つまり監視国家で暮らした経験がある。数々の判断ミスを犯したNSAだが、おそらくこれにまさる愚行はないだろう。

そもそもの始まりは、何百万というドイツ人の通信データをNSAが日常的に収集しているという『デア・シュピーゲル』の報道だった。通常の月で、およそ5億件の電話、Eメール、テキストメッセージを収集する。一日当たりでは、2000万件の電話に、インターネットトラフィックが1000万件。2012年のクリスマスイブには約1300万の通話記録を収集した、と同誌は報じる。数字はもっと増える場合もある。2013年1月7日時点で、NSAは6000万近い通信接続を監視下に置いていたという。データはすべてフォートミードに保存された。

それだけではない。米国内の外国公館も、高度なスパイ活動のターゲットにされた。いわば思想的な敵対国である中国やロシアならまだわかる。だが、2010年9月付のファイルによれば、NSAは友好国の大使館もスパイしていた（それも38カ所も）。たとえば、EU代表部、フランス大使館、イタリア大使館、ギリシャ大使館。日本、メキシコ、韓国、インド、トルコなども標的になった。

スパイの手口は尋常ではなかった。通信機器やケーブルに盗聴器を仕掛け、特殊なアンテナを使って送信データを収集する。DROPMIREというコードネームのプログラムでは、ワシントンのEUオフィスのファクス機に盗聴器が仕掛けられた。首脳レベルのサミットや閣僚会合がよく開かれるベルギーの首都ブリュッセル、ここにあるEU理事会本部もターゲットにされた。

ドイツとフランスは米国の親密な同盟国、NATO加盟国である。政府は同じ価値観、利益、戦略的責務を共有する。ドイツ兵とアメリカ兵はアフガニスタンでともに戦い、命を落とした。

しかしNSAにとっては、フランスとドイツはかっこうの餌食だった。どちらも英語国家によるスパイ連合「ファイブ・アイズ」のメンバーではなく、「第三者パートナー」である。NSAの内部資料は「第三者パートナーのシグナルはターゲットにしてもよい（実際にそうすることも多い）」と露骨に書く。「バウンドレス・インフォーマント」によれば、ドイツは米国によるスパイ頻度という点で、中国、イラク、サウジアラビアと同じトップグループに位置づけられる。

2013年6月にバラク・オバマがベルリンを訪れたときには、NSAの騒動で米独間の緊張が高まっていた。スパイ行為の暴露を受けて、ドイツの批評家たちはNSAをゲシュタポにたとえた

ほどだ。これは誇張だったとしても、スノーデンの資料がドイツにもたらした不安は現実そのものだった。

オバマとメルケルはベルリンの首相府で記者会見を開いた。洗濯機のような形をしたこの建物は、歴史のある議事堂（ノーマン・フォスターの手になる透明なドームが印象的）やブランデンブルク門からも遠くない。話題はNSAの件に集中した。

オバマは火消しに躍起になった。自分は前任者に批判的だったと彼は言った。大統領就任当初は米国のインテリジェンスコミュニティーに対して「健全な懐疑心」を持っていた。ところがよく調べてみると、安全保障と市民権の「適切なバランス」がとられていることがわかった。NSAはテロや大量破壊兵器にしか焦点を当てていない。「ドイツ、アメリカ、フランス、そのほかどんな国であれ、国民がふつうにやりとりするEメールを調べているわけではありません」。諜報システムは「狭い範囲に限定されて」いるとオバマは主張した。ドイツ人も含め、何人もの命がそれで救われたのだ、と。

メルケルは納得しなかった。米国との情報共有のおかげで、2007年にザウアーラント地方でのテロ計画を防げたのは事実だが、それでもドイツ国民は心配している、と彼女は言った。「相手を選ばない情報収集が行われてきたのではないか。そこが気になる点なのです」

『ガーディアン』をはじめとするヨーロッパ各紙との共同インタビューで、メルケルは、このスパイスキャンダルは「極めて深刻」だとしたうえで、次のように述べた。「盗聴器を使って大使館やEU代表部の友人たちの話を盗み聞きするのは認められません。冷戦は終わりました。テロとの戦

いが不可欠なのは疑いようがありません……しかし、ものごとにはバランスが必要なのもまた明らかです」

それでも、本格的な対立は何としても避けたいとメルケルは考えていたようだ。伝説的とさえいわれる、持ち前の現実主義がまたもや前面に出たのか。

一方、「デア・シットストーム」は印刷、オンライン問わずドイツ中のメディアでうねりを巻き起こした。そのトーンは概して不安に満ちていた。ドイツの賢者、ハンス・マグヌス・エンツェンスベルガーは「ポスト民主主義社会への移行」に言及。筋金入りの保守政治家、ハンス・ペーター・ウールはこのスキャンダルを「警鐘」と呼んだ。右派の『フランクフルター・アルゲマイネ・ツァイトゥング』紙でさえ懸念を表明した。自由が「今後も存在する」ためには、スノーデンファイルの公表が極めて重要だと同紙は述べた。

にもかかわらずメルケルは、2013年9月の総選挙を控えて、この問題を重要視しないことにした。一方、野党の社会民主党（SPD）はこれを大きく取り上げようとした。ところが、同党出身の前首相、ゲアハルト・シュレーダーが2002年に米国との広範な情報共有協定を承認したことが発覚。この戦略は裏目に出た。

そうなると立ち上がるのは一般国民しかいなかった。何百という市民が、監視反対のスローガンを書いたプラカードを掲げて街頭に繰り出した。メルケルの選挙集会でやじを飛ばし、ブブゼラを吹く者もいた。

ベルリンでは、スノーデンの仮面をかぶった集団が、ティーアガルテンの戦勝記念塔のふもとに

集まった。有望な大統領候補だったオバマが２００８年に印象的な外交政策演説をしたのもこの場所である。参加者たちは思い思いの横断幕を掲げている。「ノーオバマ（Nobama）」「『１９８４年』はいまだ」「自由と安保を犠牲にするやつらは、そのどちらにも値しない」。ウンター・デン・リンデン通りでは、共産主義独裁政権の象徴、共和国宮殿が建っていた場所にネオクラシックな宮殿を再建するため、作業員たちが忙しく働いている。

選挙の時期になると、一時の怒りの渦はほとんど感じられなくなっていた。首相府長官のローラント・ポファッラは、ＮＳＡの問題は「終わった」と宣言。メルケルの与党は前回より得票を伸ばし、3期連続の勝利を手にした。州議会選挙で高い支持を得ていた海賊党は、データ保護を訴える新しい反政府勢力だったが、総選挙では２・２％の得票に終わり議席を獲得できなかった。『デア・シュピーゲル』はこの敗北に「シットストームから沈黙へ」と見出しをつけた。

そこへ突然、２０１３年10月、とんでもないニュースが新しく飛び込んできた。ＮＳＡがミス・メルケルの電話を盗聴していたというのだ！

『デア・シュピーゲル』は、スノーデンが提供したあるＮＳＡ文書にメルケルの携帯電話番号を見つけた。隣には「ドイツ首相メルケル」の文字。文書（Ｓ２Ｃ３２）の出所は、ＮＳＡ「特別収集活動（ＳＣＳ）」の欧州支部とある。分類は「最高機密」。これが見つかれば、米国と「ある外国政府」の関係に「深刻なダメージ」が及ぶ、と警告されている。

『デア・シュピーゲル』は首相府に連絡した。ドイツ当局は調査を開始。その結論はショッキングだった。首相が米国による盗聴工作の犠牲者だった可能性が極めて高い――。ドイツ情報筋によ

ると、メルケルはかんかんになったという。シュテフェン・ザイバート報道官は、もしそれが本当だとしたら、「まったく受け入れがたい」「深刻な問題だ」と述べた。

何とも皮肉な話だが、メルケルは携帯電話を取り上げてオバマに電話をかけ、いったいどうなっているのかと尋ねた。オバマは法律家によくある言い逃れをした。米国はあなたの電話を盗聴していないし、今後もそのつもりはない——。ジェイ・カーニー大統領報道官の発表によれば、「米国はメルケル首相の通信内容を監視していないし、監視するつもりもない——大統領は首相にそう確約しました」

ホワイトハウスが過去に起こった事実を何一つ正直に話していないことは、だれの目にも明らかだった。NSAはジョージ・W・ブッシュ1期目の2002年からメルケルの電話を盗聴していたらしい。メルケルは個人用と仕事用の携帯電話を持っていたが、盗聴されたのは個人用のほうだ。キリスト教民主同盟（CDU）の党首だったときによく使っていた電話である。盗聴はオバマが2013年6月にベルリンを訪問する数週間前まで続いた。国家安全保障担当補佐官のスーザン・ライスによれば、オバマ大統領はこのことを知らなかった。

メルケル首相が携帯電話の愛用者であることはよく知られていた。いや、彼女の場合は「携帯による統治」を実践したといってもよい。2008年にブリュッセルで開催されたEUサミットでは、携帯でフランスのサルコジ大統領とテキストメッセージを交換した。2009年には、暗号化されたスマートフォンを入手する。NSAは暗号を回避するすべを見つけたようだ。だが、オバマ大統領がこの盗聴について知らなかったとすれば、だれが知っていたというのか？

この不道徳なスパイ行為のおかげで、米国は外交交渉で優位に立ち、敵と味方の本音を把握できたかもしれない。だが、暴露情報が相次ぎ、ヨーロッパやメキシコ、ブラジルで外交的危機が誘発されるなか、そこまでする必要が本当にあったのかと問いたくなるのも道理だった。

間違いなく、米国の世界での評判は大きく損なわれた。オバマは世界の舞台で孤立していったが、不思議なことに、同盟国の怒りには気づいていないふうだった。ブッシュ大統領ではないというだけでノーベル賞を受賞できたこの男も、人気はもはや下火だった。ヨーロッパからは相当嫌われた。「バラク・オバマはノーベル平和賞受賞者ではない。トラブルメーカーだ」と、ロバート・ロスマンは『南ドイツ新聞』に書いた。『シュテルン』誌は表紙でオバマを「スパイ」呼ばわりした。

おまけに、同志であるはずのノーベル賞受賞者もオバマにかみついた。世界を代表する500人以上の作家が、スノーデンの暴いた大量監視の実態は、世界中の民主主義と基本的人権を損なうものだと意見表明した。「すべての人間は、それぞれの思考や通信、置かれた環境について、監視や妨害を受けない権利を持っている」と声明文は言う。国家と企業によるスパイ行為はこの基本的権利を「無効」にした、と。

辛辣である。知識人でもある大統領のオバマにはこたえただろう。声明に署名したのは文学界の錚々たる顔ぶれで、ノーベル文学賞受賞者が五人いた。ギュンター・グラス、オルハン・パムク、J・M・クッツェー、エルフリーデ・イェリネク、そしてトーマス・トランストロンメル。それ以外にも、アルバニアからジンバブエまで、さまざまな国の重鎮が名を連ねた。

すでに孤立気味だった政権にとって、ＮＳＡスキャンダルは外交上の大きな足かせと化していた。『ガーディアン』の外交エディター、ジュリアン・ボーガーは次のように書いた。「リークがあるたび、アメリカのソフトパワーは失われ、ハードパワーもそれとともに弱っていくおそれがある。……サミットなどでは首脳どうしのパーソナルな関係が交渉に影響する。……なくてはならない友好国と考えていた相手に自分の携帯電話を盗聴される――外国首脳にとってこれほどパーソナルな出来事はないだろう」

同じ週、メルケルの携帯電話盗聴事件をきっかけにした騒ぎがフランスにも飛び火した。ＮＳＡのけしからぬ行状を『ル・モンド』紙がさらに暴き立てたのである。der Shitstorm が la tempête de merde になったわけだ。同紙はグリーンウォルドから入手した資料をもとに、米国はフランスでも大規模なスパイ活動をしていると暴露した。その数字には驚かされる。２０１２年12月10日から２０１３年1月8日までの1カ月間で、ＮＳＡはフランスの７０３０万件の通話を傍受し、データを盗み出していた。

同紙によれば、一日当たりの傍受件数は約３００万。２０１２年12月24日と２０１３年1月7日は７００万だった。12月28～31日は傍受実績がない。ＮＳＡのスパイも休みをとっていたのか？文書には何の記述もない。

ＮＳＡの工作がどのように行われるのかについても興味深いヒントがあった。対フランスの諜報活動にはＵＳ－９８５Ｄというコードネームがつき、ドイツはＵＳ－９８７ＬＡおよびＵＳ－９８７ＬＢというコードを持っている。プログラムのなかには、データ収集用のＤＲＴＢＯＸ、コンテ

ンツ記録用のWHITEBOXなどがある。米国のフランス人外交官に対する諜報活動にも秘密の略語がさらに使われている。

イタリアも状況は同じだった。メルケルをスパイした特別収集活動は、ローマやミラノの大使館を拠点にイタリアの首脳もターゲットにしていた。同国のデータは何百万という単位で収集された。

フランス政府の反応はいわば二層構造になっていた。いまやおなじみの儀式となったが、駐仏アメリカ大使のチャールズ・リブキンが呼び出され、説明を求められた。苦悩する大統領、フランソワ・オランドはオバマに電話をかけて抗議し、ローラン・ファビウス外相はこの件を「まったく受け入れがたい」とした。内務大臣のマニュエル・ヴァルスは「新しい通信技術には言うまでもなくルールが必要だ」と述べた。

だが、フランスの反応はドイツよりも穏やかだった。6月、オランドは米欧自由貿易交渉を中断すると脅しをかけたが、これは半ば国内の有権者を意識したポーズである。『ル・パリジャン』紙はこれを「紳士的」と評した。フランスはフランスでやはり諜報活動をしていること、同国が産業スパイの分野でリーダー的存在であることは、だれもが承知だった。それに、フランス政府は米国との良好な関係を維持したがっていた。とはいうものの、NSAのあまりにも大規模な監視網に政治家たちが度胆を抜かれたのは間違いないようだ。

このころには、米国は全世界の不安げな同盟国にお決まりの対応を繰り返していた。フランスをはじめとするヨーロッパの国々の疑問は「もっとも」である。安全保障とプライバシーの「適切なバランスをとる」ため、「情報収集の方法」を見直しているところである——。その一方で、国家

安全保障会議（ＮＳＣ）の報道官、ケイトリン・ヘイデンはこうも述べた。「米国が収集するような外国の情報は、すべての国々が集めています」。言い換えれば、「お互いさまでしょ。はい、おしまい」

議会を欺いた男、国家情報長官のジェームズ・クラッパーは、『ル・モンド』の記事は事実をとりちがえていると言った。ＮＳＡが７０３０万件のフランスの通話を記録したことを、彼は否定した。それ以上くわしくはコメントしなかったが、どうやらメタデータを手に入れただけだと言いたいらしい。彼は、このヨーロッパでのスパイ活動の背後には、ヨーロッパの諜報機関自体もからんでいることをにおわせた。

事実上、欧州各国は偽善者というわけだ。クラッパーの言い分は正しいのか？

ある意味で、答えはイエスだ。ＮＳＡより規模が小さいとはいえ、ヨーロッパの諜報機関もスパイ活動と無縁ではない。何十年もの間、米国のインテリジェンスコミュニティーと親密な関係を築いてきた。たとえばドイツの連邦情報局（ＢＮＤ）は、メタデータなどの情報をＮＳＡと共有するばかりか、Ｍｉｒａ４とＶｅｒａｓという二つのデジタル諜報システムとそっくり同じものをＮＳＡに提供している。

スノーデンもこうした密接なつながりに注意を喚起した。彼はインターネットの自由を求める活動家でジャーナリストのジェイコブ・アッペルバウムに対して、ＮＳＡはドイツなどヨーロッパのほとんどの国と「一つ屋根の下にいる」と語っている。

どの程度の協力関係なのかは、なかなかはっきりしない。グリーンウォルドがノルウェーのタブ

ロイド紙『ダーグブラーデット』に渡したバウンドレス・インフォーマントのスライドによると、NSAは一日に120万件の通話情報をノルウェーで収集している。だがノルウェーの軍情報部は、それは資料の読み違いだと言う。軍情報部によれば、それだけの通話情報をノルウェーがアフガニスタンから収集し、NSAに渡しているとのこと。

しかしその主張は、「ミッションは眠らない」とサブタイトルのついたNSA側のパワーポイントと矛盾する。そこでは、このプログラムに基づくメタデータは特定の国から提供してもらうものではなく、特定の国で収集するものだと明言されている。ノルウェー、アフガニスタンなど、国ごとにスライドが分かれている。

全体像はいずれにせよ明らかだった。そして厄介だった。他国の助けを得ようが得るまいが、NSAはあらゆる人の通信データをかき集めている。『ル・モンド』が見たある文書には、2013年2月8日から3月8日までの間に、1248億件の通話データ、971億件のコンピューターデータを収集したとあった。数字は全世界の合計だ。同紙は社説で、新しいテクノロジーが地球を「ビッグ・ブラザー」の星にしてしまったと書いた。ウィントン・スミス（『1984年』の主人公）の敵役をどの国が演じたかは言うまでもない。

NSAの主要ミッションは国家の安全保障である。少なくとも理念としてはそうだ。だが2013年が終わるころには、その情報収集活動はもっとシンプルなものをめざすようになっていた。そう、グローバルパワーである。

実は、NSAが電話を盗聴していた外国の重要人物はメルケルだけではなかった。『ガーディアン』が公表した2006年のNSA内部資料によると、最低でも35人の指導者が盗聴されている。NSAは、ホワイトハウス、国務省、国防総省といった「顧客」に自分たちの「ローロデックス（名刺整理ツール）」を売り込んでいた。そうすれば、外国の有力政治家の電話番号をさらに監視システムに追加できる。ある熱心な職員は200もの番号を収集したという（さきの35人もそこに含まれる）。NSAは直ちにそのモニタリングを開始した。

NSAはその後、ブラジル大統領のジルマ・ルセフ、メキシコ大統領のエンリケ・ペーニャ・ニエトなどもターゲットにした。一見、この選択は妙である。両国とも米国と良好な関係にあったからだ。ルセフの前任者、左翼ポピュリストのルイス・イナシオ・ルーラ・ダ・シルヴァは、イランのアフマディネジャド大統領（当時）を招くなどしてワシントンをてこずらせた。しかしルセフは、2011年の大統領就任後、ホワイトハウスとの関係改善を模索。テヘランとは距離を置き、かつてブラジル訪問をキャンセルしたオバマを招待したりもした。

こうしたブラスの側面にNSAは何の関心もなかった。米国のスパイが興味を持つのは、ルセフの個人的な考え方である。『デア・シュピーゲル』が入手したNSAのスライドを見ると、分析官たちがルセフのメッセージにどうにかアクセスできたことがわかる。彼らは「ブラジル大統領ジルマ・ルセフおよびその主な顧問の通信手段と関連するセレクター」を調べ上げた。また、政権中枢にいるそのほかの「重要度が高いターゲット」も発見した。

民主的に選ばれた政治家だけでなく、NSAはブラジルの最も重要な企業、ペトロブラスもひそ

かにターゲットにしていた。この石油会社は世界でも上位30傑に入るほどの規模を持ち、株式の過半数を保有する政府にとっては大きな収入源だ。新しい大規模油田を大西洋でいくつか開発中である。

グリーンウォルドがブラジルのニュース番組「ファンタスティコ」に提供したファイルによれば、NSAはコードネーム「ブラックパール」という機密プログラムを用いて、ペトロブラスのバーチャル・プライベート・ネットワークに侵入したらしい。ほかにも、国際送金ネットワークのSWIFT、フランス外務省、グーグルなどが標的にされた。「ネットワークの活用」と題する別のGCHQ文書を見ると、英国と米国は日常的に協力して、エネルギー企業、金融機関、航空会社、外国政府のプライベートネットワークをターゲットにしているようだ。

当然、ルセフはNSAのスパイ行為を快く思わなかった。ブラジルの主権が著しく侵害されると抗議したが、ホワイトハウスはドイツやフランスのときと同じような型にはまった一般論で対応するだけだった。9月、ルセフは10月23日に予定されていたワシントン公式訪問を取りやめると発表した。オバマは電話で説得を試みるが無駄に終わった。「適時の調査」がなされなければ、「この訪問の条件は整わない」とブラジル政府は述べた。

ブラジルでのNSAの活動は明らかに非友好的だったし、もっといえば明白な産業スパイだった。中国やロシアの経済スパイ活動を、米国は激しく非難したのではなかったか。NSAは『ワシントン・ポスト』で次のように抗弁した。「サイバー分野を含むいかなる分野でも、私たちは経済スパイ活動には関与していません」。クラッパーは少し怒ったような調子で、米国は外国企業から営業

秘密を盗み出し、それを米企業に渡すようなまねはしていないと主張した。

だが、クラッパーがNSAの目標をあいまいに擁護したところで、ルセフをなだめる役には立たなかった。9月の国連演説で同大統領は、今回明らかになった米国の「電子スパイのグローバルネットワーク」は全世界に怒りを引き起こした、と激しい口調で述べた。この「干渉」は友好国間の関係をないがしろにするだけでなく、国際法にも違反する――。NSAがテロと戦っているという言い分にもルセフは耳を貸さなかった。「ブラジルは自国の守り方を心得ています」

どちらかといえば、米国の南隣のメキシコのほうがもっと激しい蹂躙を受けた。『デア・シュピーゲル』によれば、NSAはニエト大統領および親米派の前大統領フェリペ・カルデロンに対する高度な諜報作戦を展開した。この慎重を要する任務に当たったのは、テイラード・アクセス・オペレーションズ(TAO)と呼ばれる特別部隊である。

2010年5月、TAOはカルデロン大統領の公務用Eメールアカウントをホストするサーバーに侵入した。他の閣僚たちも同じドメインを利用していた。NSAは喜んだ。これで「外交関連、経済関連、そして国家指導者の通信」を読むことができ、「メキシコの政治体制や国内の安定度」を把握できる。このオペレーションは「フラットリキッド」と呼ばれた。2年後、NSAは今度は、大統領候補だったペーニャ・ニエトのプライベートEメールを読むことに成功した、とブラジルのテレビ局グローボは伝えている。

米国がメキシコでスパイ活動をする主な目的は、麻薬カルテルの動向に目を光らせることだ。『デア・シュピーゲル』が見た2013年4月作成の文書では、米政府の優先事項が1(優先順位

が高い）から5（低い）までで整理されていた。メキシコの麻薬取引は1。同国の大統領、軍事力、対外貿易関係は3。防諜活動は4。2009年8月の別の作戦では、NSAはメキシコの国家安全保障事務局高官のEメールに侵入。麻薬ギャングや「外交上の論点」に関する有用な情報を手に入れた。

このスパイ活動はどのように行われるのか？　どうもNSAは、「イブニングイーゼル」という作戦名で、メキシコの携帯電話ネットワークをモニターしているらしい。テキサス州サンアントニオのNSA施設、メキシコシティとブラジリアの受信基地がこれにかかわっている。NSAが擁するリソースは半端ではない。2012年の初夏、ニエトが麻薬カルテル対策に費やす予算を減らすのではないかと恐れたNSAは、ニエトの携帯電話、さらには「彼に近い人物9名」の携帯電話を監視した。ソフトウエアがニエトの重要な人脈をあぶり出し、彼らも監視下に置かれた、と『デア・シュピーゲル』は伝える。

2014年初めには、スノーデンの暴露情報による影響はウィキリークスのときよりもはるかに大きくなっていた。全世界から送られた米外交公電を2010年後半に公表したウィキリークスは、たしかに大きな影響をもたらした。何人かの米大使は職を辞さざるをえなかったし、異動になる者もいた。これらの公電は「アラブの春」につながり、チュニジア、リビア、エジプトの腐敗した政権に対する民衆の怒りを呼び覚ました。一方、おかしな具合に、米国の外交官は評判が上がった。なんというか、知的で勤勉で信念があるらしい。文才のある外交官も少数いたという。

しかし、スノーデンファイルの影響はもっと奥深かった。ゆっくりと、少しずつではあるが、米国が外国の指導者だけでなく一般市民すべてをスパイしているという事実を、世界がしぶしぶながら受け入れているかのようにさえ感じられた。ヨーロッパの同盟国にとっても、ライバルである独裁的国家にとっても、問題はこれにどう反応するかである。NSAは、価値観や歴史を共有する友好同盟国を、実は同盟国とは見なしていないようだった。あるときは友人だが、あるときは敵というのが彼らの考え方だ。

いくつかのトレンドがあった。「携帯危機」のあと、メルケルはパートナー間のスパイ行為を規制する新しい枠組みづくりを要求した。スノーデン騒動の早い段階からNSAとBNDは状況の修復を試みていたが、ここへきてメルケルとオランドは、2013年末までに米国との間でスパイ禁止協定を結びたいと考えた。安全保障・諜報当局の行動を規制するこの協定に、英国をはじめとするEU諸国は署名してもしなくてもよい。

一方でメルケルは、オバマ政権がごまかしてきた答えをはっきり知りたいと思った。特に知りたかったのは、NSAのドイツに対する監視活動の範囲である。自分自身の問題についても、疑問はまだ解けていなかった。だれが承認したのか？　理由は何か？

各種文書によれば、米国（NSA）と英国（GCHQ）は在外大使館を受信基地にして、その国の政府をスパイしているものと思われる。特にベルリンでは、そのやり口はもう堂々たるものだった。パリ広場の米大使館は、議事堂や首相府から数百メートルしか離れていない。ここからNSAとCIAはドイツ政府全体の動向をひそかに探ることができる。大使館の屋根に立つアンテナ群を

『シュピーゲル』は「巣（Das Nest）」と名づけた。

ほかも事情は同じだった。２０１０年、ＮＳＡは全世界で80の大使館をスパイ基地に使っていた。そのうち19が、パリ、マドリード、ローマ、プラハ、ジュネーブ（スノーデンがＣＩＡ時代に勤務）など、ヨーロッパの都市にあった。フランクフルトにも基地があった。

ファイブ・アイズに属する他の国々も独自のスパイ活動を展開していた。『ガーディアン』オーストラリアとオーストラリア放送協会が共同で公表したスノーデン文書によると、同国の諜報機関はインドネシアのユドヨノ大統領とアニ夫人、主要閣僚、側近を盗聴していた。この最高機密のスライド資料は、オーストラリア国防省および国防信号局が出所である。日付は２００９年11月。

２０１０年のＧ20トロントサミットに参加した25人の首脳をＮＳＡがスパイしていた、とのリーク資料もある。この秘密工作はオタワの米大使館を拠点に実行された。カナダの通信安全保障局（ＣＳＥＣ）も深く関与している。

ドイツ、メキシコ、ブラジルの首脳と同様、インドネシアの大統領もオーストラリアの隣人らしからぬふるまいに腹を立てた。彼はキャンベラとの外交関係の優先度を下げ、人身密輸やボートピープルといった問題での協力を打ち切った。オーストラリアの首相、トニー・アボットは謝罪を拒否したうえ、スパイ行為があったかどうかの確認もしなかった。同国での議論は、英国のそれとうんざりするほど似通っていた。つまり一部の政治家と、ルパート・マードック所有の新聞各社が、記事を報じたメディアを攻撃するという構図である。

ヨーロッパでは、気分を害した政治家たちがスノーデンの件への対応策を検討しようとしていた。

ブリュッセルで開催されたあるEUサミットは、このテーマで持ちきりになった。メルケルは他のEU首脳に、問題は自分の携帯電話ではなく、その背後にある「何百万というヨーロッパ市民の電話」であると述べた。ドイツの政治家は、ホワイトハウスが十分な対応をするまで、米国との貿易協定交渉を棚上げせよと言った。モスクワにいるスノーデンから証言をとれという声もあった。それから、メルケルは拒んでいたのだが、彼に亡命を認めろという声も。

このサミットで英国は難しい立場に置かれた。デイビッド・キャメロンは気がつけば、それとない批判の矛先にされていた。メルケル首相の携帯電話の情報を見たことがあるのか、GCHQが各国首脳の盗聴にからんでいたのかについて、彼は口をつぐんだままだった。NSAが収集した情報をGCHQも共有していた可能性は高い。ノースヨークシャーにあるNSAの欧州ハブ、メンウィズヒルを通じて盗聴が実施された可能性もある。キャメロンは英国の「勇敢なスパイ」を擁護するだけだった。

ヨーロッパの議員はデータプライバシーに関する厳格なルールづくりに賛成した。グーグルやヤフー、マイクロソフトなどの企業が集めたEUのデータがNSAのサーバーに送られないようにするのがねらいである。この提案はPRISMへのあからさまな抵抗であり、EUの情報をEU以外の国と共有することを制限しようとするものだった。また、EU市民が自分たちのデジタル記録をインターネットから消去する権利を認め、ルールを破った企業に高額の罰金を科そうとの提案でもあった。

こうした施策は、欧州委員会が2012年に行った当初の提案からは抜け落ちていた。米国のロ

ビー活動のせいである。こうした新しい規制はビジネスに悪影響を及ぼす、と米国は主張。シリコンバレーも同調した。だが、NSAのスパイ行為がEU陣営をかたくなにさせ、改革を望む国々には勢いがついていた（最終的に英国が米国の救済に乗り出し、キャメロンは新しいルール策定を2015年まで延ばすようEU諸国を説得した）。

このEUの反応は、インターネットの「非アメリカ化」をめざすスノーデン後のトレンドの一つである。すでに2012年には、ロシアや中国、中東のいくつかの国が、サイバースペースに対する国内支配の強化へ動きはじめていた。そしていま、ヨーロッパと中南米が同じ方向を向いている。ブラジルとドイツは、NSAのスパイ行為を制限する国連総会決議をめざして共同歩調をとりはじめた。

新たなキーワードは「サイバー主権」。米国に不満を持つ同盟国の共通の目標は、NSAが国家データにアクセスしにくくすることだ。ロシアのような独裁的国家にとっては、ほかにも特典があった。インターネットに対する国の支配が強まれば、自国民へのスパイ、反体制派封じがラクになる。

最も強硬な姿勢を示したのはブラジルである。10月、ルセフ大統領は南米とヨーロッパを結ぶ新しい海底ケーブルの敷設計画を発表した。これが完成すれば、理論的には米国を締め出すことができ、NSAはブラジルの情報を吸い上げにくくなる。さらにルセフは、グーグルなどの米ハイテク大手がブラジルのユーザーのデータをローカルサーバーに保存するよう義務づける法律の制定も検討した。その間、何千もの政府職員は厳重に暗号化されたEメールの使用を命じられた。スノーデ

ンによる暴露後、この政策はいっそう加速した。

ブラジルの反撃の効果を疑問視する専門家もいた。グーグルのライバル企業がブラジルに現れないかぎり、NSAはあくまで同国のデータを入手できる。必要なら裁判所の命令をもらって――。いずれにせよスノーデンの暴露情報は、グーグルのエリック・シュミットが言ったインターネットの「バルカン化」の引き金になった感がある。ユニバーサルであるはずのツールが細分化し、「国別」になるおそれがある、と彼は警告したのだ。

ドイツでは、国の後押しを受けるドイツテレコムがナショナルインターネットの構想を提案した。スローガンは「メイド・イン・ジャーマニーのEメール」。つまり、ドイツ製食器洗い機と同じように信頼の置けるEメールを消費者に提供するという意味だ。ドイツの利用者どうしがやりとりするEメールはもはや米国のサーバーを経由しない。トラフィックは大部分、EUのシェンゲン圏の範囲内にとどまる（おあつらえむきに英国は圏外だ）。詮索好きな英語圏のスパイをぜひとも排除したい。

スノーデン事件の最も予期せぬ効果はタイプライターの復活だろう。外交官がNSAに盗聴されていると知ったインド政府は、古いテクノロジーに回帰した。駐英インド高等弁務官事務所（ロンドン）では、2013年の夏からタイプライターを再び使いはじめた。最高機密資料は電子データで保存しない、と高等弁務官のジャイミニ・バグワティは『タイムズ・オブ・インディア』に語っている。外交官はそれまで外へ散歩に出かけていた。「機密性の高い話は大使館のなかではしません。でも、そのたびに庭へ出ていくのはうんざりです」

ロシアも同じ結論に達していた。FSBの一部門で、スノーデンをみはっているとの説もある連邦プロテクションサービス（FSO）は、タイプライターを大量に注文した。

通信の分野を大きく転換させたPC革命も休止を余儀なくされた。プライバシーを気にする人たちはインターネット以前の時代に戻りつつあった。タイプライター、手書きメモ、秘密のランデブーが再流行。伝書バトの復活も時間の問題だった。

NSAの国外でのへたな諜報工作はあれこれ物議をかもした。ある文書からは、イスラム「急進派」6名のポルノ閲覧の習慣まで監視していたことがわかっている。彼らの権威失墜がねらいだったようだ。実際には一人もテロリストはいなかった。個人の閲覧履歴を盗み見るというこの行為は、かつてチャーチ委員会の設立につながった（ウォーターゲート事件などにおける）不当な監視を思い出させる。

歴史はくり返すというが、まさにその通りかもしれない。米国は同じような活動にもう何十年も関与しているとほのめかす専門家もいる。

ドイツの情報機関を監督する立場にいたことがあるクラウス・アルントは、スノーデンの事件には過去の醜聞が投影していると言う。アルントが『デア・シュピーゲル』に語ったところでは、1968年まで、米国は西ドイツで戦後すぐの占領国のようなふるまいをしていた。要は、だれでも好き勝手に盗聴していたらしい。

その後は、ドイツ当局に監視活動の許可を得なければならなかった。しかし西ベルリンでは19

90年まで、「まるで進軍してきたばかりのような」傍若無人ぶりだった、と彼は言う。ある米軍少佐が恋人と口論になり、彼女の電話の盗聴と手紙の盗み読みを命じたことがある。アルントは「命令に従うしかありませんでした」と言う。

現在の米国のやり方はどうか？　アルントによれば、無差別のデータ収集は効果がなく、超大量のデータを評価するのは実質的に不可能だ。にもかかわらず、アメリカ人はつねに「情報に熱中し」、いまだにドイツでわがもの顔にふるまっている、と彼は言う。

彼はスノーデンによる暴露行為のインパクトをこう要約した。「理論的には私たちは主権者だが、現実的にはそうでない」

＊第13章＊

「押し入れ」からの報道

2013年夏〜冬
ニューヨーク市8番街、『ニューヨーク・タイムズ』オフィス

「よくここへお見えですね。#NSApickuplines」

ツイッターでのジョーク

押し入れに毛が生えたような部屋。故アーサー・サルツバーガー所有の絵が数枚、壁に立てかけてある。一枚には、葉巻をふかす新聞記者が描かれ、その上に「ビッグ・ブラザーがあなたを見ている」の文字（アーサーは「戻りしだい」絵を確認するとのメモ書きがあるが、彼は2012年に亡くなった）。

管状蛍光灯、小さなテーブル、いすが2脚。窓はない。金属製の棚には、クリーム色の封筒が入った箱。これは息子のアーサー・サルツバーガー・ジュニア、すなわち『ニューヨーク・タイムズ』の現発行人の持ち物だ。廊下には、同紙のピュリツァー賞受賞者たちの写真が飾られている。職員向けのカフェテリアからは、何やら知的な会話が聞こえてくる。

『ニューヨーク・タイムズ』のオフィスはマンハッタンのミッドタウン、8番街に面している。その消耗品保管室が、スノーデンの記事をめぐって思わぬ役割を果たすことになる。『ガーディアン』はロンドンで業務ができなくなったあと、『ニューヨーク・タイムズ』と協力して、ここからNSAファイルの報道を続けたのである。狭苦しい部屋だが、極めて安全だった。人の出入りは制限され、警備員やビデオカメラなどもそろっている。ここは米国だから、その部屋で働くジャーナリストはロンドンでは受けられない恩恵を受けられる。合衆国憲法による保護である。

『ガーディアン』のハードディスクの破壊は、EUをはじめとする世界各国・地域、国連「表現の自由に関する特別報告者」から非難されたが、米国のオバマ政権はこの件にあまり首を突っ込まなかった。もちろんホワイトハウスはスノーデンの暴露を快く思っていなかったけれども、修正第1条が報道の自由を保証することは心得ていた。ハードディスクを粉々にするなんてアメリカではありえない、とホワイトハウス関係者は言った。

GCHQの二人組が破壊作業を見届けてから2日後、英政府はラスブリッジャーの申し出を踏まえて、『ガーディアン』の米国の協力相手を尋ねた。『ニューヨーク・タイムズ』と非営利組織のプロパブリカだ、とラスブリッジャーは答えた。

だが、英外務省が行動を起こすまでには、そこから3週間半を要した。8月15日、駐米代理大使のフィリップ・バートンがようやく『ニューヨーク・タイムズ』編集主幹のジル・エイブラムソンに電話をかける。バートンは一度お目にかかりたいと言った。もともとエイブラムソンもワシントンDCへ行く予定にしていた。四面楚歌の国家情報長官、ジェームズ・クラッパーに会う手はずを

整えていたのだ。話題はスノーデンではなく、同紙の記者、特にインテリジェンスの問題を扱う記者に対する政府の圧力が度を過ぎていることについて。

「私たちは国家の安全保障にかかわるデリケートな事案を何十年も記事にしてきた経験がありま す」とエイブラムソンは言う。1972年、アーサー・サルツバーガーの時代に『ニューヨーク・タイムズ』はペンタゴン・ペーパーズを公表した。「私たちは決して傲慢ではありません。政府高官の話にも耳を傾けます。ただ、もしテロとの戦争が行われているのであれば、その戦争の実情を人々は知る必要があります」

バートン代理大使はエイブラムソンを英国大使館に招こうとしたが、盗聴のおそれがあるという理由でラスブリッジャーが反対した。そこでエイブラムソンは、英国領扱いになる大使館ではなく、大使公邸で会うことにした。大使館だと英国のスパイが何をやらかすか、わかったものではない。会見の席でバートンは、スノーデン文書の返還ないし破棄を求めた。英国に関する情報漏洩のせいで政府は心安らかでいられない、と彼は言った。エイブラムソンは、『ニューヨーク・タイムズ』がスノーデンの資料を持っているとも持っていないとも言わなかった。ご要望は持ち帰って検討する、と彼女は約束した。

2日後、彼女はバートンに電話を入れ、要望には応じられないと言った。エイブラムソンによれば、「会見は期待外れというか……。二度と向こうから声はかかりませんでした」。おそらく英外務省はかたちだけ手続きを踏んだのだろう。ラスブリッジャーは文書があちこちの国に存在すると明言していた。ニューヨークのプロパブリカも数カ月前から『ガーディアン』と協力していることは

英政府も知っていたが、そちらへのアプローチはなかった。

その年の夏から秋にかけて、『ガーディアン』米国はスクープを連発した。ＮＳＡが世界各国の指導者35人をスパイしていたこと、暗号を解読していたこと、そしてＧＣＨＱと手を組んで英国民をスパイしていたこと（首相退陣前のトニー・ブレアから米国への最後の贈り物か）……。ＮＳＡはまた、アメリカの国益上必要と判断すれば、ＧＣＨＱに隠れて英国民を監視する準備も進めていた。これほど非紳士的な行為はない。ファイブ・アイズの合意に基づけば、英国と米国はお互いをスパイしないことになっているはずである。

ＮＳＡがキャメロンを盗聴していたかどうか（偶然にせよ、そうでないにせよ）、これはわからない。彼自身は35人のリストに入っていなかったが、彼がよく電話をする相手はリストに含まれていた。

こうしたすっぱ抜き情報は全世界を駆けめぐった。グリーンウォルドのインタビュービデオは『ガーディアン』ウェブサイトとして歴代最高の視聴回数を記録した。スノーデンは次いで、引き続き香港に潜伏しながらライブＱ＆Ａセッションをサイト上で開催した。同紙のガブリエル・ダンスは、昔ながらのテキストとグラフィックにビデオを組み合わせて大量監視の実態を暴くインタラクティブガイド、「ＮＳＡファイル解読（NSA Files Decoded）」を制作した。いまやテクノロジーのおかげで、「物語」は世界の隅々まですぐさま行き渡るのだ。

とりわけ米国では、それが政治情勢を変える効果まで発揮した。最初の暴露記事が出たとき、米議会は否定的な反応を示した。リークに対してもスノーデン本人に対しても非難の声が起こった。

議員たちは本能的に治安当局に味方した。

なかにはしかし、最初からスノーデンを支持する独立心旺盛な者もいた。スノーデンが英雄とあおぐロン・ポールもその一人である。政府の「不正」を暴いたこの若き内部告発者に米国は感謝すべきである、とポールは言った。息子のランド（ケンタッキー州選出の共和党上院議員）も父親に同調し、NSAによるアメリカ人の監視を「憲法への全面攻撃」と評した。

保守系コメンテーターのグレン・ベック、リベラルで知られるマイケル・ムーア、『ニューヨーカー』誌のジョン・キャシディなど、スノーデンを称える人間は多種多様だった。アル・ゴアも彼を支持するツイートを送った。大手メディアには、感情的な言葉で敵意をむきだしにする者がいた。たとえば、同じく『ニューヨーカー』のジェフリー・トゥービンは、スノーデンを「監獄に入れるべき大げさなナルシシスト」と呼んだ。

ほとんどの議員は、公には同じようにスノーデンを批判した。だが内面では、それほど批判的でない者が多かった。上下院の各議員は極秘情報の漏洩を嫌い、ロシアに潜伏するスノーデン自身を嫌っていたかもしれない。だがなかには、彼が暴いた監視の規模の大きさを気にする者もいた。暴露が進むにつれて、議会の不安も高まった。

その不安のほどがはっきりしたのは7月下旬、スノーデンの記事が最初に出てから2カ月近くたったころだ。若手下院議員のジャスティン・アマシュが国防予算法案の修正案を提出した。目標は大きかった。NSAによるアメリカ人の通話記録の大量収集をやめさせようというのである。アマシュ本人の言葉を借りれば、「修正第4条と……アメリカ人一人ひとりのプライバシーを守りたか

った」

そんなアマシュを民主党リベラル派と思う向きも多いだろうが、彼は実は共和党所属である。アラブ系二世のアマシュは共和党リバタリアンの一人で、やはりロン・ポールを信奉していた。小さな政府、憲法の尊重を唱えるポールは、軍事的冒険主義に反対し、政府によるプライバシー侵害を激しく批判した。アマシュは2008年の大統領選でポールに献金している。スノーデンも2012年に同じくポールに献金した。

アマシュの修正案が通るとはだれも思っていなかった。しかし、同案は下院議事運営委員会を通過した。するとオバマ政権、諜報機関、関連議員はこれを全力でつぶしにかかった。議事堂地下室で長期にわたって開かれた非公開会議で、アレグザンダーNSA長官は、国家の安全保障に大きなダメージが及ぶと警告。クラッパー国家情報長官は、NSAが必要不可欠な情報ツールを失ってしまうと述べた。ホワイトハウスは、修正案に公然と反対するという異例の措置に出た。

2013年7月24日水曜日の夜、『ガーディアン』のスペンサー・アッカーマンは下院での議決をわざわざ見に行った。彼と同じような記者はわずかしかいない。場の雰囲気がこれまでとは違う印象があった。9・11以降、治安国家アメリカはひたすら大きくなりつづけてきた。だがいま、これに抵抗する動きが初めて表れている。「どきどきしていました。最後まで結果はわかりませんでしたから」とアッカーマンは言う。

通常は民主党と共和党が分裂する議会だが、このときは両党の二つのグループが一致団結していた。オバマの大統領就任後間もないころから、民主・共和両党はほとんどの政治課題で合意できな

いでいた。外から見れば、ワシントンは党派的で機能不全に陥っているように見えた。ただ一つ、党派を超えて合意できたのはイラン問題である。国内の問題については、政治家どうしの対立が絶えなかった。

今回は、民主党のジョン・コニャーズがアマシュの修正案の共同提出者になった。下院の共和党・民主党指導部およびホワイトハウスはこれをかたくなに拒否。一方、人権擁護派の民主党議員とリバタリアンの共和党議員がアマシュ支持でタッグを組んだ。議会分裂の様相がいつもとは違っていた。ワシントンインサイダー対リバタリアンという図式である。制度的には、「秘密工作を監督する情報委員会」対「法律・憲法への忠誠を監督する司法委員会」だった。

この議論はいつになく熱のこもったものになった。アマシュ反対派の急先鋒は、元FBI諜報員、下院情報委員会委員長、熱烈なNSA支持者のマイク・ロジャース。「9月11日に何が起こったか忘れたのですか?」と彼は言った。アマシュ支持のオンラインキャンペーンをばかにして言ったせりふが、「フェイスブックの『いいね』の数しか気にならないほど、われわれは小さい人間になったのでしょうか」である。共和党のトム・コットンはアマシュの提案に反対して、「みなさん、これは戦争です」と宣言した。

だが、令状なき監視に反対する議員のなかには、植民地時代との比較を持ち出す者もいた。彼らはNSAのプログラムを、英国の税関職員に私有財産の捜索を認めた「一般令状」にたとえた。アメリカの政治家による非難としては最大級に情緒的なものといえる(スノーデンの父親の弁護士であるブルース・フェインも、「援助令状」という同じようなたとえをテレビのインタビューで用い

ている)。

奇妙な協力関係も生まれた。ティーパーティー(茶会党)の指導的メンバーであるテッド・ポーが、リベラルなゾーイ・ロフグレンと手を組んだのだ。ワシントンではほとんどありえない光景である。しかし、民主党院内総務のナンシー・ペロシはアマシュの修正案に猛反対。議論は沸騰した。論争の間、ロジャースは顔をしかめ、丸めた書類を警棒のようにもう片方の手に打ちつけながら、机の列の間を行ったり来たりした。これを出世の足がかりにしたいはずのアマシュは、笑いながら、同僚と冗談を言い合っていた。

表決結果は衝撃をもたらした。修正案は否決されたものの、217対205の僅差。議会の不満がここまでのレベルに達しているとは、だれが予想しただろう。それは国中を覆う二極化の表れだった。全米が激しい議論の渦中にあった。安全保障優先かプライバシー優先かで言い争う者もいれば、スノーデンが内部告発者か裏切り者かで論争する者もいた。これが重要な問題だと考える者もいれば、そうは考えない者もいた。

ホワイトハウス、NSA、国家情報長官室にとっては薄氷の勝利だった。何かを変えなければいけないのは明らかだ。スノーデンは「ハワイから来た小さな裏切り者」だ(アレグザンダー長官の発言)という、絶対主義者的なものの見方で片づけられる問題ではなかった。ホワイトハウスは妥協をにおわせはじめた。議会聴聞会が秋に開かれることになった。NSAの活動を制限するための法改正を求める声も起こり、新しい法案策定の作業が始まった。

夏休み前の8月9日の記者会見で、オバマは今回の件について初めて内容のある発言をした。諜

報活動の透明性を高める戦略を提示したのである。だが、肝心の監視抑制策には何も触れなかった。

オバマは情報政策を見直す新しい委員会の設置を提案したほか、外国情報活動監視裁判所（FISC）に対する監督の強化や、愛国者法第215条に基づいて通話記録を収集する法的根拠の機密解除を発表した。

米国には多大な諜報能力があることを大統領は認めたが、他の抑圧的政権とは違って自制して行動しており、「ネット上の発言で市民を」投獄することなどないと述べた。米国の諜報活動が「この国の利益、この国の価値観と一致している」という信頼を国民が持てる、そのための改革だとオバマは言った。

米国の監視法ではプライバシー権が明確に認められていない非アメリカ人に向けても、彼はメッセージを送った。「全世界のみなさんにもあらためて申し上げます。アメリカは一般の人々に対するスパイ行為に関心を持ってなどいません」

どれももっともな話に思えたが、オバマの言う改革とは本当の改革なのか、それともNSAが大量監視を無制限に継続できるようにするための「改革」なのか——。8月下旬、情報政策再検討チームの陣容が明らかにされた。「外部専門家のハイレベルグループ」とオバマは約束していたが、結局、これら「独立の」専門家は、オバマ政権と関係の深い元諜報機関スタッフばかりだった。

市民自由論者たちは疑念を感じざるをえなかった。委員会のトップは、オバマ政権下のCIA副長官だったマイケル・モレル。ほかに、クリントンおよびジョージ・W・ブッシュ政権下で対テロ調整官を務めたリチャード・クラーク、クリントン政権下のプライバシーディレクターだったピー

ター・スワイヤーら。「情報活動と通信技術に関する国家情報長官諮問グループ」というしかつめらしい名前がついていたが、そこにヒントがあった。つまり、メンバーはジェームズ・クラッパーの息がかかった場所で仕事をするのだ。委員会の報告書は2013年12月、ホワイトハウスに提出された。

この委員会に対して、透明性なんてそっちのけだ、ホワイトハウス子飼いの委員ばかりだと批判する者もいた。不当な批判だったかもしれないが、本当のところはわからない。会議は非公開だったからだ。ACLUなどの市民団体を招いて、9月に初回委員会が開かれた。PRISM暴露の影響を引きずるフェイスブックなど、IT大手企業の代表者が招かれたこともある。

シリコンバレーはホワイトハウスに食ってかかった。フェイスブック、グーグル、マイクロソフト、アップル、ヤフーなどの経営幹部が、スノーデン事件のおかげで事業が大きな痛手を受けたと訴えた。ヨーロッパとアジアの落ち込みが特に激しかったらしい。損失額は数十億ドル規模。政府は状況を把握し、即刻手を打つべきだと、IT大手幹部は言った。これはまだ、NSAがグーグルとヤフーのデータセンターに侵入していた事実、すなわち国家によるサイバー攻撃の事実が発覚する前である。

夏の間、これらのハイテク企業はずっと同じメッセージを発しつづけた。NSAが（合法的にではあるが）自分たちに協力を強制したのだ、と。決して自主的にデータを提供したのではなく、裁判所の命令にしかたなく応じたという言い分である。

審査委員会に出席する数日前、シリコンバレーのCEOはサンフランシスコの「テッククラン

チ・ディスラプト」カンファレンスに集まった。政府にたてつく声が多く聞かれた。ヤフーのマリッサ・メイヤーは、FISA裁判所の命令には嫌でも従わざるをえないと言った。「従わなければ反逆罪です」。フェイスブックのマーク・ザッカーバーグはこう簡潔に表現した。「政府はへまをした」

しかし、審査委員会との会合の席で、彼らはNSAの監視の制限については何も語らなかった。彼らIT企業の主なねらいは、データをちゃんと保護していると顧客にPRすることにあったようだ。

ところが、NSAがグーグルとヤフーのデータセンターに侵入していたというニュースが流れを一変させた。IT大手はこれまでになかったほど団結して、米国の監視法の抜本的改正を要求した。オバマと議会への公開書簡では、諜報機関による大量データ収集の禁止を求めた。

文面にはこうある。「多くの国々で、国家に都合がよく、個人の権利——合衆国憲法にうたわれている権利——がないがしろにされる方向へと、バランスが大きく崩れています。これは私たちみんなが大切にする『自由』をむしばみます。変革が必要なときです」

署名したのは、アップル、グーグル、フェイスブック、マイクロソフト、ヤフー、リンクトイン、ツイッター、AOL。彼らは当然、自社の利益のために行動していた。だが同時に、五つの「改革原則」も打ち出した。そのなかで最も重要なのは、米、英をはじめとする各国政府が嫌疑なき監視をやめるべきだという原則である。万人をスパイする代わりに、「法に準じて、監視すべき特定の利用者」に対象を絞るべきである、と——。

スノーデンのリークによってインターネットが「スプリンターネット（分断されたインターネット）」に変わるおそれがある、ともグーグルは言い添えた。「国境を越えてデータをやりとりできることが、21世紀の力強いグローバル経済には必要不可欠です」

「スノーデン後」の新しい世界で、NSAはいよいよ人々の厳しい評価にさらされた。この諜報機関は人知れず設立されて以来、主に四つの時代を経験している。第一は「草創期」（1952～1978年）。この時代は、フランク・チャーチ率いる上院委員会の一連の報告書で幕を閉じた。FBIによるマーティン・ルーサー・キングへの嫌がらせ、CIAの暗殺計画、7万5000人のアメリカ人の監視リスト掲載といった、許されざる仕儀を調査したレポートである。チャーチ委員会は幅広い改革の先がけとなった。その代表格が、米国内での外国情報監視には裁判所の承認が必要だと定める外国情報監視法（FISA）である。

第二期（1978～2001年）は、チャーチ委員会の制約のなかで活動する肩身の狭い時期だった。だが2001年9月11日の同時多発テロをきっかけに、NSAは制約から再び解き放たれる。諜報機関が人々に支持され、多額の予算を獲得した10年間だ。ところがスノーデンの出現でその時代も終わりを告げ、不透明な第四期がスタートした。NSAは現在、1970年代以来となる厳しい監視下に置かれている。

NSAはジョークの種にもされてきた。

LOVEINTという言葉がある。これはSIGINT（シギント）のもじりである。要はNS

A職員が諜報ツールを使って配偶者や恋人をスパイすることを意味する。NSA当局によれば、LOVEINTの件数は少なく、関与した者はすべて処分されている。違反のほとんどは自己申告である。上院情報委員会の委員長で、NSAの忠実な友人であるダイアン・ファインスタインは、LOVEINTの発生は年1件程度にすぎないと言う。

それでも、この話はツイッターのかっこうの餌食となった。さっそく「#NSApickuplines」というハッシュタグが登場。ニューヨーク大学のメディア専門家、ジェイ・ローゼンがまず「金曜の夜、食事でもいかが?」とツイートした。

@sickjew が書く。「よくここへお見えですね」

@Adonish_P が同じような調子で続ける。「あなたの居場所はすべてお見通し」

おそらく最も想像力に富むジョークは、NSAの大量収集の習慣を揶揄した @benwizner のツイートだ。「NSAはバーに入って言う。『ドリンクを全部くれ。どれを注文するか考えるから』」

この言われようはアレグザンダー長官にとっては屈辱的だろう。世界最大の諜報機関のトップに就任して8年、アレグザンダーはどの前任者よりも大きな権力を築き上げてきた。主な「領土」は、NSA、中央保安部、米軍サイバー司令部（サイバー戦争の指揮を執る組織として2009年に国防総省が設立)。公式には彼は DirNSA という略語で知られていたが、部下がつけたあだ名には「アレグザンダー皇帝」「おたくアレグザンダー」などもある。

第一印象はたしかにおたくっぽい。小柄で少し舌足らず。技術面の細かいことにこだわりを持ちそうなタイプ。だが、彼は政治的にすぐれたやり手である。成功の決め手は、ターゲットを絞った

弁舌能力だ。スノーデンの名をまだだれも知らないころから、アレグザンダーは影響力のある議員を招いてはNSAの施設を案内した。「スタートレック」に登場するエンタープライズ号のブリッジそっくりの、フォートミードの指令センターが目玉の一つだった。アレグザンダーを知る人たちは、彼は歴史感覚が鋭く、歴史のなかで自分が果たすべき役割をよく理解していると言う。そこは「偉大なる人間が悪をくじく場」なのだ。

だが、困ったときにホワイトハウスから助けてもらえると期待していたアレグザンダーたち幹部は、大いに失望させられることになる。たしかに、オバマは8月の演説で、「インテリジェンスコミュニティーの人たち」は祖国とその価値観を愛する「愛国者」だと称えた。しかし、大統領がフォートミードを訪問し、カメラの前で連帯を誇示することは一度もなかった。

ならばNSA自身が監視活動を弁護するしかない。各方面で物議をかもしている監視プログラムも実は合法的なのだ、とみずから主張するしかない。世間の批判が高まるなかで、NSAはこれを実行した（アレグザンダーが出演したあるユーチューブのビデオは、1万6000以上の「拒否」票を集めた）。

スノーデンの登場後、諜報分野に対する人々の考え方は変化していた。9・11以降はなかった現象である。7月の『ワシントン・ポスト』とABCの共同世論調査では、テロ捜査よりプライバシー保護のほうが重要だと考える人が39％いた。2002年はわずか18％だった。

スパイ問題が明らかに世論の逆風を浴びだすと、オバマ政権はお得意の戦術に出た。どっちつかずの態度をとったのである。守勢一方のパズル・パレスの内部では、これに対する不信感と嫌悪感

がないまぜになっていた。なにぶん内向きの組織ゆえ、NSAはそれまでやりたい放題にやってきたのだ。さすがに現役の職員は声高に意見表明しづらかった。だが、元職員はホワイトハウスに裏切られたという思いを隠そうともしなかった。

「大統領からもホワイトハウスからもNSAに対するサポートはありませんでした。フォートミードでは幹部職員も一般職員もそれに気づいています」と、NSAの元監察官、ジョエル・ブレナーは『フォーリン・ポリシー』誌でこぼしている。同誌上で元職員たちは、NSA内の士気は低いと口をそろえる。スノーデンの情報リーク後に監視の目が厳しくなり、予算もカットされたため、スパイたちには「つらい」とある者は言った。

ホワイトハウスの1枚の公式写真が、この、政権中枢とNSAの疎遠な関係をよく物語っている。11月、オバマ大統領とバイデン副大統領は軍高官たちと面会した。場所はホワイトハウス閣議室。オバマが中央に座り、右手を上げて何かを言いながらカメラのほうを向いている。楕円形のテーブルの末席、まるでシベリアみたいな場所に、2枚の油絵に囲まれるようにアレグザンダーがぽつんと座っている。大統領とNSA長官はこのあと、食事をしながら言葉を交わしたかもしれない。だがそうだとしても、写真はいっさい発表されなかった。

このように政権に受け入れられなかったのは、大部分がNSAの自業自得である。スノーデンのリークが明らかになった直後のアレグザンダーの対応は失敗だった。彼は最初、国内での大量収集プログラムのおかげで54件ものテロ計画を阻止できたと主張。いずれも米国内での計画だとほのめかした。

その後、副長官のクリス・イングリスは、54件のうち米本土と関係があったのは12件にすぎないことを認めた。また、アメリカ人に対する大量監視により阻止できたと思われるのは1件だけだと言った（それらが本当の「テロ計画」だったのかについても彼は口をにごした。一部はむしろ金融取引と関係がありそうだった）。

だが、NSAの議会での立場に最大のダメージを与えたのは、アレグザンダーではなく、スパイ機関の総元締め、クラッパーである。3月の上院公聴会で、クラッパーはロン・ワイデンにうその回答をしていたのだ。「何百万または何億ものアメリカ人に関するデータ」をNSAが収集しているかと問われて、彼は無条件にこう断言した。「いいえ。意図的な収集はありません」

この回答のせいで彼はしっぺ返しを食らう。議会での偽証は重罪である。スノーデンの暴露のあと、クラッパーは、公聴会という場であれほど「不誠実な回答」はなかったと述べ、自分の発言をどうにかごまかそうとした。だが、うまくいかなかった。ワイデンのオフィスは24時間前に質問を事前通告し、直後には記録訂正の機会も与えていたのだ。クラッパーは説明を変え、国内の通話記録の収集についてはすっかり忘れていたと述べた。こうした証言の不備により、彼の解任または退任を求める声が高まった。言い逃れしようとして不興を買ったクラッパーは、（ワイデン本人ではなく）上院の委員会に公式に謝罪した。

それでも、NSAの肩を持つ忠実な応援団は存在した。その一人が、NSAを監督する立場にあるファインスタインだ。スノーデンが公に姿を見せた翌日、彼女は断固たる姿勢を示した。「これは内部告発ではありません。反逆行為です。彼は誓いを破りました。法律を破りました」。通話記

録やインターネット通信の収集が監視を意味することにはならない、と彼女は言った。NSAは単に電話料金請求書に記載されているような情報を集めたにすぎない――。

しかし、NSAがメルケルの携帯電話をハッキングしていたというニュースが流れると、ファインスタインは態度を180度転換。すべての諜報プログラムの「全面的見直し」を求め、上院情報委員会は「十分に情報提供を受けていなかった」と不満を口にした。友好国やその首相に対するスパイ行為は認められない、と彼女は言った。「フランス、スペイン、メキシコ、ドイツなど同盟国の指導者に関する情報収集については、はっきりと申し上げます。私は断じて反対です」

ファインスタインの立ち位置は、NSAを支持する者にとっても批判する者にとってもわかりづらかった。一方では、つねに重要ミッションの一つだった「外国の信号情報の収集」に関して態度をひるがえしたかのように見えながら、他方では、まさにスノーデンを内部告発に導いた、尋常ではない新しいプログラム(大規模情報収集)を引き続き支持している。どうにも解せなかった。

こうした揺らぎにもかかわらず、ファインスタインのNSAに対する忠誠心が心底失われることはなかった。2013年の秋、彼女はNSA「改革」法案を提出する。ほかにもいくつか法案が出されていたが、ファインスタイン法案ほどNSA寄りのものはなかった。変更点はごく一部で、基本的には現状維持。場合によっては、ただでさえ大きな権限がなお拡大される。

これはすぐにわかったわけではない。10月31日、ハート上院議員会館の2階で非公開で開催されていた上院情報特別委員会のドアの前に、10人余りの記者が集まった。ファインスタインがうわべをつくろってごまかすのではないか、と記者たちは疑っていた。だが彼女はもう何日も前、同盟国

指導者をターゲットにするのを批判したときに、人々をとっくに欺いていたらしい。ファインスタイン法案の秘密の中身を知る者はだれもいなかった。

委員会が始まって半時間後、同議員の広報担当者から、彼女の「ＦＩＳＡ改善法」案が11対４で承認されたことが発表された。これにより「重要な課報プログラムの透明性」が高まり、「記録データの大量収集」が禁じられるという。しかし、よくよく吟味すると、法案が禁じているのはコンテンツの大量収集である――ＮＳＡはそもそもそんなことをしていない。報道発表は誤解を招くものだ。実際には、ファインスタインの法案はＮＳＡの大規模監視の権限を定着、悪くすれば拡大させかねない。

具体的には、ＮＳＡが外国の電話とＥメールを選別し、アメリカ人に関する情報を入手できることが明文化された。ファインスタインに悪びれるようすはなかった。テロリストの脅威がいまほど大きいときはないと彼女は言い、こう付け加えた。「このＮＳＡのデータベースプログラムについては大きな誤解があります。この国を守ることがいかに大切かという私の思いについても」

しかし一方、ＮＳＡの活動を抑制する厳しい提案をした議員もいた。その一人が、下院司法委員会委員長を務めたジム・センセンブレナー――愛国者法の主な起草者の一人である。９・11後の世界でアメリカのスパイがテロと戦えるようにする、それが彼のそもそもの意図だった。だが、ブッシュ政権とオバマ政権は何の罪もないアメリカ人をスパイするためにこれを利用した、この法律を誤解していた、と彼は言う。当初のねらいとは違って手に負えない怪物をつくってしまったフランケンシュタインの心境であろう。

そこでセンセンブレナーは「米国自由法」案を提出する。パトリック・リーヒ上院議員との共同提出になる同法案は、大がかりな改革を想定していた。なかでも重要なのが、大量収集プログラムに終止符を打つこと、そして市民の自由を代表し、FISA裁判所での政府の極秘要請に異議を唱える「特別弁護人」を新たに設けることだ。基本的には、的を絞ったスパイ活動への回帰が提案されている。「諜報専門家は本物の手がかりだけを追うべきで、個人データの山をあさるべきではない」とセンセンブレナーは主張した。

一方、スノーデン事件の前からNSAを批判していたロン・ワイデンとマーク・ウダルの両上院議員は、アメリカ人への令状なきスパイ行為を禁じる独自の法案を提出した。新しいNSA長官を承認する権限を上院に与えるべきだ、とワイデンは言いたげだった。

ホワイトハウスはいかにもクレムリン的なやり方で、トップの辞任を望むむねを意思表明していた。陸軍大将のアレグザンダーは、2014年3月にNSAを去ることを承諾した（『ウォール・ストリート・ジャーナル』は、ある米高官の話として、アレグザンダーは6月に辞任を申し出たがホワイトハウスに拒否されたと伝えている）。クラッパーもいっしょに辞めればよいのだが、とささやき合う政府関係者もいた。理屈のうえでは、クラッパーは政府の諜報活動の見直しを行っていてもよいはずだった。だが実際には、彼は議会での偽証により決定的なダメージを負い、死刑囚も同然の状態にあった。

NSAはあらゆる機会を使って、9・11の悲劇、そして自分たちがアメリカの安全に果たす役割を国民に思い出させようとした。NSAを批判する側は、アンゲラ・メルケルは必ずしもアルカイ

ダではないと指摘した。『デア・シュピーゲル』とのインタビューで、ジョン・マケイン上院議員は、トップの交代をはじめとする米インテリジェンスコミュニティーの「大掃除」の必要性を訴えた。なぜ米国のスパイはメルケル首相を盗聴したのかと問われて、彼は簡潔に答えている。「なぜそうしたかというと、そうすることができたからでしょう」

当時はまだ「新顔」だったとしても、2014年になるころには、スノーデンが暴露したプログラムの大半はそのまま継続しそうな勢いだった。ホワイトハウスは透明性の確保を約束していたが、大量監視、ベンサムの「パノプティコン」に相当するサイバー監視から手を引くつもりはないように思えた。

『ニューヨーク・タイムズ』によれば、メタデータの大量収集（アメリカ人からの収集を含む）に代わる有力な方法はないと、オバマはやむなく結論づけていた。妥協案として、収集した情報の保存期間を5年から3年に縮めることを考えていたようだが、それではとても譲歩とはいえない。

しかし、司法は別の見方をしていた。2013年12月、連邦判事のリチャード・レオンはNSAに大打撃となる法的判断をくだした。アメリカ人の通話記録の大量収集は憲法違反の可能性が高いというのだ。大量監視プログラムの規模は「ジョージ・オーウェルを思わせる」とレオンは述べた。「NSAが収集した大量のメタデータの分析によって、差し迫るテロ攻撃を阻止できた事例を、政府は一つとして示していない」。二人の原告による違憲の訴えを認めた形である。政府にとってせめてもの慰めは、上訴できるということだった。

スノーデンが願いつづけていた議論がこうして実現した。ただし立法改革という点では、意味の

ある変化が起こるかどうかは、まだ何ともいえなかった。

その間も、漏洩者スノーデンに対して政府は敵意をあらわにした。オバマも国務長官のジョン・ケリーも、ケリーの言う「国家の裏切り者」に対する考え方を決して変えようとはしなかった。大統領恩赦？ ありえない。スパイ機関からの非難もやまなかった。やつは国の財産を無断で公表した。機密情報を権限なき人間にわざと伝達した——。

モスクワから帰国すれば、スノーデンには30年の監獄生活が待っているだろう。いや、それだけでは済まないかもしれない。法的には死刑もありえなくはない。たぐいまれな情報公開によって政治史を塗り替えたにもかかわらず、スノーデンが再び祖国の土を踏むのはもっと先のことになりそうだった。

＊第14章＊

おかど違いのバッシング

2013年8月18日、日曜日
ロンドン、ヒースロー空港、拘束室

「スパイ活動については触れないでいただきたい。この拘束の理由をミランダに知られてはならない」

英保安部（MI5）のメッセージ

日曜の朝、英国の田舎町。二人の中年男がエアカヌーに空気を入れている。一人は59歳の『ガーディアン』編集長、アラン・ラスブリッジャー。『ニューヨーカー』による彼の描写はこうだ。「黒縁の四角い眼鏡。もじゃもじゃの髪が耳にかかる。図書館員でも通るだろう」。もう一人は彼の友人、ヘンリー・ポーター。60歳になるポーターは『ヴァニティ・フェア』誌や『オブザーバー』紙に寄稿し、スリラー小説を書き、市民権運動にもたずさわる。

二人のジャーナリストは、ウォリックシャー州のエイボン川をカヌーで進みながら川岸ののどかな光景を楽しむという、いささかとっぴな少年時代の夢を実行に移そうとしていた。出発地点はシ

エークスピアの故郷、ストラトフォード・アポン・エイボン。バン、カモ、ひょっとしたらハタネズミにも出会えるかもしれない。英国の風刺作家イーヴリン・ウォーの、マスコミ界を舞台にした小説『スクープ』からそのまま抜け出してきたような旅だ。

『スクープ』の主人公のジャーナリスト、ウィリアム・ブートは自然を題材にしたコラムを書いて生計を立てている。「冒険心豊かなハタネズミが、ぬかるんだ湿原を音も立てずに通り過ぎる(Feather-footed through the plashy fen passes the questing vole)」は、心に残る有名なくだりとして知られる。ひょんなことから戦争の取材でアフリカに送られることになったとき、ブートはエアカヌーをいっしょに持っていく(『デイリー・テレグラフ』紙の伝説的編集長、ビル・ディーズがたぶんモデルになっている。彼は1935年、200キロほどもある荷物とともにアビシニアの戦争取材に赴いた)。

ラスブリッジャーは日ごろの激務を忘れるために週末のカヌーとしゃれこんだのだが、その息抜きも長くは続かなかった。まだ川岸にいるときに携帯電話が鳴る。グレン・グリーンウォルドの28歳のパートナー、デイビッド・ミランダがヒースロー空港で逮捕されたという! 反テロリズム法の付属書7に基づいて拘束され、リュックサックも押収されたらしい!

2000年成立の反テロリズム法は、殺人者が対象である。ジハード戦士となりそうな者や爆破をたくらむIRAメンバーが英国に入ろうとしたら、警察がこれを阻止できる。「相当な理由」も具体的な嫌疑も必要ない。入国阻止の目的は、「テロ行為の委託、扇動、準備」にかかわっていないかどうかを確認するため、と仰々しい。

ミランダはテロリストではなかった。英政府当局はそんなこと、とっくに承知のうえだ。彼はあるジャーナリストのパートナーだった。ひょっとしたらエドワード・スノーデンのNSAファイルやGCHQファイルのコピーを持っているのではないか、と政府は疑ったのである。ファイルの調査と公表にはグリーンウォルドがかかわっていた。のちに政府も認めているように、主な狙いはファイルを手に入れ、グリーンウォルドが何をどの程度知っているのかをつかむことだった。

8月11日、ミランダは自宅のあるリオデジャネイロを出発し、ヒースロー経由でドイツの首都ベルリンに向かった。ベルリンではグリーンウォルドの同僚ジャーナリスト、ローラ・ポイトラスといっしょに数日過ごし、映画のプロジェクトについて話し合った。観光も少し楽しみ、ホテルに2~3泊した。そしてまた英国経由でリオに帰ろうとしたところ、英米の監視下に置かれてしまう。相手はたぶん、メルケルの携帯電話を盗聴したのと同じスパイである。

ミランダは厳重に暗号化されたスノーデンファイルを携帯しており、これをもとにグリーンウォルドとポイトラスは『ガーディアン』をはじめ、フランスの『ル・モンド』、ドイツの『デア・シュピーゲル』、『ワシントン・ポスト』『ニューヨーク・タイムズ』といった国際メディアに数々の記事を発表した。ファイルの一つは、グリーンウォルドの5万8000のGCHQ文書の索引で、専門のソフトウエアで作成されている。索引のパスフレーズはメモ書きして、ミランダの財布のなかにあった。

ラスブリッジャーはミランダの出張の詳細は何も知らなかった。飛行機は『ガーディアン』のニューヨーク支局を通じてグリーンウォルドが予約していた。日常的な取材活動の一環で、費用は会

社持ちである。フリーの記者と仕事をするのは、このあたりが難しい。お金は出しても、細かいところまで口は出せないからだ。

危機的な状況に立たされると、ラスブリッジャーは冷静沈着そのものの人になる。『ニューヨーカー』のケン・オーレッタは彼を「じたばたしない男」と評する。一見温厚ながら、そのじつ鋼のように冷徹だ、と。編集長としてラスブリッジャーがやるべき仕事の一つは、さまざまな見方ができる問題に、熱く、しかし冷静に向き合うことである。

スノーデンの件も間違いなくそんな問題の一つだった。スノーデンの資料をめぐる各種問題がどうつながっているかを示すクモの巣状の図を、ラスブリッジャーはｉＰａｄに保存している。法律上の問題、編集上の問題、それから物理的な問題（資料の安全を維持する必要がある）……。国ごとに多数の関連要因があり、フォース・エステートとフィフス・エステートの協力も当てにできなかった。諜報機関は『ガーディアン』の寄稿者を遠慮なく盗聴しているようすだったから、互いの連絡にも気をつかわざるをえない。

『ガーディアン』編集長を18年務める間、ラスブリッジャーは数多くの特ダネをものにした。左寄りのニッチな紙媒体からグローバルなデジタルブランドへの、同紙の変身を主導した。２００９年、『ガーディアン』はルパート・マードックのメディア帝国に蔓延する電話盗聴の実態を暴き、タブロイド紙『ニューズ・オブ・ザ・ワールド』を廃刊に追い込んだ（その後、この事件では逮捕者が相次いだ）。２０１０年には、いまや語り草となっているウィキリークスの文書を公表した。しかし、スノーデンの記事はそのどれよりも大きな特ダネである。

そんなラスブリッジャーにとって、差し当たっての課題はミランダをいかに助け出すかだった。ヒースロー空港で拘束されたのが午前8時5分。反テロ法によれば、拘束できるのは9時間だ。ラスブリッジャーは『ガーディアン』の法務責任者ギル・フィリップスに電話した。彼女はウィルトシャー州の村にいた。ヒースローからは遠すぎる。フィリップスは市民の自由を守る法律事務所として知られるバインドマンズに電話を入れた。同事務所のギャビン・ケンダールが空港へ駆けつけた。

一方、ラスブリッジャーとポーターはそれから4時間、エイボン川でカヌーをこいだ。ストラトフォードから下ってビドフォードへ。シェークスピアが酒の飲みくらべをしたあと、リンゴの木の下で眠り込んだとされる村である。ラスブリッジャーは携帯電話を防水袋に入れていた。ときおり袋を開けて、最新状況を確認する。

ミランダは拘束の憂き目にあったときのことを「怖くて耐えられないほどだった」と表現する。BAの航空機から降りてくる乗客一人ひとりに警察はパスポートの提示を要求。ミランダを発見すると黙って拘束室へ誘導し、反テロリズム法に基づいて取り調べを行うと彼に告げた。「とても恐ろしくなりました」とミランダは言う。「『テロリズム』という言葉を聞いてショックを受け、自分はテロとは無関係だと言いました」

二人の捜査官が、質問に答えないと刑務所行きだと告げる。彼らはミランダのバックパックをくまなく調べ、サムスンのPC、私的な写真、DVDなどの持ち物を押収。さらに、厳重に暗号化したUSBメモリー二つ、ハードディスク一つも押収した。

ミランダはグリーンウォルドを弁護士に雇いたいので連絡してほしいと言ったが、警察は、彼が英国の登録弁護士ではないという理由でこれを拒否。当番弁護士になら連絡できると申し出た。だが今度は、見知らぬ人間は嫌だとミランダが拒絶した。彼には通訳もついていなかった。結局、英国時間の午前10時30分、リオ時間の午前6時30分、警察はブラジルのグリーンウォルドに電話をかけ、ミランダがテロリストとして拘束されているむねを伝えた。「すっかり気が動転し、彼が心配でなりませんでした」とグリーンウォルドは言う。

警察の二人はテロについては事実上何も聞かなかった。ミランダがテログループの一員かどうかも調べなかった。ミランダいわく、質問は「とりとめもないものに思えました。……押収した持ち物を調べる間の時間稼ぎにしか感じられませんでした」

この点については、その後の訴訟手続きで英保安部（MI5）から入手した文書が説明してくれる。MI5とNSAは数日前に、ミランダをヒースロー空港で拘束し、文書を押収することを決定した。彼らは通信傍受なり密告なりを通じて、ミランダがデータを持っていることを確信し、スノーデンが漏洩した情報量をぜひとも知りたいと考えたのだ。これは千載一遇のチャンスである。ただし、ミランダとその友人たちに事前に悟られてはならない。

拘束3日前の8月15日、MI5はロンドン警視庁のテロ対策司令部（SO15）に連絡をとった。刑事局長のジェームズ・ストックレーに、ミランダの身柄を押さえるよう要請する。そのさい、PCSと呼ばれる税関回覧文書に正式な要請内容を記入した。テロとの関連がありそうかを尋ねる欄には、「該当なし」と書いた。

残念ながら、警察が理由を説明せずに乗客の荷物を捜索・押収できる機会は一つしかない。それが反テロ法の付属書7だった。その乱用が問題視されることも少なくない付属書7だが、それでもこの規定の適用には一定の条件がある。つまり、「テロ行為」への関与をチェックする目的でしか適用できないのだ。

警察はこの点を指摘した。MI5はPCSへの記入をやり直した。それも2回。最終版でMI5は次のように述べた。「情報によれば、ミランダは英国の安全と利益を脅かしかねないスパイ活動に関与している可能性が高い。……ミランダはあるデータを携帯していることを自覚しているが、それが公表されれば国民の生命が危険にさらされる。しかも、その公表（ないし公表のおそれ）は政府に影響を及ぼすのがねらいであり、政治的または思想的な大義を推進することを目的としている。よってこれはテロリズムの範疇に入るため、付属書7に基づく被疑者の取り調べを要請するものである」

でたらめな説明だ。法律の「テロ」の定義に似せて書かれている。だがもちろん、ミランダがだれかの命を危険にさらすつもりがないことは、MI5もわかっている。ましてや何かの「思想的目的」の達成を図るなど――。反テロ法の定義が想定しているのは、航空機の爆破をたくらむような狂信的人物のはずだ。

MI5は懸念事項もあわせて説明した。「スパイ活動については触れないでいただきたい。この拘束の理由をミランダに知られてはならない。できるだけ通常の拘束のように見せていただけるとありがたい。また、保安当局の要請があったことも伏せてもらいたい」

テロリストでないとわかっている人に対する付属書7の適用は、目に余る法の乱用である。また、政府がジャーナリズムとテロリズムを同一視する憂慮すべき前例になる。なにかと批判の多いこの規定が、ソース資料を携行するジャーナリストに適用されるのは初めてだった。7月20日のコンピューターの強制破壊に続いて、それは報道の自由に対する恐るべき攻撃といえた。

これまでの交渉のなかで、英国政府は『ガーディアン』がテロに関与しているとはひとことも言っていない。「テロに関連した違法行為のおそれが本当にあれば、差止命令を直ちに申請しているはずです」とラスブリッジャーは言う。1984年警察・刑事証拠法により、ジャーナリストの資料は保護される。MI5は裁判官にミランダの身柄拘束を承認してもらうべきだった。なのに、それを避けて反テロ法を利用したのだ。

ミランダは結局、何のおとがめも受けずに午後5時に解放され、リオ行きの飛行機に乗せられた（ただし持ち物は別）。弁護士は9時間の期限が切れる1時間前に彼とようやく面会できた程度である（付属書7に基づき入国を止められた人のうち、6時間以上拘束されたのは2000人に1人しかいない。彼もその1人に入る）。ミランダ拘束のニュースは全世界で猛反発を引き起こした。ブラジル政府は「重大な懸念」を表明。この場合の付属書7適用は「正当性を欠く」と述べた。

リオでは、多数のカメラが待ちかまえるなか、グリーンウォルドが消耗したミランダを空港に出迎えた。グリーンウォルドはパートナーが味わった苦痛を「脅迫未遂」と断じ、「取材活動およびジャーナリズムに対する英米の攻撃はここまでエスカレートした」と書いた。また、少々大げさな

言葉を使って感情をむきだしにした。「マフィアでさえ、脅威と感じるファミリーの一員をターゲットにすることは倫理的に禁じられていたのに」

グリーンウォルドらがアルカイダと同じように「政治的または思想的な大義」を推進していたとの主張に、市民の自由を重んじる運動家は強い怒りを表明する。人権団体の「リバティ」は、民主主義を脅かすゆゆしき問題だと発言した。ブリュッセルでは驚きの声があがった。人権のお目付け役である欧州評議会は、英国のテリーザ・メイ内務相に書簡を送付。ミランダの処遇と、表現の自由を保証する欧州人権条約第10条との整合性について説明を求めた。

反テロ法の導入に一役買った元大法官のファルコナー卿からは、説得力のある発言がなされた。「このケースでは、国家はその権限を超えて行動しました。法的な条件と精神の両面で、ミランダ氏にこれが当てはまらないのは明らかです」

しかし、メイはひるまなかった。『ガーディアン』にコンピューターの破壊を強要した国家安全保障担当次席補佐官、オリバー・ロビンスも同じだった。ミランダの弁護士たちは彼の拘束について高等法院に訴訟を起こした。ロビンスは宣誓供述書のなかで、スノーデンの暴露は国家の安全保障を損なったと強調。証拠こそ示さなかったが、「情報セキュリティーがずさん」だとグリーンウォルドを批判した。

皮肉な話である。機密情報をコントロールできなくなったのは『ガーディアン』ではなく、英国のGCHQなのだから。NSAとの情報共有の取り決めが機能していないことについては、ロビンスは何も言及しなかった。そのせいで何千もの米国諜報員と請負先の民間スタッフが、GCHQの

最高機密ファイルを閲覧できるというのに——。

警察がミランダを捕捉してから2日後、ラスブリッジャーはこれに対抗して、『ガーディアン』の地下室で起こった出来事を初めて記事にした。ハードディスクを粉々にするという、あの手間ひまを要する仕事について。同紙のサイモン・ジェンキンスはこのエピソードを「インターネット時代の国家検閲としては、あまりにもとんちんかん」と評した。破壊の一部始終を監督した二人のGCHQ技術者は、「スペインの宗教裁判で送り込まれた『焚書』担当官のようだった」

ラスブリッジャーはどこへ行くときも、粉砕されたコンピューターの破片を内ポケットに忍ばせて歩いた。中世の巡礼者が聖人の骨を大切にしたのと同じである。「これは一種の芸術品です。国家の役割とジャーナリストの役割のせめぎあいの象徴です」と彼は言う。

ラスブリッジャーの暴露記事とミランダ拘束という愚行に、英国の政治家たちは衝撃を受けた。あたかも、心地よくまどろんでいた体に電気ショックを食らったかのように。『ガーディアン』が6月5日にNSAの記事を初めて発表して以来、世界中で議論に火がついた。ドイツでは大騒動が持ち上がり、米国では議会が監督体制を見直していた。英国では……無関心。ほとんどの議員や新聞は頰かむりを決め込んだ。保守党の一部議員は「スパイのスパイ」というフレーズを使って、この報道にまともに取り合わなかった。英政府は「ここに見るべきものは何もない」と言った。

この沈黙はなぜだったのか？　はっきりした理由が一つある。スノーデンによる暴露が始まったとき、英国独自の「DA通告」システムを担う元空軍少将のアンドリュー・ヴァランスは、BBC

や新聞各紙に6月7日付でひそかに書状を回覧した。国家の安全保障に気をつかうのを忘れないように、という念押し――GCHQになり代わっての通告である。

この「親展」から引用しよう。「最近、英国の諜報組織が外国から情報を入手する手段に関連して、たくさんの記事が出ています。……諜報当局は、同じような報道がこれ以上続くと、国家の安全保障、さらには英国の職員が危険にさらされかねないと心配しています」

冷戦時代の名残であるDA通告は、基本的に強制力はなく、愛国的なメディアが機密性の高い軍事情報をうっかり公表するのを防ぐのがねらいである。だが実際には、通告に従わない者を少しばかり脅したりもしながら、同通告は国民的な議論を阻む機能を果たしている。したがって、スノーデンの事件を報道したメディアも、最初のころは扱い方が控えめだった。特に国から資金援助を受けるBBCはそうだ。DA通告には英国民の関心を抑える効果があった。

文化的な理由もある。ドイツ、あるいはナチスやソビエトに占領された国々と違って、英国は20世紀に全体主義の悪夢にうなされた経験がない。英国にとって自由は当たり前だった。1688年以来革命はなかったし、その無血革命にしても大した革命ではない。それに、英国の大衆文化に根づいたスパイのイメージは「英雄」である。「007」のジェームズ・ボンドしかり、BBCのドラマ「スプークス（日本でのタイトルは「MI5」）」に登場する諜報のプロしかり。『ガーディアン』のジョナサン・フリードランドは、「権力に対する考え方が米国などとは基本的に違う」と言う。英国には権利章典もなければ成文憲法もない。「われら人民」が主権者だというアメリカ的な発想もない。英国的システムはいまだに「君主制に起源を持ち」、権力はトップダウ

ンで授けられる。英国人は市民というよりも、いまなお臣民である。だから政府の介入にも無反応なのだ。

「あなたが目にしているのは、禁欲主義という不屈の精神ではなく、服従の習慣、あきらめの境地だ。それはあまりに深く染みついているため、私たち自身もほとんど気づかない」とフリードランドは言う。

オルダス・ハクスリーのディストピア小説『すばらしい新世界』のなかで、人々は「ソーマ」という薬を飲んで幸福感にひたり、嫌なことを忘れる。主人公のバーナード・マルクスのような異端の知識人を別にすれば、ハクスリーが描く未来のロンドンの住人は「障害物ゴルフ」をしたり、フリーセックスにふけったり、「フィーリングピクチャー」を見たりして過ごしている。スノーデンの記事を書く人間にとって、2013年の英国の夏はそれにやや似た状況に感じられた。

しかし、GCHQの大量データ収集の実態が明らかになるにつれ、目を覚ます人間も現れた。この国のスパイ機関に対する監督システムを改革しなければならないのではないか、と彼らは思いはじめる。システムは機能していなかった。閣僚経験者のクリス・ヒューンは、英内閣がTEMPORAについて何も聞かされていなかったと打ち明ける。このプログラムは2008年に試験導入、2011年に本格導入されている。ヒューンは国家安全保障会議に出席していた。だが、彼も彼以外のメンバーも蚊帳の外。すると、だれがTEMPORAを承認したのか?

諜報機関はみずからの新しい大きな権力について、外務大臣のウィリアム・ヘーグ以外の政治家には説明しなかったらしい。彼らは事実上、政府の通信データ法案の精査に忙しい議会の委員会を

欺いたことになる。内務省が提出した同法案は、警察、保安組織などの国家機関が、英国のあらゆるメタデータおよびEメールに大規模にアクセスできるようにするものだった。また企業は、この大量収集に備えてデータを1年間保存しなければならない。法案は、デイビッド・キャメロンの連立パートナーである自由民主党党首、ニック・クレッグの抵抗を受け、2013年春にご破算となった。

「スパイ憲章」と呼ばれた同法案をめぐる政治論争もほとんどまやかしだったことが、いまになってわかる。GCHQはすでに、法案が想定していたオペレーションをひそかに推し進めていたのだ。この件は公にされなかった。MI5、MI6、GCHQの共同メモに、大量データ収集に関する記述はない。議員たちはだまされたという思いだった。

「本来ならこの件は非常に重要性が高いと見なされたはずです」と、保守党議員だったブレンキャスラ卿（デイビッド・マクリーン）は言う。「実情を伏せようとする人たちがいたのです」

少数の例外を除き、野党労働党はこの問題について驚くほど静かだった。党首のエド・ミリバンドは何も意味のある発言をしなかった。GCHQがTEMPORAを試験導入したときは、労働党が政権与党だったのだ。兄のデイビッド・ミリバンドはブレア首相とブラウン首相のもとで、2007年6月から2010年5月まで外務大臣を務めた。デイビッドは2009年、GCHQによる光ファイバーケーブルの大量ハッキングを法的に支持する機密証書に署名したようだ。

ほえるどころか、うなることさえできなかった番犬がさらにいる。英国の三つの諜報機関を監督する、下院の情報安全保障委員会（ISC）である。委員長のマルコム・リフキンドはスノーデン

が暴露するまでTEMPORAという名前も知らなかった。ただし、GCHQの幅広い監視能力については知っていたという。ファイバーケーブルの盗聴についても、これは第二次大戦のころから続いていると一蹴する。

リフキンドはISCがかかえる問題を象徴する人物である。そう、ISCは国民ではなく政府の飼い犬なのだ。リフキンドは保守党政権で外相や国防相を歴任したが、そのさいにMI6から何回かブリーフィングを受けている。ISC委員長として、いまはこの諜報機関に責任を問うのが本来の役割だ。ISCのメンバーは、問題を起こしそうな人間を慎重に見きわめたうえで、首相が直接人選した。ヒューンの言葉を借りれば、「メンバーの議員はすべて、安全保障当局に会費を納入済みの面々」である。

外から見るとISCは弱々しく、政府にすり寄りすぎる。安全保障当局者を問い詰めるのに尻込みしているように映る。非常勤スタッフと、わずか九人の超党派委員から成る小所帯。これで満足な監督などできるのかと疑問になる（監視対象の三つの諜報機関は予算20億ポンド、スタッフ1万人余り）。リフキンドはそんなことを意に介さない。ISCは議会直属の組織で、2013年前半には新たな権限を獲得した。いまでは諜報機関に情報を提出させることができる、と彼は言う。予算も70万ポンドから130万ポンドに増加した——。

ISCの最大の弱点は、メンバーの若返りが見られないことだろう。ほとんどの委員が政治キャリアの終盤にさしかかった人たちだ。80歳で米上院情報委員会の委員長を務めるダイアン・ファインスタインと同じく、リフキンドもインターネット世代に属するとはいいづらい。規制を担う者と

して、複雑かつ専門的な文書を本当に読み解けるのだろうか？

ラスブリッジャーが挙げるのは、あるベテラン閣僚の例だ。スノーデンの記事をぼんやりとしか理解できなかったこの人物にとっては、1970年代の諜報活動のイメージしかなかったようである。「議員たちの問題点は、ほとんどがインターネットをよく理解していないことです」と本人も認めている。

スノーデンファイルのなかで、GCHQなどのスパイ機関は英国の柔軟な監視法制、比較的ゆるい規制システムを自慢している。米国と比べてそこが「セールスポイント」だという（2013年のGCHQ最高機密文書によれば、英国のそれ以外の長所は「地理」と「パートナーシップ」の二つらしい）。英国の法体制は柔軟な解釈が可能なだけでなく、そもそもアナログ時代に整備されたものである。テクノロジーの急激な進歩やビッグデータは視野に入っていない。

時代遅れの法律、2000年捜査権限規制法（RIPA）に基づけば、GCHQが膨大な傍受データをどう扱うかを法的に規制できるのは、外務大臣が署名する機密証書だけだ。そこには、GCHQが保有データベースを検索できるカテゴリーが列挙される。ただし、NSAによる英国データへのアクセスは「紳士協定」で制限されているだけらしい。そして周知のように、スパイは紳士ではない。

RIPAが成立した2000年は、通信分野における海底光ファイバーケーブル・ネットワークへの世界的な移行が始まったばかりだった。だが、RIPAのあいまいな規制のせいで、GCHQがインターネットに侵入できるようになるとは、一般市民には想像もできなかった。グローバルデ

ータのストリームを一時的に保存する「バッファリング」でさえ、2008〜2009年あたりまでは不可能だったのだ。「すべての信号を常時収集する」という発想は無意味に思えた。オンラインコミュニケーションやソーシャルメディアも始まったばかりだった。

だがテクノロジーが急速に進歩しても、英国のスパイ法は相変わらずおとなしく寛容であった。元公訴局長官のケン・マクドナルドは、こうした「著しい変化」により、RIPAをはじめとする諜報関連の法律が「反近代」化したと言う。

しかしスパイ側にすれば、そのままが一番よかった。デイビッド・キャメロン、ウィリアム・ヘーグらの閣僚は、英国の管理監督体制は世界一だと、いささか子どもっぽく主張した。議論すべきことなど何もない。一つだけあるとすれば、それは悪人たちの手助けをした『ガーディアン』の裏切り行為についてだ――。

ある政府高官はスノーデンを「大ばか者」と呼んだ。元MI5長官のステラ・リミントンはスノーデンとアサンジを「身勝手なたわけ者」と決めつけた（彼女はある文学イベントで、スパイ小説作家としての新しいキャリアを売り込んでいるところだった）。スノーデンは愛国的な理由で行動したわけではない。単なるナルシシスト、裏切り者だ。中国のスパイかもしれない、と彼らは語気を荒げた。あるネオコンはもっとまわりくどく、スノーデンは「世代的な優越感」から行動を起こしたのだと批判した。

2013年10月、MI5の新しいトップ、アンドリュー・パーカーは初めて公式の場に姿を見せ、スノーデンのリーク情報を公表したメディアを非難した。『ガーディアン』を名指しこそしなかっ

たものの、一連の公表によって「テロリストが優位な立場」に立ったと彼は述べた。「私たちは国際的な脅威に直面しており、GCHQは信頼すべき情報の主たる提供者です。GCHQの手法がどの程度のものかを公にするのは、多大なダメージをもたらします」。別の部内者も「せっかくのターゲットが消えてしまう」と不満を漏らした。「シギント能力について語れば、もはやシギント能力はないも同然だ」

こうした言い分は事実だろうか？

テロリスト、敵対国、組織犯罪者、核を保有するならず者国家、機密情報を盗もうとする外国のハッカーなど、英米に「敵」が多いことはだれもが認めている。個別のターゲットをスパイすることにも異論はない。諜報機関とはそういうところである。問題は、スノーデンが暴露した戦略的監視、すなわち一般市民の何十億という通信データを見境なく取り込む手法にある。

政府はダメージを受けたと主張するが、具体例がいつも欠けている。何がどう損なわれたのかという詳細情報がなければ、証明のしようも反証のしようもない。

GCHQの機密ファイルを1週間かけてチェックした小説家のジョン・ランチェスターは、大量監視能力に関する情報を公表することが本当にアルカイダの助けになるのか、と疑問を投げかける。パキスタン・アボタバードのオサマ・ビン・ラディンの隠れ家には、Eメール、コンピューター、携帯電話はおろか電話回線もなかったと彼は言う。電子通信は傍受される可能性があることを、悪人たちは間違いなく知っていたのだ。ランチェスターによれば、ビン・ラディンに電子通信の痕跡がないこと自体が怪しい。それこそ「何かある」とスパイにはわかったはずだ。

元MI6副長官のナイジェル・インクスターも同様の結論を導いている。「NSAやGCHQの活動にとりわけ関心が強い者に向かって、『あんたらはまだ何も知らない』と言う人はあまりいないでしょう」

だが、英国の保守系新聞にとっては、情報機関の訴えは神聖なる事実だった。なおかつ、マードックがらみの電話盗聴を暴いて以来、英国新聞界で不評をかこっている『ガーディアン』をとっちめるチャンスでもある。このスキャンダルがきっかけで、新聞業界に国の規制が入る可能性が高まっていた。『サン』『デイリー・メール』『デイリー・テレグラフ』はこれに激しく反対している。どの新聞もスノーデンのリークを無視した。あえて好意的に考えるなら、機密文書を見ることができないライバル紙は取材するにもしようがなかったのかもしれない。

パーカーの演説のあと、『デイリー・メール』は愛国心をさらけ出して『ガーディアン』攻撃の先頭に立った。「英国の敵を助ける新聞」「致命的な無責任」と、ののしりの言葉は尽きない。ジャーナリストは国家の安全保障にかかわる問題を決定できない、と『デイリー・メール』は言った。では、同紙がスノーデンファイルを手に入れていたら、どうしたのだろう？　いつもは報道の独立や自由を声高に訴える新聞が、ここではやけに自制しているのも妙な話だ。

しかし、他紙は態度が違っていた。国際的に名の知れたさまざまな新聞・雑誌の編集責任者20人余りが『ガーディアン』を擁護。ジャーナリズムは人々に真実を伝え、権力者の責任を問う役目を負わなければならないと強調した。『ニューヨーク・タイムズ』『ワシントン・ポスト』『デア・シュピーゲル』などは、スノーデンの事件について独自の報道を展開していた。『ハアレツ』『ヒンド

ゥ』『エル・パイス』など、報道そのものは行わない新聞もあった。

だが、今回の暴露により、スパイ組織の役割、「通信傍受の適切な範囲」(『ニューヨーク・タイムズ』のジル・エイブラムソン)に関するまっとうな議論が喚起されたことは、どのメディアも認めていた。

ドイツでは、1963年の「シュピーゲル事件」がまだ人々の記憶に残っている。『シュピーゲル』の伝説的編集長、ルドルフ・アウクシュタインが国防機密情報をスクープして逮捕・投獄された事件である。西ドイツの戦後民主主義にとって一つの試金石だった。結果的にアウクシュタインは解放され、彼を投獄したフランツ・ヨーゼフ・シュトラウス国防相が辞任した。『ガーディアン』のラップトップPCの破壊に関するニュースは、ドイツ全土で第一面を飾っている。

一方、『ヒンドゥ』紙の編集長、シダールタ・ヴァラダラージャンは、各紙が暴露したスパイ行為の詳細は「テロとの戦いとはこれっぽっちも関係がない」と述べた。

彼は次のように書く。「オサマ・ビン・ラディンはエドワード・スノーデンのPRISMに関する情報暴露がなくても、米国が電子通信を逐一盗聴していることに気づいていた。彼はとっくに電信の世界を離れ、昔ながらの密使を利用するようになっていた。しかし、米国、英国、ブラジル、インドなどの何百万という人たちは、プライバシーが危険にさらされていることをまったく知らなかった(国家指導者、エネルギー企業などでさえ、卑劣な理由でスパイされている)」

英国政府にこうした認識はなかったようだ。キャメロン首相はむしろニュースの伝達者を非難するという、おかど違いの方策を選択。記事の発表を続ければ罰を受けるかもしれないと、『ガーデ

ィアン』をそれとなく脅迫した。ブリュッセルで行った演説では、諜報機関の仕事に対する「お上品ぶった、甘っちょろい」認識は自分にはできないと述べた。名門イートン校の卒業生として、この言葉づかいはいかがなものか。アンゲラ・メルケルの電話の盗聴に英国も加担していたのかという質問に対しては、答えをはぐらかした。

保守党の無名下院議員だったジュリアン・スミスは、『ガーディアン』が英国諜報員の正体を漏らし（そんな事実はない）、「反逆行為を犯した可能性がある」と示唆した。自分自身の犯した失態がなければ、その発言ももう少し信用されただろうに。スミスはメンウィズヒル（選挙区のノースヨークシャーにあるNSAの最高機密施設）のスタッフによる議会訪問をアレンジし、その後、ゴシック調の建物の前で諜報機関のメンバーと写真におさまった。そして写真を自分のウェブサイトにアップした。NSAとGCHQの職員の正体が大っぴらになったわけだ。彼らの同意があったとスミスは言うのだが。

安全保障について強気な発言をする一方、友好国・同盟国に対するGCHQのスパイ行為が暴露されても無視するというのが、英国の戦略だった。11月、この問題は議会の委員会室から、テムズ川を下った王立裁判所へと舞台を変える。カフェに隣接した第28法廷で、2日間にわたる司法審査が行われた。表はロンドン特有の霧雨が降り、法廷内ではかつらをつけた法廷弁護士たちがファイルをめくっている。ある弁護士の手元には、『ブラックストン英国反テロ立法ガイド』と題する本――欄干付きの建物の上にはためく英国旗が表紙を飾る。

ミランダの弁護人たちは、付属書7に基づく彼の拘束に異議を唱えていた。マスコミや言論の自

由団体など、10の組織から成る合同チームがミランダを支援した。このブラジル人が原告、内務省と警察が被告である。ジョン・ローズを筆頭に三人の裁判官がこの合議法廷を審理していた。

マシュー・ライダー弁護士が事実を陳述する。ミランダはベルリンからリオへ向かう途中の乗り継ぎ地点であるヒースロー空港でテロ対策警察に拘束された。彼は報道関連の資料を持っていた。この資料に基づく記事により、だれも知らなかった英米政府の大量監視が明らかになり、「国際的な議論」が引き起こされていた。当局はミランダの表現の自由を侵害した。その行為は必要な範囲を逸脱し、不当な目的を持ち、反テロ法とも相いれない——。

しかし、三人の裁判官はライダーの論証に心を動かされるようすがなかった。ローズ裁判官は途中で何度も話をさえぎった。丁重に口をはさむそのやり方は、知性のきらめきを感じさせた。だが、彼がインターネットについてよく知らないのは明らかだった。三人の裁判官は60代の半ばから後半である。ミランダの弁護人がNSAのPRISMプログラムに言及すると、ローズがそれをさえぎった。「つまり、彼ら（諜報当局）はテロリストのEメールを読めないという意味ですね！」

ローズは調査ジャーナリズムにも懐疑的な見方をしていた。「『責任あるジャーナリスト』というのがどういう意味なのか、わかりかねます」と、審理のなかで彼は言った。「責任あるジャーナリストだから安全保障問題をすべてわかっている？　そんなことはないでしょう。……言葉のうえだけの話ですな」

やはり体制側の人間である他の2名の裁判官は、スノーデンにも彼が置かれた状況にもほとんど同情しなかった。「スノーデンがロシアにとどまっているのは、見返りを得る者がいるからでしょ

う。当然そのように思われます」と、ウーズリー裁判官は口をはさんだ。

「なぜロシアはスノーデンの滞在を認めているのですか？　スノーデンは暗号化されたデータを持っています。ロシア人がそれを解読したがるかもしれないという考えが、彼の頭をよぎりませんかね？」と、オープンショー裁判官は言った。

訴訟の鍵を握る裁判官たちを説得するのは相当難しいと思われた。グリーンウォルドは次のように供述した。「被告の対応で最も深刻かつ問題なのは、国家の安全保障に関する資料をもとに記事を発表することを、テロ行為と同一視している点です」

当局はこれを否定した。国家の安全保障のために行動したのだ、と内務省は言った。知りたかったのは、「エドワード・スノーデンの広範なネットワークのどこにミランダ氏が位置づけられるのか」。この件に関与するジャーナリストは公益を動機にしているのではなく、「政治的または思想的な大義を推進」している——。

審査が終わった翌日、ローズら裁判官が判決を検討している間、舞台はまた議会の委員会室に移った。2012年公開の映画『007スカイフォール』では、MI6長官の「M」（ジュディ・デンチ）が公聴会で証言する場面が出てくる。ISCの議員たちが彼女に敵意丸出しの質問を投げかける（MI6が秘密捜査官の名前が保存されたハードディスクドライブをなくしたため、彼らはいらだっている）。

Mへの尋問は厳しくなる。映画の悪役は、MI6を裏切った元捜査官のラウル・シルヴァ（ハビエル・バルデムが怪演）。そのシルヴァが、警官のかっこうで委員会室に飛び込み、発砲する。幸

い、ジェームズ・ボンド（ダニエル・クレイグ）が駆けつけ、上司のMを救出する。ＩＳＣの委員長、ギャレス・マロリー（レイフ・ファインズ）もいざというときには有能で、悪人を何人か撃ち殺す……。

現実のＩＳＣ第1回公聴会（11月7日）はもっと物静かだった。馬てい形のテーブルには、マルコム・リフキンド卿と九人の上下院議員。ボンドのかたき役はいない。その代わり、ドアが開いて委員会の花形証人が入場する。ＭＩ5、ＭＩ6、ＧＣＨＱの責任者（アンドリュー・パーカー、ジョン・ソワーズ、イアン・ロバン）が並んで席につく。彼らの後ろには、落ち目の政府からほかにも何人かの関係者が来ていた。それから、ペン型爆弾（往年のボンドの武器）を持っているに違いない大柄なボディーガードが一人。

諜報機関責任者を招いてのＩＳＣの会議はかつて非公開だったが、今回はテレビで生中継された。いや、ほぼ生中継というのが正しい。だれかが機密事項を口走ったときに備えて、テレビ映像は2分遅れで流された。90分の会議の口火を切って、マルコム卿が、この公聴会は「わが国の諜報機関の透明性を高めるうえで大きな一歩」になるだろうと自賛する。長官たちに事前に質問内容を教えていたことは口にしない。記者たちは退屈なイントロにやむなくつきあった。スパイたちがいよいよ表舞台に現れるのだ！

ロバンらがスノーデンの暴露について何か糸口となる発言をするだろうと期待した者は、がっかりするはめになった。大まかに言えば、長官たちはみずからのミッションの合法性や妥当性、ターゲットや手法の正当性を懸命に説いたにすぎない。委員会の大部分は、スノーデンなど存在しない

かのような雰囲気で進行した。「一下級職員」がどうやってGCHQの機密情報にアクセスできたのかと問われて、パーカーは、英国の諜報機関は「厳格なセキュリティー体制」を敷いていると言った。

リフキンドが尋ねる。「あなた方の情報にアクセスできると思われる何十万という人々について、アメリカの情報機関とも話し合っておられると考えてよいですか?」

パーカーが答える。「われわれは三人とも、そのような話し合いにかかわっています」

GCHQの失敗をめぐってだれかがクビを切られていても、それは表沙汰にはならない。また、NSAが史上最大の情報漏洩を生じさせてしまった経緯についても、説明はいっさいなかった。

リフキンドが別の質問をする。まるで親切なテニスプレーヤーが、相手がスマッシュしやすいロブを上げてやるように。「少数の悪者から国民を守るため、多数の一般人に関する情報を収集しなければならないのは、なぜだと思われますか?」

ロバンは、お気に入りの「干し草の山」のたとえを持ち出して答えた。「われわれは多数の人々の通話を聞いたり、Eメールを読んだりして時間を費やしているのではありません」。GCHQは「犯罪捜査」をしており、「針を探し出す」ために「大量の干し草」、すなわちインターネット上の通信にアクセスする必要がある——。ロバン長官は、GCHQの職員たちも弁護した。彼らは愛国心に燃え、テロリストや重罪犯を探し出したいとの一念で仕事をしている、と。

「人々のプライバシーを嗅ぎまわるよう指示されたら、彼らはみんな仕事を辞めるでしょう」とロバンは言った。

それから、ターゲットに関するGCHQの知識が少しずつではあるが確実に失われるだろう、とも付け加えた。この5カ月間、テロリストらしき者たちがほぼ毎日、通信手段をどう変えるかについて話し合っている、と彼は言った（ということは、GCHQはまだ彼らを盗聴することができたのだ）。

今度は正真正銘の「M」であるソワーズが、現在の最大の悪者、グローバルメディアをたたく番だった。自信に満ちた丁寧な口調で、ソワーズは言った。「（スノーデン情報の公開は）大きな痛手でした。……われわれの業務が危険にさらされました。敵はいまごろほくそ笑んでいるでしょう。アルカイダも喜んでいることでしょう」。ただし、くわしい内容は何も明らかにされなかった。

何人かの委員が三人の長官を遠慮がちに問い詰めた。閣僚経験のあるバトラー卿は、諜報機関の能力が「格段に進歩」したことを考えたとき、2000年に成立した法律は「現代社会の目的に沿う」だろうかと尋ねた。ソワーズとロバンは、法的枠組みの変更は受け入れる用意があるが、それを提案するのは政治家だと述べた。

総じて、公聴会はなれあいだった。

なぜこれを尋ねなかったのか、と不思議に感じられるテーマがいろいろある。委員会はスノーデンの文書が提起した重要な問題にはほとんど触れず、大量監視、市民の自由、プライバシーなどに関する深刻な質問を回避した。グーグルのデータサーバー間を行き来するトラフィックの盗聴にGCHQがかかわったとされる件についても、質問はなかった。メルケル首相の携帯電話の盗聴、友好国の指導者に対するスパイに関しても、しかり。必要以上の協力を申し出てくれた通信会社への

依存についても、やはり質問はなかった。

公聴会の前の週、インターネットの生みの親であるティム・バーナーズ・リーは、インターネットの暗号化技術を骨抜きにしようとする英米の取り組みを「愚かで最悪」と評していた。これについてもだれも質問しなかった。

そうなると、当たり前のことをあえて指摘する役割をラスブリッジャーが担うしかない。スノーデンは（運よく）ジャーナリストにファイルを預けた。彼らは（政府や諜報機関に相談しながら）良心的に仕事をし、リークされたデータのごく一部を公表した。逆説的ではあるが、もっと大きな惨事になるのを防いで、諜報機関を救ったのはマスコミである――。

政府や役人や諜報機関責任者が新聞をこらしめたいのであれば、彼らにはそうする特権がある。しかし、プロのジャーナリズムという場がなかったら、次なる漏洩者は何をしでかすかわからない。その点を考えてみたほうがよい。検閲不能なワールドワイドウェブ上に、すべてのデータが放出されるかもしれない。「どうされたいにせよ慎重にどうぞ」とラスブリッジャーは警告した。

実は、この話にはまだ最終章が残っていた。2013年12月初旬、またしても舞台は議会。下院内務特別委員会（議長は、上流階級風の古めかしい話し方をする労働党議員、キース・ヴァズ）がラスブリッジャーを召喚する。編集長本人に説明を求めたのである。だが、これはそもそもおかしな要請だった。成熟した民主主義社会ではふつう、新聞の編集長が議員の前で編集上の意思決定について説明する必要などない。つまるところ、それが報道の自由というものだ。

にもかかわらず、ヴァズはラスブリッジャーにいきなりこう尋ねた。「あなたはこの国を愛していますか?」。けんか腰というよりも、あくまで助け船を出すつもりだったのかもしれない。だが、この質問は明らかに魔女狩り的なニュアンスを感じさせた。ラスブリッジャーはイエスと答えたうえで、「こんな質問を受けるとは少々驚きです」と言った。「でもええ、私たちは愛国者です。何に愛国心を感じるかといえば、その一つが民主主義であり、報道の自由であります」

この半年間の『ガーディアン』の報道のあり方について、ラスブリッジャーは静かに説明した。スノーデンのファイルを責任を持って扱ったこと、政府と100回を超すやりとりをしたこと、最大限の公益を考えたからこそ発表に至ったこと……。しかし、委員会の保守党議員は腹の虫がおさまらず、ラスブリッジャーを監獄に入れるというたくらみまで持っていた。

最も奇妙な質問をしたのは、保守党のマイケル・エリスである。『ガーディアン』は一連の報道のなかで、同性愛者の権利団体「ストーンウォール」の支部がGCHQ内にあると伝えていた。この情報はストーンウォールのウェブサイトにも載っている。ところが、見るからに激高したエリスは、盗んだ資料を公表し、GCHQで働く人たちの「性的指向」を暴露したとラスブリッジャーを非難した。

「いったいどういうことでしょう、ミスター・エリス。GCHQに同性愛者がいるのは意外ですか?」とラスブリッジャーは言った。エリスが答える。「不愉快ですな、ミスター・ラスブリッジャー」。エリスはまた、GCHQ職員が家族といっしょにディズニーランド・パリを訪れたという報道をした『ガーディアン』は、さらなる秘密を漏らしたのだと難癖をつけた。

同紙の政敵からの言いがかりはこのように乱暴で、少なからずばかげていたが、スノーデン事件に関する英国の犯罪捜査は実に現実的に進められていた。同じ下院内務特別委員会で、ロンドン警視庁のクレシダ・ディック警視監は、法律を破った者がいるかどうかを捜査中であることを認めた。具体的には、反テロリズム法の第58a条を指す。テロリストの役に立つ可能性が高い、諜報スタッフに関する情報を伝えるのは違法との規定である。機密情報にかぎらず、写真、住所、さらには飼い猫の名前さえ含まれる。

ディックは言った。「法律違反があったのかなかったのかを、はっきりさせる必要があります。それには膨大な量の資料を調べなければなりません」

スノーデンのリーク情報を公表したジャーナリストは、それまでの仕事で経験できなかったほどぞくぞくする特ダネにかかわることができた。それは公益にもかなっていた。だがいま、彼らはどうやら容疑者にされたようであった。

＊ epilogue ＊

故国を追われて

2014〜?年
モスクワ近くのどこか

「シベリアにさえ幸せはある」

アントン・チェーホフ「In Exile」

エドワード・スノーデンは9週間、ほとんど姿を見せなかった。奇妙な写真ならあった。若い男がショッピングカートを押してモスクワの通りを渡っている（偽物か？　スノーデンには全然見えない！）。もう1枚の写真のほうが説得力はあった。観光船でモスクワ川をクルージング中のスノーデンが写っている。季節は夏。彼は鳥打ち帽をかぶり、ひげを生やしている。背景には、橋と、救世主ハリストス大聖堂の金色のドーム。スターリンが爆破し、エリツィンが再建した建物だ。クレムリン宮殿の高い壁もそこから近い。

ロシアのマスコミにリークされたこれらの写真は、スノーデンが「ふつうの」暮らしを送っていることを印象づけるのがねらいだった。だが彼の置かれた状況を考えると、その見込みは薄い。むしろそれとは逆の手がかりがあった。スノーデンの写真を撮ったニュースサイト「ライフニュース

（Lifenews.ru）」は、ロシアの保安当局とのつながりが強いことが知られている。スノーデンの弁護士、アナトリー・クチェレナによれば、彼のクライアントは生活になじみ、ロシア語を学び、大手ネット企業に仕事も見つけたという。だが、ロシアのフェイスブックに相当する「フカンタークティエ（VKontakte）」などは、これを否定している。

だれの目にも明らかなスノーデンの再登場は、10月だった。四人のアメリカ人が彼と会うためにモスクワを訪れた。いずれも米国の治安機関や諜報機関で働いていた内部告発者である。元NSA幹部職員のトーマス・ドレーク（スノーデンは彼の事件をよく調べていた）、CIAの分析官だったレイ・マクガバン、司法省に勤務していたジェスリン・ラダック、そして元FBI捜査官のコリーン・ローリー。

異様な旅だった。ワシントンDCを発つ前、四人は米国への再入国でトラブルが生じた場合に備えて弁護士を雇った。電子機器も置いてきた。ラダックが言うように、米当局は携帯電話やラップトップのGPS機能を使って彼らの居場所を特定し、スノーデンの隠れ家を突き止める可能性がある。帰国時にデバイスを捜索・押収することもできる。

モスクワに着くと、四人は窓をふさいだバンで秘密の場所へ連れて行かれた。そこにスノーデンがいた。ウィキリークスはビデオを公表した。背景の油絵、シャンデリア、パステルカラーは、どこかの高級ホテルを思わせる。モスクワにはそういうホテルがいくつもある。だが、ひょっとしたらこれは政府の迎賓館ではないか。

スノーデンは元気そうだった。リラックスし、上機嫌だった。マクガバンがあとで言うには、彼

は自分自身にも、機密資料を暴露するという決断にも満足していた。自分はロシアのスパイであるはずがない、とスノーデンは冗談めかして言った。ロシアは自国のスパイをシェレメチェボ空港のトランジットエリアに1カ月以上閉じ込めたりしない、と。

一同はスノーデンに（誠実な情報関係者を称える）サム・アダムズ賞を贈呈するとともに、メッセージを伝えた。米政府がスノーデンをこきおろすのとは対照的に、一般の多くのアメリカ人は彼を温かく支援している、インテリジェンスコミュニティー内部の人間も例外ではない、と。ラダックによれば、聡明で謙虚な（これも彼女の言葉だ）スノーデンは、自分自身のことよりも、グリーンウォルドやポイトラス、香港から行動をともにしているウィキリークスの若き活動家、サラ・ハリソンの身の上を案じていた。

スノーデンは世のなかの動向をフォローしていた。夕食の席で彼は、なぜ今回のようなことをしたのかを説明した。アメリカでは支配する側と支配される側の関係が、「自由な民主主義国家の国民としてわれわれが期待するものと、だんだん食い違って」きた、と彼は客人たちに述べた。さらに、真実を述べたがゆえの自分の運命――国外追放に誹謗中傷――と、うそをついても罰を受けないクラッパーの運命とを対比した。

話題を元に戻して、スノーデンは続ける。自分が暴露したNSAの大量監視プログラムは「国民を安全にしない」と彼は言った。「そのプログラムは私たちの経済、私たちの国をダメにします。私たちは自由にものを言い、考え、生活し、創造性を発揮し、関係を築き、団結することができなくなります。……合理的な個別の嫌疑や令状に基づく合法的なプログラム、合法的なスパイ活動、

合法的な法執行と、必要がないときでも網を張るように国民全員をみはる大量監視とは、まったく性質が異なります」

父親のロン・スノーデンもモスクワを訪れており、二人は再会を果たすことができた。

3週間後、スノーデンはまた公式訪問を受けた。今度は、ドイツ緑の党の74歳の重鎮議員にして急進派弁護士のハンス・クリスティアン・シュトレーベレだ。ドイツでは、メルケル盗聴事件が政界のエリート層を動揺させていた。シュトレーベレはスノーデンをドイツに招待した。米国のスパイ行為を調査する議会委員会で証言してほしいというのだ。シュトレーベレはスノーデン、ハリソンとともにテーブルを囲んだ。議論、談笑、そして集合写真。

スノーデンはミス・メルケルとドイツ議会に宛てたレターをシュトレーベレに託した。そのなかで彼は、「私の国の政府による組織的な法律違反」を目撃して、「行動しなければならないという道徳的な義務感」を覚えた、と述べている。そうした懸念事項を通報した結果、「国ぐるみの継続的で激しい迫害」にさらされてしまった。だが一方で、「私の政治的表現」が、「多くの新しい法律」、社会的認識の拡大など、世界中で心強い反応を生み出している、とも彼は書いた。

スノーデンの見解によれば、彼の行為を犯罪に仕立て上げ、重罪を科そうとするホワイトハウスのキャンペーンは、不当な所業である。米議会でいくらでも証言する用意はある——もしそうさせてくれればの話だが。「真実を語るのは犯罪ではありません」

目を引くパラグラフが一つある。はっきりとは述べていないが、スノーデンはいずれロシアを離れたいと考えているようだ。レターは次のように締めくくられる。「状況が許すようになったとき、

貴国でお目にかかるのを楽しみにしています。私たちを保護する国際法を支持してくださったことに感謝いたします。エドワード・スノーデン」

何日かして、ハリソンはスノーデンに別れを告げ、ベルリンへ旅立った。ロシアでは4カ月間、彼といっしょだった。法的な助言に従って、英国へ戻るのは避けたといわれる。ドイツの首都ベルリン、とりわけ東ベルリン地区には、スノーデンがらみで国を追われた人たちが増えている。ポイトラス、ジャーナリストのジェイコブ・アッペルバウム、そしてハリソン。歴史感覚が多少なりともある人にとって、これは皮肉である。かつてのシュタージの本拠地が報道の自由の砦になっているのだから。

グリーンウォルドはといえば、『ガーディアン』を辞めて、イーベイ創業者のピエール・オミダイアが支援する新しいメディアベンチャーに参加することを発表した。

スノーデンがモスクワを出て、西ヨーロッパで新たな生活をスタートできる見込みはあるだろうか？　左翼系の政治家、知識人および作家は、スノーデンの亡命を認めるようドイツ政府に要求した。ベルリンの米大使館前の通りを「スノーデンストリート」と改称する運動まであった（あるアーティストは新しい街路標識を立て、そのビデオをフェイスブックに投稿した）。

だがドイツにとっては、アメリカとの戦略的関係のほうが一個人の運命よりも重要である。少なくとも、3期目の首相の座にあるメルケルはそう考えるだろう。

だからスノーデンはモスクワにとどまっていた。クチェレナ弁護士は、もし出国を図れば亡命資格を失うことになる、と世界に向けてやんわりと釘を刺した。スノーデンは好むと好まざるとにか

かわらず、ロシア連邦の客人なのだ。そしてある意味、人質なのだ。彼の国外追放がいつまで続くか、それはだれにもわからない。数カ月？　数年？　それとも数十年？

謝辞

以下の方々に感謝します。

スペンサー・アッカーマン、リチャード・アダムス、ジェームズ・ボール、ダグラス・バーチ、ジェーン・バーチ、デイビッド・ブリッシェン、ジュリアン・ボーガー、ローリー・キャロル、サラ・チャーチウェル、ケイト・コノリー、ニック・デイビス、リンゼイ・デイビス、マーティン・デフィースト、ミリアム・エルダー、ピーター・フィン、シーラ・フィッツサイモンズ、ノーラ・フィッツジェラルド、ケムリン・ファーリー、ジャナイン・ギブソン、グレン・グリーンウォルド、ローラ・ハッサン、ベルンハルト・ハウボルト、ヘニング・ホフ、ニック・ホプキンス、ポール・ジョンソン、ジェフ・ラーソン、デイビッド・リー、ポール・ルイス、イーウェン・マカスキル、ジャスティン・マッカリー、スチュアート・ミラー、サラ・モンゴメリー、リチャード・ノートン・テイラー、フィリップ・オルターマン、アンナ・パライ、ギル・フィリップス、ローラ・ポイトラス、マーク・ライス・オクスリー、アラン・ラスブリッジャー、フィービー・タプリン、ジョン・ワッツ。

訳者あとがき

人間、やれることはやってしまうのだな。本書を読んでまずそう思った。

昔のスパイといえば、テレビや映画の影響も大きいのだろうけど、潜入捜査、秘密工作、盗聴、そんなイメージがあった。いわば対人アクション系。良し悪しはともかく、仕事としてやらなければいけないから、危険を冒してやる。盗聴にしたって、多くの場合、準備段階では体を張って相手の領分に踏み込まなければならない。

近年のスパイノウハウには、そういう「相手」を特定せず、電話やEメールなどの通信を一網打尽に傍受する手法が加わったらしい。スノーデンが暴露した資料によれば、たとえばＩＴ企業を抱き込んで、海底光ファイバーケーブルの主な上陸地点に盗聴装置を設置する。そうやって大量に収集した情報をふるいにかけ、必要な情報にたどり着く。こうなるともうアクション系どころか、完全な事務仕事だ。

アクションが人に依存するなら、事務は技術に依存する。テクノロジーの進歩がインターネットやメールを生み出し、同時にハッキング、大がかりな通信傍受を可能にした。法的・道徳的に疑問視されようとも、技術的にやれることはやってしまう。それがわれわれ人間なのだなあと、いささか投げやりな気分になったりもする。

本文中、米上院議員のジョン・マケインが、国家安全保障局（ＮＳＡ）によるドイツ・メルケル首相の携帯電話盗聴について、「やれるからやっただけのことだろう」みたいな皮肉めいた発言をしている。至言。

何ごとにつけ、やらなければならないからするのと、やれるからするのとでは、けっこう意味あいが違う。これも本文にところどころ出てくるが、ＮＳＡやＧＣＨＱ（英政府通信本部）のスタッフは、なにやら鼻高々だ。あんたは知るまいが、こっちはすべてお見通しだぞ。われわれはここまでやれるんだ――そんな感じ。全能の神にでもなったつもりか。これはちょっと怖い。そこには昔のスパイの悲壮な（？）使命感はない。

もちろんスパイ組織の全員がそういう態度で仕事に臨んでいるのではないと思う。違和感を覚えながらもどうにか折り合いをつけている人、べつに何も考えていない人もいるだろう。いや、あくまで使命感を支えに仕事をしているスタッフも少なくはないはずだ。でも、そのような人がテクノロジーの恩恵のもとで「甘やかされ」、さきの鼻高々なスタッフに変身してもおかしくはない。

エドワード・スノーデンは結局、そうした組織にとどまることができなかった。要はがまんできなかった。何にがまんできなかったか？　それは本書を読めばいろいろ感じ取れる。たとえば、憲法。合衆国憲法修正第４条では不当な捜索・押収が禁じられている。テロとの戦争という大義名分のもとの大量監視は、そもそも憲法違反ではないか――。

ずいぶん以前、私が勤めていた会社の経営会議で、ある役員がこんなことを言った。「理屈はわ

からないでもありませんが、はたしてそれで尊敬されるコーポレートになれるでしょうか」

たしか、当時はやりの成果主義人事をさらに強化する案が人事部から報告され、それを受けてのコメントだった。コーポレートというのは、現場のライン部門ではない、本社スタッフ部門全般を指す。会議に同席しながら（あくまで事務局員としてです）、「尊敬されるコーポレート」という言葉になんだか新鮮な響きを感じたのを覚えている。

そのころおつきあいのあった経営コンサルタントは、歯に衣着せぬロジカルな語り口が有名な人だった。けれども一方で、「魂を売ってもいいんですか」と釘をさすことも忘れなかった。やはり良識の歯止めみたいなものを意識しておられたに違いない。

尊敬されるスパイ、魂を売らないスパイというのが成り立つのかどうか、門外漢の私にはよくわからない。でも、成り立ってほしいとは思う。スパイにかぎらず職業全般についてそう思う。でないと、この世界は少しずつだが着実に、私たち自身が心の底から望んでいるわけではない何ものかにひたひたと覆われていくのではないか。それは困る。

ところで、このあとがきを書いているときに朗報が飛び込んできた。本書の準主人公格ともいえる『ガーディアン』紙が、スノーデンファイルに基づく一連の報道に対して、『ワシントン・ポスト』紙とともにピュリツァー賞を受賞したのである。「安全保障とプライバシーの問題をめぐって、政府と市民の関係がどうあるべきかという議論を引き起こした」ことが評価されたようだ。

英政府にコンピューターの破壊を命じられながらも、ひるむことなく報道しつづけた、その気概

が報われたといえる。もちろん、スノーデンをはじめ、グレン・グリーンウォルド、ローラ・ポイトラスなど、組織に直接属さない個人の活躍も忘れてはならない。絶対的な力を（あからさまにせよ遠回しにせよ）振りかざす者たちに屈しない姿は、それだけで敬服に値する。

2014年4月

本書の翻訳では日経BP社の沖本健二氏にたいへんお世話になりました。この場を借りて、あらためて感謝いたします。

三木 俊哉

著者

ルーク・ハーディング

Luke Harding

ジャーナリスト、作家、『ガーディアン』海外特派員。デリー、ベルリン、モスクワに勤務し、アフガニスタン、イラク、リビア、シリアの紛争も取材。2007年から2011年まで『ガーディアン』モスクワ支局長。冷戦後初となる国外追放処分をロシア政府から受けた。ノンフィクションの著書が3冊ある。*The Liar: The Fall of Jonathan Aitken*（オーウェル賞候補作）と *WikiLeaks: Inside Julian Assange's War on Secrecy*（邦題『ウィキリークス アサンジの戦争』）は、いずれもデヴィッド・リーとの共著。*Mafia State: How One Reporter Became an Enemy of the Brutal New Russia* は2011年に刊行された。著書は13カ国語に翻訳されている。妻のフィービー・タプリン（フリージャーナリスト）、2人の子どもとハートフォードシャーに住む。

訳者

三木 俊哉

Toshiya Miki

1961年、兵庫県生まれ。京都大学法学部卒業。企業勤務をへて、主に産業翻訳に従事。訳書に、『世界はひとつの教室』（ダイヤモンド社）、『ヘッジファンドー投資家たちの野望と興亡』（楽工社）、『完全網羅 起業成功マニュアル』（海と月社）などがある。

スノーデンファイル

地球上で最も追われている男の真実

2014年5月20日　第1版第1刷発行

著者　ルーク・ハーディング

訳者　三木 俊哉

発行者　高畠 知子

発行　日経BP社

発売　日経BPマーケティング

〒108-8646　東京都港区白金1-17-3

電話　03-6811-8650（編集）　03-6811-8200（営業）

http://ec.nikkeibp.co.jp/

ブックデザイン　遠藤陽一

制作　アーティザンカンパニー株式会社

印刷・製本　株式会社廣済堂

ISBN978-4-8222-5021-8

定価はカバーに表示してあります